유머로 배우는 한국어

中国语(중국어)
翻译版(번역판)

- 유머 (名词)：幽默
  让人发笑的言行。

- 로(助词)：无对应词汇
  表示某事的方法或方式。

- 배우다 (动词)：学，学习
  获得新知识。

- -는(语尾)：无对应词汇
  使前面的词具有定语功能，表示事件或动作现在正在发生。

- 한국어 (名词)：韩国语，韩语
  韩国使用的语言。

< 저자(著者) >

㈜한글2119연구소

· 연구개발전담부서

· ISO 9001 : 품질경영시스템 인증

· ISO 14001 : 환경경영시스템 인증

· 이메일(电邮) : gjh0675@naver.com

< 동영상(视频) 자료(资料) >

HANPUK_中国语(翻译)
https://www.youtube.com/@HANPUK_Chinese

제 2024153361 호

연구개발전담부서 인정서

1. 전담부서명: 연구개발전담부서

   [소속기업명: (주)한글2119연구소]

2. 소　재　지: 인천광역시 부평구 마장로264번길 33
   상가동 제지하층 제2호 (산곡동, 뉴서울아파트)

3. 신고 연월일: 2024년 05월 02일

과학기술정보통신부

「기초연구진흥 및 기술개발지원에 관한 법률」 제14조의

2제1항 및 같은 법 시행령 제27조제1항에 따라 위와 같이

기업의 연구개발전담부서로 인정합니다.

2024년 5월 13일

한국산업기술진흥협회장

< 목차(目录) >

● 부록(附录)

< 1 단원(単元) >

제목 : 깜짝 놀라서 티브이(TV) 전원을 꺼 버렸지.

● 본문 (原文)

할머니께서 드라마를 보시다가 갑자기 티브이(TV) 전원을 꺼 버렸습니다.

그리고 며칠 후 초등학교 동창회에 참석하셨습니다.

거기서 할머니는 가장 친한 친구에게 티브이(TV)를 갑자기 끈 이유를 말했습니다.

할머니 : 갑자기 배우 한 명이 기침을 하잖아.

　　　　 깜짝 놀라서 티브이(TV) 전원을 꺼 버렸지.

할머니 친구 : 바보야, 티브이(TV)를 왜 꺼.

　　　　 얼른 마스크를 쓰면 되지.

할머니 : 맞네.

　　　　 그런 기막힌 방법이 있었네.

● 발음 (发音)

할머니께서 드라마를 보시다가 갑자기 티브이(TV) 전원을 꺼 버렸습니다.
할머니께서 드라마를 보시다가 갑짜기 티브이(TV) 저눠늘 꺼 버렫씀니다.
halmeonikkeseo deuramareul bosidaga gapjagi tibeui(TV) jeonwoneul kkeo beoryeotseumnida.

그리고 며칠 후 초등학교 동창회에 참석하셨습니다.
그리고 며칠 후 초등학꾜 동창회에 참서카셛씀니다.
geurigo myeochil hu chodeunghaggyo dongchanghoee chamseokasyeotseumnida.

거기서 할머니는 가장 친한 친구에게 티브이(TV)를 갑자기 끈 이유를 말했습니다.
거시서 할머니는 가장 친한 친구에게 티브이(TV)를 갑자기 끈 이유를 말핻씀니다.
geogiseo halmeonineun gajang chinhan chinguege tibeui(TV)reul gapjagi kkeun iyureul malhaetseumnida.

할머니 : 갑자기 배우 한 명이 기침을 하잖아.
할머니 : 갑짜기 배우 한 명이 기치믈 하자나.
halmeoni : gapjagi baeu han myeongi gichimeul hajana.

깜짝 놀라서 티브이(TV) 전원을 꺼 버렸지.
깜짝 놀라서 티브이(TV) 저눠늘 꺼 버렫찌.
kkamjjak nollaseo tibeui(TV) jeonwoneul kkeo beoryeotji.

할머니 친구 : 바보야, 티브이(TV)를 왜 꺼.
할머니 친구 : 바보야, 티브이(TV)를 왜 꺼.
halmeoni chingu : baboya, tibeui(TV)reul wae kkeo.

얼른 마스크를 쓰면 되지.
얼른 마스크를 쓰면 되지.
eolleun maseukeureul sseumyeon doeji.

할머니 : 맞네.
할머니 : 만네.
halmeoni : manne.

그런 기막힌 방법이 있었네.
그런 기마킨 방버비 이썬네.
geureon gimakin bangbeobi isseonne.

● 어휘 (词汇) / 문법 (语法)

할머니+께서 드라마+를 보+시+다가 갑자기 티브이(TV) 전원+을 끄(끄)+어 버리+었+습니다.

그리고 며칠 후 초등학교 동창회+에 참석하+시+었+습니다.

거기+서 할머니+는 가장 친하+ㄴ 친구+에게 티브이(TV)+를 갑자기 끄+ㄴ 이유+를 말하+였+습니다.

할머니 : 갑자기 배우 한 명+이 기침+을 하+잖아.

　　　　깜짝 놀라+아서 티브이(TV) 전원+을 끄(끄)+어 버리+었+지.

할머니 친구 : 바보+야, 티브이(TV)+를 왜 끄(끄)+어.

　　　　얼른 마스크+를 쓰+면 되+지.

할머니 : 맞+네.

　　　　그런 기막히+ㄴ 방법+이 있+었+네.

할머니+께서 드라마+를 보+시+다가 갑자기 티브이(TV) 전원+을 <u>끄(ㄲ)+[어 버리]</u>+었+습니다.

                                                  꺼 버렸습니다

- **할머니 (名词)** : 아버지의 어머니, 또는 어머니의 어머니를 이르거나 부르는 말.
  奶奶，姥姥
  用于指称或称呼父亲的母亲或母亲的母亲。

- **께서 (助词)** : (높임말로) 가. 이. 어떤 동작의 주체가 높여야 할 대상임을 나타내는 조사.
  无对应词汇
  (尊称) 表示动作主体。

- **드라마 (名词)** : 극장에서 공연되거나 텔레비전 등에서 방송되는 극.
  电视剧，连续剧
  在影院上映或电视上播放的剧。

- **를 (助词)** : 동작이 직접적으로 영향을 미치는 대상을 나타내는 조사.
  无对应词汇
  表示动作直接涉及的对象。

- **보다 (动词)** : 눈으로 대상을 즐기거나 감상하다.
  看，观看，观赏
  用眼睛享受或欣赏某个对象。

- **-시- (语尾)** : 어떤 동작이나 상태의 주체를 높이는 뜻을 나타내는 어미.
  无对应词汇
  表示对某个动作或状态主体的尊敬。

- **-다가 (语尾)** : 어떤 행동이나 상태 등이 중단되고 다른 행동이나 상태로 바뀜을 나타내는 연결 어미.
  无对应词汇
  表示某个动作或状态等中断后转为另一动作或状态。

- **갑자기 (副词)** : 미처 생각할 틈도 없이 빨리.
  突然，忽然，猛地，一下子
  来不及想，很快地。

- **티브이(TV) (名词)** : 방송국에서 전파로 보내오는 영상과 소리를 받아서 보여 주는 기계.
  电视，电视机
  接收电视台以电波传送的图像与声音后使其显示出来的机器。

- **전원 (名词)** : 전기 콘센트 등과 같이 기계 등에 전류가 오는 원천.
  电源
  电器插座等机器使用的电流的来源。

· 을 (助词) : 동작이 직접적으로 영향을 미치는 대상을 나타내는 조사.

　无对应词汇

　表示动作直接涉及的对象。

· 끄다 (动词) : 전기나 기계를 움직이는 힘이 통하는 길을 끊어 전기 제품 등을 작동하지 않게 하다.

　关

　切断电流或机器运转动力的路径，使其停止运行。

· -어 버리다 (表达) : 앞의 말이 나타내는 행동이 완전히 끝났음을 나타내는 표현.

　无对应词汇

　表示前面所指的行动完全结束。

· -었- (语尾) : 어떤 사건이 과거에 완료되었거나 그 사건의 결과가 현재까지 지속되는 상황을 나타내는 어미.

　无对应词汇

　表示某一事件已结束或其结果保持到现在。

· -습니다 (语尾) : (아주높임으로) 현재의 동작이나 상태, 사실을 정중하게 설명함을 나타내는 종결 어미.

　无对应词汇

　(高尊) 表示以郑重的语气说明现在的动作、状态或事实。

그리고 며칠 후 초등학교 동창회+에 참석하+시+었+습니다.

참석하셨습니다

· 그리고 (副词) : 앞의 내용에 이어 뒤의 내용을 단순히 나열할 때 쓰는 말.

　而且，并且，况且

　用于紧接前文，单纯罗列后文，表示前后位并列。

· 며칠 (名词) : 몇 날.

　几天

　几个日子。

· 후 (名词) : 얼마만큼 시간이 지나간 다음.

　后，以后，之后

　一定时间过去以后。

· 초등학교 (名词) : 학교 교육의 첫 번째 단계로 만 여섯 살에 입학하여 육 년 동안 기본 교육을 받는 학교.

　小学

　学校教育的第一阶段，学生满6岁入学，接受6年基本教育的学校。

· **동창회 (名词)** : 같은 학교를 졸업한 사람들의 모임.
　校友会
　从同一个学校毕业的人们举行的聚会。

· **에 (助词)** : 앞말이 어떤 장소나 자리임을 나타내는 조사.
　无对应词汇
　表示某个处所或地点。

· **참석하다 (动词)** : 회의나 모임 등의 자리에 가서 함께하다.
　参加，出席
　去会议或聚会等场合共同参与。

· **-시- (语尾)** : 어떤 동작이나 상태의 주체를 높이는 뜻을 나타내는 어미.
　无对应词汇
　表示对某个动作或状态主体的尊敬。

· **-었- (语尾)** : 어떤 사건이 과거에 완료되었거나 그 사건의 결과가 현재까지 지속되는 상황을 나타내는
　　　　　　 어미.
　无对应词汇
　表示某一事件已结束或其结果保持到现在。

· **-습니다 (语尾)** : (아주높임으로) 현재의 동작이나 상태, 사실을 정중하게 설명함을 나타내는 종결 어미.
　无对应词汇
　(高尊) 表示以郑重的语气说明现在的动作、状态或事实。

거기+서 할머니+는 가장 <u>친하+ㄴ</u> 친구+에게 티브이(TV)+를 갑자기 <u>끄+ㄴ</u> 이유+를 <u>말하+였+습니다</u>.
　　　　　　　친한　　　　　　　　　**끈**　　　　**말했습니다**

· **거기 (代词)** : 앞에서 이미 이야기한 곳을 가리키는 말.
　那儿，那里
　指代前面已经讲过的地方。

· **서 (助词)** : 앞말이 행동이 이루어지고 있는 장소임을 나타내는 조사.
　无对应词汇
　表示前面的内容为动作进行的地点。

· **할머니 (名词)** : 아버지의 어머니, 또는 어머니의 어머니를 이르거나 부르는 말.
　奶奶，姥姥
　用于指称或称呼父亲的母亲或母亲的母亲。

· **는 (助词)** : 문장 속에서 어떤 대상이 화제임을 나타내는 조사.
　无对应词汇
　表示文中某个对象成为话题。

- **가장 (副词)** : 여럿 가운데에서 제일로.
  最
  多个中占第一。

- **친하다 (形容词)** : 가까이 사귀어 서로 잘 알고 정이 두텁다.
  亲近，要好，亲密
  近交相知，感情深厚。

- **-ㄴ (语尾)** : 앞의 말이 관형어의 기능을 하게 만들고 현재의 상태를 나타내는 어미.
  无对应词汇
  使前面的词具有定语功能，表示现在的状态。

- **친구 (名词)** : 사이가 가까워 서로 친하게 지내는 사람.
  朋友，好友，友人，故旧
  关系亲近而交往甚密的人。

- **에게 (助词)** : 어떤 행동이 미치는 대상임을 나타내는 조사.
  无对应词汇
  表示某个动作所涉及的对象。

- **티브이(TV) (名词)** : 방송국에서 전파로 보내오는 영상과 소리를 받아서 보여 주는 기계.
  电视，电视机
  接收电视台以电波传送的图像与声音后使其显示出来的机器。

- **를 (助词)** : 동작이 직접적으로 영향을 미치는 대상을 나타내는 조사.
  无对应词汇
  表示动作直接涉及的对象。

- **갑자기 (副词)** : 미처 생각할 틈도 없이 빨리.
  突然，忽然，猛地，一下子
  来不及想，很快地。

- **끄다 (动词)** : 전기나 기계를 움직이는 힘이 통하는 길을 끊어 전기 제품 등을 작동하지 않게 하다.
  关
  切断电流或机器运转动力的路径，使其停止运行。

- **-ㄴ (语尾)** : 앞의 말이 관형어의 기능을 하게 만들고 사건이나 동작이 과거에 일어났음을 나타내는 어미.
  无对应词汇
  使前面的词具有定语功能，表示事件或动作过去已经发生。

- **이유 (名词)** : 어떠한 결과가 생기게 된 까닭이나 근거.
  理由
  使某个结果发生的原因或根据。

- 를 (助词) : 동작이 직접적으로 영향을 미치는 대상을 나타내는 조사.
  无对应词汇
  表示动作直接涉及的对象。

- 말하다 (动词) : 어떤 사실이나 자신의 생각 또는 느낌을 말로 나타내다.
  说，讲
  用话语表达某种事实、自己的想法或感觉等。

- -였- (语尾) : 어떤 사건이 과거에 완료되었거나 그 사건의 결과가 현재까지 지속되는 상황을 나타내는
  어미.
  无对应词汇
  表示某一事件已结束或其结果保持到现在。

- -습니다 (语尾) : (아주높임으로) 현재의 동작이나 상태, 사실을 정중하게 설명함을 나타내는 종결 어미.
  无对应词汇
  (高尊) 表示以郑重的语气说明现在的动作、状态或事实。

할머니 : 갑자기 배우 한 명+이 기침+을 하+잖아.

- 갑자기 (副词) : 미처 생각할 틈도 없이 빨리.
  突然，忽然，猛地，一下子
  来不及想，很快地。

- 배우 (名词) : 영화나 연극, 드라마 등에 나오는 인물의 역할을 맡아서 연기하는 사람.
  演员
  担任电影、话剧或电视剧等中的人物角色进行表演的人。

- 한 (冠形词) : 하나의.
  一
  一个的。

- 명 (名词) : 사람의 수를 세는 단위.
  个，名
  计算人数的数量单位。

- 이 (助词) : 어떤 상태나 상황의 대상이나 동작의 주체를 나타내는 조사.
  无对应词汇
  表示行为的主体或状态描述的对象。

- 기침 (名词) : 폐에서 목구멍을 통해 공기가 거친 소리를 내며 갑자기 터져 나오는 일.
  咳嗽
  空气从肺部通过喉咙突然喷出来，同时发出粗声。

• 을 (助词) : 동작이 직접적으로 영향을 미치는 대상을 나타내는 조사.
　无对应词汇
　表示动作直接涉及的对象。

• 하다 (动词) : 어떤 행동이나 동작, 활동 등을 행하다.
　做，干
　进行某种行动、动作或活动。

• -잖아 (表达) : (두루낮춤으로) 어떤 상황에 대해 말하는 사람이 상대방에게 확인하거나 정정해 주듯이
　　　　　　　　 말함을 나타내는 표현.
　无对应词汇
　(普卑) 表示说话人向对方以确认或更正的语气说出某种情况。

할머니 : 깜짝 놀라+(아)서 티브이(TV) 전원+을 끄(ㄲ)+[어 버리]+었+지.
놀라서　　　　　　　　　 꺼 버렸지

• 깜짝 (副词) : 갑자기 놀라는 모양.
　一惊
　突然间受惊的样子。

• 놀라다 (动词) : 뜻밖의 일을 당하거나 무서워서 순간적으로 긴장하거나 가슴이 뛰다.
　惊吓，吃惊
　因遭到意外或害怕而在刹那间感到紧张或心跳加速。

• -아서 (语尾) : 이유나 근거를 나타내는 연결 어미.
　无对应词汇
　表示理由或根据。

• 티브이(TV) (名词) : 방송국에서 전파로 보내오는 영상과 소리를 받아서 보여 주는 기계.
　电视，电视机
　接收电视台以电波传送的图像与声音后使其显示出来的机器。

• 전원 (名词) : 전기 콘센트 등과 같이 기계 등에 전류가 오는 원천.
　电源
　电器插座等机器使用的电流的来源。

• 을 (助词) : 동작이 직접적으로 영향을 미치는 대상을 나타내는 조사.
　无对应词汇
　表示动作直接涉及的对象。

• 끄다 (动词) : 전기나 기계를 움직이는 힘이 통하는 길을 끊어 전기 제품 등을 작동하지 않게 하다.
　关
　切断电流或机器运转动力的路径，使其停止运行。

• -어 버리다 (表达) : 앞의 말이 나타내는 행동이 완전히 끝났음을 나타내는 표현.

  无对应词汇

  表示前面所指的行动完全结束。

• -었- (语尾) : 어떤 사건이 과거에 완료되었거나 그 사건의 결과가 현재까지 지속되는 상황을 나타내는 어미.

  无对应词汇

  表示某一事件已结束或其结果保持到现在。

• -지 (语尾) : (두루낮춤으로) 말하는 사람이 자신에 대한 이야기나 자신의 생각을 친근하게 말할 때 쓰는 종결 어미.

  无对应词汇

  (普卑) 表示说话人亲切地说出自己的故事或想法。

> 할머니 친구 : 바보+야, 티브이(TV)+를 왜 <u>끄(ㄲ)</u>+어.
>   꺼

• **바보 (名词)** : (욕하는 말로) 어리석고 멍청하거나 못난 사람.

  白痴 , 笨蛋 , 傻瓜

  (骂语) 愚笨傻气或没出息的人。

• 야 (助词) : 친구나 아랫사람, 동물 등을 부를 때 쓰는 조사.

  无对应词汇

  用于称呼朋友、晚辈或动物等。

• **티브이(TV) (名词)** : 방송국에서 전파로 보내오는 영상과 소리를 받아서 보여 주는 기계.

  电视 , 电视机

  接收电视台以电波传送的图像与声音后使其显示出来的机器。

• 를 (助词) : 동작이 직접적으로 영향을 미치는 대상을 나타내는 조사.

  无对应词汇

  表示动作直接涉及的对象。

• **왜 (副词)** : 무슨 이유로. 또는 어째서.

  为什么

  因什么原因；或指怎么。

• **끄다 (动词)** : 전기나 기계를 움직이는 힘이 통하는 길을 끊어 전기 제품 등을 작동하지 않게 하다.

  关

  切断电流或机器运转动力的路径 , 使其停止运行。

• -어 (语尾) : (두루낮춤으로) 어떤 사실을 서술하거나 물음, 명령, 권유를 나타내는 종결 어미.
  无对应词汇
  (普卑) 表示陈述某种事实、询问、命令或劝说。

할머니 친구 : 얼른 마스크+를 쓰+[면 되]+지.

• 얼른 (副词) : 시간을 오래 끌지 않고 바로.
  快地
  不拖延时间就。

• 마스크 (名词) : 병균이나 먼지, 찬 공기 등을 막기 위하여 입과 코를 가리는 물건.
  口罩
  为防止病菌、灰尘或冷空气等的侵入而遮挡口鼻的东西。

• 를 (助词) : 동작이 직접적으로 영향을 미치는 대상을 나타내는 조사.
  无对应词汇
  表示动作直接涉及的对象。

• 쓰다 (动词) : 얼굴에 어떤 물건을 걸거나 덮어쓰다.
  戴
  将某物挂或罩在脸上。

• -면 되다 (表达) : 조건이 되는 어떤 행동을 하거나 어떤 상태만 갖추어지면 문제가 없거나 충분함을 나
                타내는 표현.
  无对应词汇
  表示只要做满足条件的某个行动或具备满足条件的某个状态，就没有问题或足够。

• -지 (语尾) : (두루낮춤으로) 말하는 사람이 자신에 대한 이야기나 자신의 생각을 친근하게 말할 때 쓰는
            종결 어미.
  无对应词汇
  (普卑) 表示说话人亲切地说出自己的故事或想法。

할머니 : 맞+네.

그런 기막히+ㄴ 방법+이 있+었+네.
      기막힌

• 맞다 (动词) : 그렇거나 옳다.
  对
  正是或没错。

- -네 (语尾)：(아주낮춤으로) 지금 깨달은 일에 대하여 말함을 나타내는 종결 어미.
  无对应词汇
  (高卑) 表示现在觉察到的事情。

- 그런 (冠形词)：상태, 모양, 성질 등이 그러한.
  那种，那样
  状态、模样、性质等那个样子的。

- 기막히다 (形容词)：정도나 상태가 어떻다고 말할 수 없을 만큼 좋다.
  不得了，了不得，绝妙
  程度或状态好得无法用言语表示。

- -ㄴ (语尾)：앞의 말이 관형어의 기능을 하게 만들고 현재의 상태를 나타내는 어미.
  无对应词汇
  使前面的词具有定语功能，表示现在的状态。

- 방법 (名词)：어떤 일을 해 나가기 위한 수단이나 방식.
  方法，办法
  处理某事的手段或方式。

- 이 (助词)：어떤 상태나 상황의 대상이나 동작의 주체를 나타내는 조사.
  无对应词汇
  表示行为的主体或状态描述的对象。

- 있다 (形容词)：사실이나 현상이 존재하다.
  有
  事实或现象存在。

- -었- (语尾)：어떤 사건이 과거에 완료되었거나 그 사건의 결과가 현재까지 지속되는 상황을 나타내는 어미.
  无对应词汇
  表示某一事件已结束或其结果保持到现在。

- -네 (语尾)：(아주낮춤으로) 지금 깨달은 일에 대하여 말함을 나타내는 종결 어미.
  无对应词汇
  (高卑) 表示现在觉察到的事情。

< 2 단원(单元) >

제목 : 쫓아오던 게 강아지였나?

● 본문 (原文)

고양이 한 마리가 쥐를 열심히 쫓고 있었습니다.

쥐가 고양이에게 거의 잡힐 것 같았습니다.

하지만 아슬아슬한 찰나에 쥐가 쥐구멍으로 들어가 버렸습니다.

쥐구멍 앞에 서성이던 고양이가 쪼그려 앉았습니다.

그러더니 갑자기 고양이가 **"멍멍!"**하고 짖어 댔습니다.

이 소리를 듣고 쥐는 어리둥절했습니다.

쥐 : 뭐지?

　　쫓아오던 게 강아지였나?

쥐는 너무 궁금해서 머리를 살며시 구멍 밖으로 내밀었습니다.

이때 쥐가 고양이에게 잡히고 말았습니다.

의기양양하게 쥐를 물고 가면서 고양이가 이렇게 말했습니다.

고양이 : 요즘은 먹고살려면 적어도 이 개 국어는 해야 돼.

● 발음 (发音)

고양이 한 마리가 쥐를 열심히 쫓고 있었습니다.
고양이 한 마리가 쥐를 열씸히 쫃꼬 이썰씀니다.
goyangi han mariga jwireul yeolsimhi jjotgo isseotseumnida.

쥐가 고양이에게 거의 잡힐 것 같았습니다.
쥐가 고양이에게 거의 자필 껃 가탇씀니다.
jwiga goyangiege geoui japil geot gatatseumnida.

하지만 아슬아슬한 찰나에 쥐가 쥐구멍으로 들어가 버렸습니다.
하지만 아슬아슬한 찰라에 쥐가 쥐구멍으로 드러가 버렫씀니다.
hajiman aseuraseulhan challae jwiga jwigumeongeuro deureoga beoryeotseumnida.

쥐구멍 앞에 서성이던 고양이가 쪼그려 앉았습니다.
쥐구멍 아페 서성이던 고양이가 쪼그려 안잗씀니다.
jwigumeong ape seoseongideon goyangiga jjogeuryeo anjatseumnida.

그러더니 갑자기 고양이가 "멍멍!"하고 짖어 댔습니다.
그러더니 갑짜기 고양이가 "멍멍!"하고 지저 댇씀니다.
geureodeoni gapjagi goyangiga "meongmeong!"hago jijeo daetseumnida.

이 소리를 듣고 쥐는 어리둥절했습니다.
이 소리를 듣꼬 쥐는 어리둥절핻씀니다.
i sorireul deutgo jwineun eoridungjeolhaetseumnida.

쥐 : 뭐지?
쥐 : 뭐지?
jwi : mwoji?

쫓아오던 게 강아지였나?
쪼차오던 게 강아지연나?
jjochaodeon ge gangajiyeonna?

쥐는 너무 궁금해서 머리를 살며시 구멍 밖으로 내밀었습니다.
쥐는 너무 궁금해서 머리를 살며시 구멍 바끄로 내미럳씀니다.
jwineun neomu gunggeumhaeseo meorireul salmyeosi gumeong bakkeuro naemireotseumnida.

이때 쥐가 고양이에게 잡히고 말았습니다.
이때 쥐가 고양이에게 자피고 마랃씀니다.
ittae jwiga goyangiege japigo maratseumnida.

의기양양하게 쥐를 물고 가면서 고양이가 이렇게 말했습니다.
의기양양하게 쥐를 물고 가면서 고양이가 이러케 말핻씀니다.
uigiyangyanghage jwireul mulgo gamyeonseo goyangiga ireoke malhaetseumnida.

고양이 : 요즘은 먹고살려면 적어도 이 개 국어는 해야 돼.
고양이 : 요즈믄 먹꼬살려면 저거도 이 개 구거는 해야 돼.
goyangi : yojeumeun meokgosallyeomyeon jeogeodo i gae gugeoneun haeya dwae.

● 어휘 (词汇) / 문법 (语法)

고양이 한 마리+가 쥐+를 열심히 쫓+고 있+었+습니다.

쥐+가 고양이+에게 거의 잡히+ㄹ 것 같+았+습니다.

하지만 아슬아슬하+ㄴ 찰나+에 쥐+가 쥐구멍+으로 들어가+(아) 버리+었+습니다.

쥐구멍 앞+에 서성이+던 고양이+가 쪼그리+어 앉+았+습니다.

그러+더니 갑자기 고양이+가 **"멍멍!"** 하+고 짖+어 대+었+습니다.

이 소리+를 듣+고 쥐+는 어리둥절하+였+습니다.

쥐 : "뭐+(이)+지?"

　　 "쫓아오+던 것(거)+이 강아지+이+었+나?"

쥐+는 너무 궁금하+여서 머리+를 살며시 구멍 밖+으로 내밀+었+습니다.

이때 쥐+가 고양이+에게 잡히+고 말+았+습니다.

의기양양하+게 쥐+를 물+고 가+면서 고양이+가 이렇+게 말하+였+습니다.

고양이 : 요즘+은 먹고살+려면 적어도 이 개 국어+는 하+여야 되+어.

고양이 한 마리+가 쥐+를 열심히 쫓+[고 있]+었+습니다.

- **고양이 (名词)** : 어두운 곳에서도 사물을 잘 보고 쥐를 잘 잡으며 집 안에서 기르기도 하는 자그마한 동
  물.
  猫
  一种可以家养的小动物，在黑暗的地方也能看清事物，擅长捉老鼠。

- **한 (冠形词)** : 하나의.
  一
  一个的。

- **마리 (名词)** : 짐승이나 물고기, 벌레 등을 세는 단위.
  只，头，条
  计算飞禽走兽或鱼虫等的数量单位。

- **가 (助词)** : 어떤 상태나 상황에 놓인 대상이나 동작의 주체를 나타내는 조사.
  无对应词汇
  表示行为的主体或状态描述的对象。

- **쥐 (名词)** : 사람의 집 근처 어두운 곳에서 살며 몸은 진한 회색에 긴 꼬리를 가지고 있는 작은 동물.
  老鼠，耗子
  生活在房子附近的阴暗处，身体呈深灰色，有着长尾巴的小动物。

- **를 (助词)** : 동작이 직접적으로 영향을 미치는 대상을 나타내는 조사.
  无对应词汇
  表示动作直接涉及的对象。

- **열심히 (副词)** : 어떤 일에 온 정성을 다하여.
  认真地
  对于某事专心诚意地。

- **쫓다 (动词)** : 앞선 것을 잡으려고 서둘러 뒤를 따르거나 자취를 따라가다.
  赶，追赶
  为了抓住前面的东西而紧跟其后或跟随足迹。

- **-고 있다 (表达)** : 앞의 말이 나타내는 행동이 계속 진행됨을 나타내는 표현.
  正，在，正在
  表示持续进行前一句所指的行为。

- **-었- (语尾)** : 사건이 과거에 일어났음을 나타내는 어미.
  无对应词汇
  表示过去。

• **-습니다 (语尾)** : (아주높임으로) 현재의 동작이나 상태, 사실을 정중하게 설명함을 나타내는 종결 어미.
无对应词汇
(高尊) 表示以郑重的语气说明现在的动作、状态或事实。

쥐+가 고양이+에게 거의 <u>잡히</u>+[ㄹ 것 같]+았+습니다.
잡힐 것 같았습니다

• **쥐 (名词)** : 사람의 집 근처 어두운 곳에서 살며 몸은 진한 회색에 긴 꼬리를 가지고 있는 작은 동물.
老鼠 , 耗子
生活在房子附近的阴暗处 , 身体呈深灰色 , 有着长尾巴的小动物。

• **가 (助词)** : 어떤 상태나 상황에 놓인 대상이나 동작의 주체를 나타내는 조사.
无对应词汇
表示行为的主体或状态描述的对象。

• **고양이 (名词)** : 어두운 곳에서도 사물을 잘 보고 쥐를 잘 잡으며 집 안에서 기르기도 하는 자그마한 동물.
猫
一种可以家养的小动物 , 在黑暗的地方也能看清事物 , 擅长捉老鼠。

• **에게 (助词)** : 어떤 행동의 주체이거나 비롯되는 대상임을 나타내는 조사.
无对应词汇
表示某个动作的主体或引起动作的对象。

• **거의 (副词)** : 어떤 상태나 한도에 매우 가깝게.
几乎 , 快要
离某个状态或限度很近。

• **잡히다 (动词)** : 도망가지 못하게 붙들리다.
被抓
被捉住而无法逃走。

• **-ㄹ 것 같다 (表达)** : 추측을 나타내는 표현.
无对应词汇
表示推测。

• **-았- (语尾)** : 사건이 과거에 일어났음을 나타내는 어미.
无对应词汇
表示事件发生在过去。

• **-습니다 (语尾)** : (아주높임으로) 현재의 동작이나 상태, 사실을 정중하게 설명함을 나타내는 종결 어미.
无对应词汇
(高尊) 表示以郑重的语气说明现在的动作、状态或事实。

> 하지만 <u>아슬아슬하</u>+ㄴ 찰나+에 쥐+가 쥐구멍+으로 <u>들어가</u>+[(아) 버리]+었+습니다.
>   아슬아슬한   들어가 버렸습니다

- **하지만 (副词)** : 내용이 서로 반대인 두 개의 문장을 이어 줄 때 쓰는 말.
  可是，但是
  用于连接两个内容相反的分句。

- **아슬아슬하다 (形容词)** : 일이 잘 안 될까 봐 무서워서 소름이 돋을 정도로 마음이 조마조마하다.
  惊险
  生怕事情不顺利而提心吊胆，以至于起鸡皮疙瘩。

- **-ㄴ (语尾)** : 앞의 말이 관형어의 기능을 하게 만들고 현재의 상태를 나타내는 어미.
  无对应词汇
  使前面的词具有定语功能，表示现在的状态。

- **찰나 (名词)** : 어떤 일이나 현상이 일어나는 바로 그때.
  当时，那时
  就在某事或某个现象出现的那个时候。

- **에 (助词)** : 앞말이 시간이나 때임을 나타내는 조사.
  无对应词汇
  表示时间或时候。

- **쥐 (名词)** : 사람의 집 근처 어두운 곳에서 살며 몸은 진한 회색에 긴 꼬리를 가지고 있는 작은 동물.
  老鼠，耗子
  生活在房子附近的阴暗处，身体呈深灰色，有着长尾巴的小动物。

- **가 (助词)** : 어떤 상태나 상황에 놓인 대상이나 동작의 주체를 나타내는 조사.
  无对应词汇
  表示行为的主体或状态描述的对象。

- **쥐구멍 (名词)** : 쥐가 들어가고 나오는 구멍.
  老鼠洞
  老鼠进出的窟窿。

- **으로 (助词)** : 움직임의 방향을 나타내는 조사.
  无对应词汇
  表示移动的方向。

- **들어가다 (动词)** : 밖에서 안으로 향하여 가다.
  进，进去
  由外往里去。

• -아 버리다 (表达) : 앞의 말이 나타내는 행동이 완전히 끝났음을 나타내는 표현.

　　无对应词汇

　　表示前面所指的行动完全结束。

• -었- (语尾) : 어떤 사건이 과거에 완료되었거나 그 사건의 결과가 현재까지 지속되는 상황을 나타내는 어미.

　　无对应词汇

　　表示某一事件已结束或其结果保持到现在。

• -습니다 (语尾) : (아주높임으로) 현재의 동작이나 상태, 사실을 정중하게 설명함을 나타내는 종결 어미.

　　无对应词汇

　　(高尊) 表示以郑重的语气说明现在的动作、状态或事实。

> 쥐구멍 앞+에 서성이+던 고양이+가 **쪼그리**+어 앉+았+습니다.
> **쪼그려**

• **쥐구멍 (名词)** : 쥐가 들어가고 나오는 구멍.

　　老鼠，耗子

　　生活在房子附近的阴暗处，身体呈深灰色，有着长尾巴的小动物。

• **앞 (名词)** : 향하고 있는 쪽이나 곳.

　　前，前面

　　所向的一面或地方。

• **에 (助词)** : 앞말이 어떤 장소나 자리임을 나타내는 조사.

　　无对应词汇

　　表示某个处所或地点。

• **서성이다 (动词)** : 한곳에 서 있지 않고 주위를 왔다 갔다 하다.

　　徘徊，踱来踱去

　　不站在同一个地方，而是在周围走来走去。

• **-던 (语尾)** : 앞의 말이 관형어의 기능을 하게 만들고 사건이나 동작이 과거에 완료되지 않고 중단되었음을 나타내는 어미.

　　无对应词汇

　　使前面的词具有定语功能，表示事件或动作过去未完成而停止。

• **고양이 (名词)** : 어두운 곳에서도 사물을 잘 보고 쥐를 잘 잡으며 집 안에서 기르기도 하는 자그마한 동물.

　　猫

　　一种可以家养的小动物，在黑暗的地方也能看清事物，擅长捉老鼠。

• 가 (助词) : 어떤 상태나 상황에 놓인 대상이나 동작의 주체를 나타내는 조사.
　无对应词汇
　表示行为的主体或状态描述的对象。

• 쪼그리다 (动词) : 팔다리를 접거나 모아서 몸을 작게 옴츠리다.
　蜷缩
　四肢弯曲聚拢，把身体缩得很小。

• -어 (语尾) : 앞의 말이 뒤의 말보다 먼저 일어났거나 뒤의 말에 대한 방법이나 수단이 됨을 나타내는
　　　　　　연결 어미.
　无对应词汇
　表示前句先于后句发生，或表示前句是后句的方法或手段。

• 앉다 (动词) : 윗몸을 바로 한 상태에서 엉덩이에 몸무게를 실어 다른 물건이나 바닥에 몸을 올려놓다.
　坐
　挺直上半身，将臀部置于别的物体或地上以支持身体的重量。

• -았- (语尾) : 어떤 사건이 과거에 완료되었거나 그 사건의 결과가 현재까지 지속되는 상황을 나타내는
　　　　　　어미.
　无对应词汇
　表示某一事件已结束或其结果保持到现在。

• -습니다 (语尾) : (아주높임으로) 현재의 동작이나 상태, 사실을 정중하게 설명함을 나타내는 종결 어미.
　无对应词汇
　(高尊) 表示以郑重的语气说明现在的动作、状态或事实。

그러+더니 갑자기 고양이+가 "멍멍!" 하+고 짖+[어 대]+었+습니다.
짖어 댔습니다

• 그러다 (动词) : 앞에서 일어난 일이나 말한 것과 같이 그렇게 하다.
　那样子
　像前面发生过的事或说过的话一样地做。

• -더니 (语尾) : 과거에 경험하여 알게 된 사실과 다른 새로운 사실이 있음을 나타내는 연결 어미.
　无对应词汇
　表示有一个和以前亲历后发现的事实不同的新的事实。

• 갑자기 (副词) : 미처 생각할 틈도 없이 빨리.
　突然，忽然，猛地，一下子
　来不及想，很快地。

- **고양이 (名词)** : 어두운 곳에서도 사물을 잘 보고 쥐를 잘 잡으며 집 안에서 기르기도 하는 자그마한 동물.

  猫

  一种可以家养的小动物，在黑暗的地方也能看清事物，擅长捉老鼠。

- **가 (助词)** : 어떤 상태나 상황에 놓인 대상이나 동작의 주체를 나타내는 조사.

  无对应词汇

  表示行为的主体或状态描述的对象。

- **멍멍 (副词)** : 개가 짖는 소리.

  汪汪

  狗叫的声音。

- **하다 (动词)** : 그런 소리가 나다. 또는 그런 소리를 내다.

  无对应词汇

  响起那样的声音；或发出那样的声音。

- **-고 (语尾)** : 앞의 말과 뒤의 말이 차례대로 일어남을 나타내는 연결 어미.

  无对应词汇

  表示前后两件事依次发生。

- **짖다 (动词)** : 개가 크게 소리를 내다.

  吠

  狗大声叫。

- **-어 대다 (表达)** : 앞의 말이 나타내는 행동을 반복하거나 그 반복되는 행동의 정도가 심함을 나타내는 표현.

  无对应词汇

  表示反复前面所指行动，或该行动程度极深。

- **-었- (语尾)** : 사건이 과거에 일어났음을 나타내는 어미.

  无对应词汇

  表示过去。

- **-습니다 (语尾)** : (아주높임으로) 현재의 동작이나 상태, 사실을 정중하게 설명함을 나타내는 종결 어미.

  无对应词汇

  (高尊) 表示以郑重的语气说明现在的动作、状态或事实。

이 소리+를 듣+고 쥐+는 <u>어리둥절하+였+습니다</u>.
어리둥절했습니다

- **이 (冠形词)** : 바로 앞에서 이야기한 대상을 가리킬 때 쓰는 말.
  这
  用于指示刚才所说的对象。

- **소리 (名词)** : 물체가 진동하여 생긴 음파가 귀에 들리는 것.
  声音，声，音，动静
  物体震动发出的音波传入耳朵中产生的响声。

- **를 (助词)** : 동작이 직접적으로 영향을 미치는 대상을 나타내는 조사.
  无对应词汇
  表示动作直接涉及的对象。

- **듣다 (动词)** : 귀로 소리를 알아차리다.
  听
  用耳朵接受声音。

- **-고 (语尾)** : 앞의 말과 뒤의 말이 차례대로 일어남을 나타내는 연결 어미.
  无对应词汇
  表示前后两件事依次发生。

- **쥐 (名词)** : 사람의 집 근처 어두운 곳에서 살며 몸은 진한 회색에 긴 꼬리를 가지고 있는 작은 동물.
  老鼠，耗子
  生活在房子附近的阴暗处，身体呈深灰色，有着长尾巴的小动物。

- **는 (助词)** : 문장 속에서 어떤 대상이 화제임을 나타내는 조사.
  无对应词汇
  表示文中某个对象成为话题。

- **어리둥절하다 (形容词)** : 일이 돌아가는 상황을 잘 알지 못해서 정신이 얼떨떨하다.
  不知所措，糊涂，愣
  不清楚事情的状况而晕头晕脑。

- **-였- (语尾)** : 사건이 과거에 일어났음을 나타내는 어미.
  无对应词汇
  表示事件发生在过去。

- **-습니다 (语尾)** : (아주높임으로) 현재의 동작이나 상태, 사실을 정중하게 설명함을 나타내는 종결 어미.
  无对应词汇
  表示以郑重的语气说明现在的动作、状态或事实。

쥐 : <u>뭐+(이)+지</u>?
　　　뭐지

- **뭐 (代词)** : 모르는 사실이나 사물을 가리키는 말.
  什么
  指代不知道的事实或事物。

- **이다 (助词)** : 주어가 지시하는 대상의 속성이나 부류를 지정하는 뜻을 나타내는 서술격 조사.
  无对应词汇
  表示指定主语所指示的属性或类型。

- **-지 (语尾)** : (두루낮춤으로) 말하는 사람이 듣는 사람에게 친근함을 나타내며 물을 때 쓰는 종결 어미.
  无对应词汇
  (普卑) 表示说话人亲切询问听话人。

쥐 : 쫓아오+던 <u>것(거)</u>+이 강아지+이+었+나?
게　　　강아지였나

- **쫓아오다 (动词)** : 어떤 사람이나 물체의 뒤를 급히 따라오다.
  跟来 , 追来
  紧随某人或物体的后面。

- **-던 (语尾)** : 앞의 말이 관형어의 기능을 하게 만들고 사건이나 동작이 과거에 완료되지 않고 중단되었음을 나타내는 어미.
  无对应词汇
  使前面的词具有定语功能 , 表示事件或动作过去未完成而停止。

- **것 (名词)** : 정확히 가리키는 대상이 정해지지 않은 사물이나 사실.
  东西 , 事 , 的
  泛指各种事物或事情。

- **이 (助词)** : 어떤 상태나 상황의 대상이나 동작의 주체를 나타내는 조사.
  无对应词汇
  表示行为的主体或状态描述的对象。

- **강아지 (名词)** : 개의 새끼.
  小狗 , 狗崽
  狗的崽子。

- **이다 (助词)** : 주어가 지시하는 대상의 속성이나 부류를 지정하는 뜻을 나타내는 서술격 조사.
  无对应词汇
  表示指定主语所指示的属性或类型。

- **-었- (语尾)** : 사건이 과거에 일어났음을 나타내는 어미.
  无对应词汇
  表示过去。

- -나 (语尾) : (두루낮춤으로) 물음이나 추측을 나타내는 종결 어미.
  无对应词汇
  (普卑) 表示疑问或推测。

쥐+는 너무 궁금하+여서 머리+를 살며시 구멍 밖+으로 내밀+었+습니다.
　　　　　궁금해서

- **쥐 (名词)** : 사람의 집 근처 어두운 곳에서 살며 몸은 진한 회색에 긴 꼬리를 가지고 있는 작은 동물.
  老鼠，耗子
  生活在房子附近的阴暗处，身体呈深灰色，有着长尾巴的小动物。

- **는 (助词)** : 문장 속에서 어떤 대상이 회제임을 나타내는 조사.
  无对应词汇
  表示文中某个对象成为话题。

- **너무 (副词)** : 일정한 정도나 한계를 훨씬 넘어선 상태로.
  太
  已超过一定的程度或限度的状态。

- **궁금하다 (形容词)** : 무엇이 무척 알고 싶다.
  好奇，纳闷儿
  非常想知道。

- **-여서 (语尾)** : 이유나 근거를 나타내는 연결 어미.
  无对应词汇
  表示理由或根据。

- **머리 (名词)** : 사람이나 동물의 몸에서 얼굴과 머리털이 있는 부분을 모두 포함한 목 위의 부분.
  头
  在人或动物身体中，包括脸和头发的脖子以上的部分。

- **를 (助词)** : 동작이 직접적으로 영향을 미치는 대상을 나타내는 조사.
  无对应词汇
  表示动作直接涉及的对象。

- **살며시 (副词)** : 남이 모르도록 조용히 조심스럽게.
  悄悄地，轻轻地
  为使他人不知而安静小心地。

- **구멍 (名词)** : 뚫어지거나 파낸 자리.

  窟窿，洞，孔
  穿破或挖出的位置。

- **밖 (名词)** : 선이나 경계를 넘어선 쪽.
  外 , 外边
  越过线或界限的那边。

- **으로 (助词)** : 움직임의 방향을 나타내는 조사.
  无对应词汇
  表示移动的方向。

- **내밀다 (动词)** : 몸이나 물체의 일부분이 밖이나 앞으로 나가게 하다.
  伸出 , 探出
  使身体或物体的一部分朝外或朝前伸展出去。

- **-었- (语尾)** : 사건이 과거에 일어났음을 나타내는 어미.
  无对应词汇
  表示过去。

- **-습니다 (语尾)** : (아주높임으로) 현재의 동작이나 상태, 사실을 정중하게 설명함을 나타내는 종결 어미.
  无对应词汇
  (高尊) 表示以郑重的语气说明现在的动作、状态或事实。

이때 쥐+가 고양이+에게 잡히+[고 말]+았+습니다.

- **이때 (名词)** : 바로 지금. 또는 바로 앞에서 이야기한 때.
  这时 , 此时
  就在这个时候；或指就在前面所说的这个时候。

- **쥐 (名词)** : 사람의 집 근처 어두운 곳에서 살며 몸은 진한 회색에 긴 꼬리를 가지고 있는 작은 동물.
  老鼠 , 耗子
  生活在房子附近的阴暗处 , 身体呈深灰色 , 有着长尾巴的小动物。

- **가 (助词)** : 어떤 상태나 상황에 놓인 대상이나 동작의 주체를 나타내는 조사.
  无对应词汇
  表示行为的主体或状态描述的对象。

- **고양이 (名词)** : 어두운 곳에서도 사물을 잘 보고 쥐를 잘 잡으며 집 안에서 기르기도 하는 자그마한 동물.
  猫
  一种可以家养的小动物 , 在黑暗的地方也能看清事物 , 擅长捉老鼠。

- **에게 (助词)** : 어떤 행동의 주체이거나 비롯되는 대상임을 나타내는 조사.
  无对应词汇
  表示某个动作的主体或引起动作的对象。

- **잡히다 (动词)** : 도망가지 못하게 붙들리다.
  被抓
  被捉住而无法逃走。

- **-고 말다 (表达)** : 앞에 오는 말이 가리키는 행동이 안타깝게도 끝내 일어났음을 나타내는 표현.
  无对应词汇
  表示前面所指的行动最终还是遗憾地发生了。

- **-았- (语尾)** : 어떤 사건이 과거에 완료되었거나 그 사건의 결과가 현재까지 지속되는 상황을 나타내는 어미.
  无对应词汇
  表示某一事件已结束或其结果保持到现在。

- **-습니다 (语尾)** : (아주높임으로) 현재의 동작이나 상태, 사실을 정중하게 설명함을 나타내는 종결 어미.
  无对应词汇
  (高尊) 表示以郑重的语气说明现在的动作、状态或事实。

의기양양하+게 쥐+를 물+고 가+면서 고양이+가 이렇+게 <u>말하+였+습니다</u>.
말했습니다

- **의기양양하다 (形容词)** : 원하던 일을 이루어 만족스럽고 자랑스러운 마음이 얼굴에 나타난 상태이다.
  意气风发 , 得意洋洋
  希望的事情实现 , 满足自豪的心情显现在脸上。

- **-게 (语尾)** : 앞의 말이 뒤에서 가리키는 일의 목적이나 결과, 방식, 정도 등이 됨을 나타내는 연결 어미.
  无对应词汇
  表示前面的内容为后面所指事情的目的、结果、方式或程度等。

- **쥐 (名词)** : 사람의 집 근처 어두운 곳에서 살며 몸은 진한 회색에 긴 꼬리를 가지고 있는 작은 동물.
  老鼠 , 耗子
  生活在房子附近的阴暗处 , 身体呈深灰色 , 有着长尾巴的小动物。

- **를 (助词)** : 동작이 직접적으로 영향을 미치는 대상을 나타내는 조사.
  无对应词汇
  表示动作直接涉及的对象。

- **물다 (动词)** : 윗니와 아랫니 사이에 어떤 것을 끼워 넣고 벌어진 두 이를 다물어 상처가 날 만큼 아주 세게 누르다.
  咬
  将某物夹在上下牙齿 , 合上牙齿来使劲按住 , 以致损伤。

- -고 (语尾) : 앞의 말이 나타내는 행동이나 그 결과가 뒤에 오는 행동이 일어나는 동안에 그대로 지속됨을 나타내는 연결 어미.

  无对应词汇

  表示前面的动作或其结果在后面动作进行的过程中一直持续。

- 가다 (动词) : 한 곳에서 다른 곳으로 장소를 이동하다.

  去

  从一个地方移动到另一个地方。

- -면서 (语尾) : 두 가지 이상의 동작이나 상태가 함께 일어남을 나타내는 연결 어미.

  无对应词汇

  表示同时发生两个以上的动作或状态。

- 고양이 (名词) : 어두운 곳에서도 사물을 잘 보고 쥐를 잘 잡으며 집 안에서 기르기도 하는 자그마한 동물.

  猫

  一种可以家养的小动物，在黑暗的地方也能看清事物，擅长捉老鼠。

- 가 (助词) : 어떤 상태나 상황에 놓인 대상이나 동작의 주체를 나타내는 조사.

  无对应词汇

  表示行为的主体或状态描述的对象。

- 이렇다 (形容词) : 상태, 모양, 성질 등이 이와 같다.

  这样

  表示状态、样子、性质等与此相同。

- -게 (语尾) : 앞의 말이 뒤에서 가리키는 일의 목적이나 결과, 방식, 정도 등이 됨을 나타내는 연결 어미.

  无对应词汇

  表示前面的内容为后面所指事情的目的、结果、方式或程度等。

- 말하다 (动词) : 어떤 사실이나 자신의 생각 또는 느낌을 말로 나타내다.

  说，讲

  用话语表达某种事实、自己的想法或感觉等。

- -였- (语尾) : 사건이 과거에 일어났음을 나타내는 어미.

  无对应词汇

  表示事件发生在过去。

- -습니다 (语尾) : (아주높임으로) 현재의 동작이나 상태, 사실을 정중하게 설명함을 나타내는 종결 어미.

  无对应词汇

  (高尊) 表示以郑重的语气说明现在的动作、状态或事实。

> 고양이 : 요즘+은 먹고살+려면 적어도 이 개 국어+는 <u>하+[여야 되]+어</u>.
> **해야 돼**

- **요즘 (名词)** : 아주 가까운 과거부터 지금까지의 사이.
  最近 , 近来 , 这阵子
  从非常近的过去到现在之间。

- **은 (助词)** : 문장 속에서 어떤 대상이 화제임을 나타내는 조사.
  无对应词汇
  表示某个对象是句中的话题。

- **먹고살다 (动词)** : 생계를 유지하다.
  糊口 , 生活
  维持生计。

- **-려면 (语尾)** : 어떤 행동을 할 의도나 의향이 있는 경우를 가정할 때 쓰는 연결 어미.
  无对应词汇
  表示假定有某种行动的意图或意向。

- **적어도 (副词)** : 아무리 적게 잡아도.
  至少
  少算也得有。

- **이 (冠形词)** : 둘의.
  二
  两个的。

- **개 (名词)** : 낱으로 떨어진 물건을 세는 단위.
  个
  计算单个东西的计量单位。

- **국어 (名词)** : 한 나라의 국민들이 사용하는 말.
  国语
  一个国家的国民使用的话。

- **는 (助词)** : 강조의 뜻을 나타내는 조사.
  无对应词汇
  表示强调。

- **하다 (动词)** : 어떤 행동이나 동작, 활동 등을 행하다.
  做 , 干
  进行某种行动、动作或活动。

• -여야 되다 (表达) : 반드시 그럴 필요나 의무가 있음을 나타내는 표현.
　无对应词汇
　表示有必要或义务一定要如此。

• -어 (语尾) : (두루낮춤으로) 어떤 사실을 서술하거나 물음, 명령, 권유를 나타내는 종결 어미.
　无对应词汇
　(普卑) 表示陈述某种事实、询问、命令或劝说。

< 3 단원(単元) >

제목 : 이게 다 엄마 때문이야.

● 본문 (原文)

유치원에 들어간 아이는 치아가 너무 못생겨서 친구들에게 많은 놀림을 받았다.

견디다 못한 아이는 엄마에게 투정을 부렸다.

아이 : 엄마, 이빨이 이상하다고 친구들이 자꾸만 놀려요.

　　　　치과에 가서 이빨 교정 좀 해 주세요.

엄마 : 야, 그게 얼마나 비싼데.

아이 : 몰라, 이게 다 엄마 때문이야.

　　　　엄마가 날 이렇게 낳았잖아.

그러자 엄마가 하는 한마디.

엄마 : 너 낳았을 때 이빨 없었거든, 이것아!

● 발음 (发音)

유치원에 들어간 아이는 치아가 너무 못생겨서 친구들에게 많은 놀림을 받았다.
유치원네 드러간 아이는 치아가 너무 몯쌩겨서 친구드레게 마는 놀리믈 바닫따.
yuchiwone deureogan aineun chiaga neomu motsaenggyeoseo chingudeurege maneun nollimeul badatda.

견디다 못한 아이는 엄마에게 투정을 부렸다.
견디다 모탄 아이는 엄마에게 투정을 부렫따.
gyeondida motan aineun eommaege tujeongeul buryeotda.

아이 : 엄마, 이빨이 이상하다고 친구들이 자꾸만 놀려요.
아이 : 엄마, 이빠리 이상하다고 친구드리 자꾸만 놀려요.
ai : eomma, ippari isanghadago chingudeuri jakkuman nollyeoyo.

치과에 가서 이빨 교정 좀 해 주세요.
치꽈에 가서 이빨 교정 좀 해 주세요.
chigwae gaseo ippal gyojeong jom hae juseyo.

엄마 : 야, 그게 얼마나 비싼데.
엄마 : 야, 그게 얼마나 비싼데.
eomma : ya, geuge eolmana bissande.

아이 : 몰라, 이게 다 엄마 때문이야.
아이 : 몰라, 이게 다 엄마 때무니야.
ai : molla, ige da eomma ttaemuniya.

엄마가 날 이렇게 낳았잖아.
엄마가 날 이러케 나앋짜나.
eommaga nal ireoke naatjana.

그러자 엄마가 하는 한마디.
그러자 엄마가 하는 한마디.
geureoja eommaga haneun hanmadi.

엄마 : 너 낳았을 때 이빨 없었거든, 이것아!
엄마 : 너 나아쓸 때 이빨 업썯꺼든, 이거사!
eomma : neo naasseul ttae ippal eopseotgeodeun, igeosa!

● 어휘 (词汇) / 문법 (语法)

유치원+에 들어가+ㄴ 아이+는 치아+가 너무 못생기+어서 친구+들+에게 많+은 놀림+을 받+았+다.

견디+<u>다 못하</u>+ㄴ 아이+는 엄마+에게 투정+을 부리+었+다.

아이 : 엄마, 이빨+이 이상하+다고 친구+들+이 자꾸만 놀리+어요.

　　　치과+에 가+(아)서 이빨 교정 좀 하+<u>여 주</u>+세요.

엄마 : 야, 그것(그거)+이 얼마나 비싸+ㄴ데.

아이 : 모르(몰ㄹ)+아, 이것(이거)+이 다 엄마 때문+이+야.

　　　엄마+가 나+를 이렇+게 낳+았+잖아.

그리하+자 엄마+가 하+는 한마디.

엄마 : 너 낳+았+<u>을 때</u> 이빨 없+었+거든, 이것+아!

유치원+에 <u>들어가</u>+ㄴ 아이+는 치아+가 너무 <u>못생기</u>+어서 친구+들+에게 많+은 놀림+을 받+았+다.
　　　　　　　들어간　　　　　　　　　　**못생겨서**

- **유치원 (名词)** : 초등학교 입학 이전의 어린이들을 교육하는 기관 및 시설.
  幼儿园
  在进入小学之前教育小孩的机关和设施。

- **에 (助词)** : 앞말이 어떤 장소나 자리임을 나타내는 조사.
  无对应词汇
  表示某个处所或地点。

- **들어가다 (动词)** : 어떤 단체의 구성원이 되다.
  加入 , 进入
  成为某团体的一员。

- **-ㄴ (语尾)** : 앞의 말이 관형어의 기능을 하게 만들고 사건이나 동작이 완료되어 그 상태가 유지되고 있음을 나타내는 어미.
  无对应词汇
  使前面的词具有定语功能 , 表示事件或动作完成后其状态一直持续。

- **아이 (名词)** : 나이가 어린 사람.
  小孩 , 孩子
  年纪小的人。

- **는 (助词)** : 문장 속에서 어떤 대상이 화제임을 나타내는 조사.
  无对应词汇
  表示文中某个对象成为话题。

- **치아 (名词)** : 음식물을 씹는 일을 하는 기관.
  牙齿 , 牙 , 齿
  用于咀嚼食物的器官。

- **가 (助词)** : 어떤 상태나 상황에 놓인 대상이나 동작의 주체를 나타내는 조사.
  无对应词汇
  表示行为的主体或状态描述的对象。

- **너무 (副词)** : 일정한 정도나 한계를 훨씬 넘어선 상태로.
  太
  已超过一定的程度或限度的状态。

- **못생기다 (动词)** : 생김새가 보통보다 못하다.
  丑 , 难看
  长相低于普通标准。

• -어서 (语尾) : 이유나 근거를 나타내는 연결 어미.
　无对应词汇
　表示理由或根据。

• 친구 (名词) : 사이가 가까워 서로 친하게 지내는 사람.
　朋友，好友， 友人，故旧
　关系亲近而交往甚密的人。

• 들 (后缀) : '복수'의 뜻을 더하는 접미사.
　无对应词汇
　指"复数"。

• 에게 (助词) : 어떤 행동의 주체이거나 비롯되는 대상임을 나타내는 조사.
　无对应词汇
　表示某个动作的主体或引起动作的对象。

• 많다 (形容词) : 수나 양, 정도 등이 일정한 기준을 넘다.
　多，丰富，强
　数、量、程度等超过一定标准。

• -은 (语尾) : 앞의 말이 관형어의 기능을 하게 만들고 현재의 상태를 나타내는 어미.
　无对应词汇
　使前面的词具有定语功能，表示现在的状态。

• 놀림 (名词) : 남의 실수나 약점을 잡아 웃음거리로 만드는 일.
　戏弄，玩弄
　抓住别人的失误或缺点加以嘲弄。

• 을 (助词) : 동작이 직접적으로 영향을 미치는 대상을 나타내는 조사.
　无对应词汇
　表示动作直接涉及的对象。

• 받다 (动词) : 다른 사람이 하는 행동, 심리적인 작용 등을 당하거나 입다.
　接受，遭受，经受，承蒙
　受到他人行为、心理作用等的影响。

• -았- (语尾) : 사건이 과거에 일어났음을 나타내는 어미.
　无对应词汇
　表示事件发生在过去。

• -다 (语尾) : 어떤 사건이나 사실, 상태를 서술함을 나타내는 종결 어미.
　无对应词汇
　表示陈述某个事件、事实或状态。

견디+[다 못하]+ㄴ 아이+는 엄마+에게 투정+을 부리+었+다.
　　견디다 못한　　　　　　　　　　　　부렸다

• **견디다 (动词)** : 힘들거나 어려운 것을 참고 버티어 살아 나가다.
　经得住 , 硬挺 , 忍耐
　在辛苦困难面前忍受坚持并生活下去。

• **-다 못하다 (表达)** : 앞의 말이 나타내는 행동을 더 이상 계속할 수 없음을 나타내는 표현.
　无对应词汇
　表示再也无法持续前指行为。

• **-ㄴ (语尾)** : 앞의 말이 관형어의 기능을 하게 만들고 사건이나 동작이 과거에 일어났음을 나타내는 어
　　　　　　　　미.
　无对应词汇
　使前面的词具有定语功能 , 表示事件或动作过去已经发生。

• **아이 (名词)** : 나이가 어린 사람.
　小孩 , 孩子
　年纪小的人。

• **는 (助词)** : 문장 속에서 어떤 대상이 화제임을 나타내는 조사.
　无对应词汇
　表示文中某个对象成为话题。

• **엄마 (名词)** : 격식을 갖추지 않아도 되는 상황에서 어머니를 이르거나 부르는 말.
　妈妈
　在非正式场合用于指称或称呼母亲。

• **에게 (助词)** : 어떤 행동이 미치는 대상임을 나타내는 조사.
　无对应词汇
　表示某个动作所涉及的对象。

• **투정 (名词)** : 무엇이 모자라거나 마음에 들지 않아 떼를 쓰며 조르는 일.
　缠磨 , 挑剔 , 挑刺儿
　对什么感到欠缺或不满意而撒泼并纠缠不休。

• **을 (助词)** : 동작이 직접적으로 영향을 미치는 대상을 나타내는 조사.
　无对应词汇
　表示动作直接涉及的对象。

• **부리다 (动词)** : 바람직하지 못한 행동이나 성질을 계속 드러내거나 보이다.
　耍 , 起 , 犯 , 闹
　不断地表现或显示出不正当的行为或脾气。

• -었- (语尾) : 사건이 과거에 일어났음을 나타내는 어미.

　　无对应词汇

　　表示过去。

• -다 (语尾) : 어떤 사건이나 사실, 상태를 서술함을 나타내는 종결 어미.

　　无对应词汇

　　表示陈述某个事件、事实或状态。

아이 : 엄마, 이빨+이 이상하+다고 친구+들+이 자꾸만 <u>놀리+어요</u>.
　　　　　　　　　　　　　　　　　　　　　　　　　　 놀려요

• **엄마 (名词)** : 격식을 갖추지 않아도 되는 상황에서 어머니를 이르거나 부르는 말.

　　妈妈

　　在非正式场合用于指称或称呼母亲。

• **이빨 (名词)** : (낮잡아 이르는 말로) 사람이나 동물의 입 안에 있으며, 무엇을 물거나 씹는 데 쓰는 기
　　　　　　　　　　　　　　　　　　　관.

　　牙齿

　　(贬称)一种长在人或动物嘴里，用于咀嚼食物的器官。

• 이 (助词) : 어떤 상태나 상황의 대상이나 동작의 주체를 나타내는 조사.

　　无对应词汇

　　表示行为的主体或状态描述的对象。

• **이상하다 (形容词)** : 정상적인 것과 다르다.

　　异常，反常，不正常

　　与正常的不同。

• -다고 (语尾) : 어떤 행위의 목적, 의도를 나타내거나 어떤 상황의 이유, 원인을 나타내는 연결 어미.

　　无对应词汇

　　表示某种行为的目的、意图或某种状况的理由、原因。

• **친구 (名词)** : 사이가 가까워 서로 친하게 지내는 사람.

　　朋友，好友，友人，故旧

　　关系亲近而交往甚密的人。

• 들 (后缀) : '복수'의 뜻을 더하는 접미사.

　　无对应词汇

　　指"复数"。

• 이 (助词) : 어떤 상태나 상황의 대상이나 동작의 주체를 나타내는 조사.

　　无对应词汇

　　表示行为的主体或状态描述的对象。

• **자꾸만 (副词)** : (강조하는 말로) 자꾸.
  老是，不住地，不断地
  (强调)一直，总是。
  자꾸 (副词) : 여러 번 계속하여.
  一直，总是
  多次连续地。

• **놀리다 (动词)** : 실수나 약점을 잡아 웃음거리로 만들다.
  戏弄，玩弄
  抓住别人的失误或缺点加以嘲弄。

• **-어요 (语尾)** : (두루높임으로) 어떤 사실을 서술하거나 질문, 명령, 권유함을 나타내는 종결 어미.
  无对应词汇
  (普尊) 表示叙述某个事实，或提问、命令、劝说。

아이 : 치과+에 <u>가</u>+(아)서 이빨 교정 좀 <u>하</u>+[여 주]+세요.
　　　　　　 가서 　　　　　　　　　　 **해 주세요**

• **치과 (名词)** : 이와 더불어 잇몸 등의 지지 조직, 구강 등의 질병을 치료하는 의학 분야. 또는 그 분야의 병원.
  牙科
  治疗牙齿、牙周组织、口腔等相关疾病的医学领域；或指该领域的医院。

• **에 (助词)** : 앞말이 목적지이거나 어떤 행위의 진행 방향임을 나타내는 조사.
  无对应词汇
  表示目的地或某行为进行的方向。

• **가다 (动词)** : 어떤 목적을 가지고 일정한 곳으로 움직이다.
  去，上
  为某种目的而向某个地方移动。

• **-아서 (语尾)** : 앞의 말과 뒤의 말이 순차적으로 일어남을 나타내는 연결 어미.
  无对应词汇
  表示前后内容依次发生。

• **이빨 (名词)** : (낮잡아 이르는 말로) 사람이나 동물의 입 안에 있으며, 무엇을 물거나 씹는 데 쓰는 기관.
  牙齿
  (贬称)一种长在人或动物嘴里，用于咀嚼食物的器官。

• **교정 (名词)** : 고르지 못하거나 틀어지거나 잘못된 것을 바로잡음.
  矫正
  纠正不均匀、扭曲或错误的东西。

- **좀 (副词)** : 주로 부탁이나 동의를 구할 때 부드러운 느낌을 주기 위해 넣는 말.

  一下

  主要用于委婉请求或征得同意。

- **하다 (动词)** : 어떤 행동이나 동작, 활동 등을 행하다.

  做，干

  进行某种行动、动作或活动。

- **-여 주다 (表达)** : 남을 위해 앞의 말이 나타내는 행동을 함을 나타내는 표현.

  给

  表示为别人做前面表达的行动。

- **-세요 (语尾)** : (두루높임으로) 설명, 의문, 명령, 요청의 뜻을 나타내는 종결 어미.

  无对应词汇

  (普尊) 表示说明、疑问、命令、请求。

> **엄마** : 야, <u>그것(그거)</u>+이 얼마나 <u>비싸</u>+ㄴ데.
>   그게   비싼데

- **야 (叹词)** : 놀라거나 반가울 때 내는 소리.

  唷，嘿，哟

  感到惊讶或高兴时发出的声音。

- **그것 (代词)** : 앞에서 이미 이야기한 대상을 가리키는 말.

  那个

  指代前面已提到过的对象。

- **이 (助词)** : 앞의 말을 강조하는 뜻을 나타내는 조사.

  无对应词汇

  表示强调。

- **얼마나 (副词)** : 상태나 느낌 등의 정도가 매우 크고 대단하게.

  多么

  状态或感觉等的程度非常大而厉害地。

- **비싸다 (形容词)** : 물건값이나 어떤 일을 하는 데 드는 비용이 보통보다 높다.

  贵

  物品的价格或做某事所花的费用高于一般水平。

- **-ㄴ데 (语尾)** : (두루낮춤으로) 듣는 사람의 반응을 기대하며 어떤 일에 대해 감탄함을 나타내는 종결 어미.

  无对应词汇

  (普卑) 表示感叹，同时期待听话人的反应。

> 아이 : <u>모르(몰르)+아</u>, <u>이것(이거)+이</u> 다 엄마 때문+이+야.
>   몰라   이게

· **모르다 (动词)** : 사람이나 사물, 사실 등을 알지 못하거나 이해하지 못하다.
  不知道 , 不认识 , 不懂
  不清楚或不了解人或事物、事实等。

· **-아 (语尾)** : (두루낮춤으로) 어떤 사실을 서술하거나 물음, 명령, 권유를 나타내는 종결 어미.
  无对应词汇
  (普卑) 表示陈述、询问、命令或劝说某种事实。

· **이것 (代词)** : 바로 앞에서 이야기한 대상을 가리키는 말.
  这个
  指代前面刚刚提到的对象。

· **이 (助词)** : 어떤 상태나 상황의 대상이나 동작의 주체를 나타내는 조사.
  无对应词汇
  表示行为的主体或状态描述的对象。

· **다 (副词)** : 남거나 빠진 것이 없이 모두.
  全 , 都
  一点不剩或不落下而全部。

· **엄마 (名词)** : 격식을 갖추지 않아도 되는 상황에서 어머니를 이르거나 부르는 말.
  妈妈
  在非正式场合用于指称或称呼母亲。

· **때문 (名词)** : 어떤 일의 원인이나 이유.
  因为 , 由于
  表示原因或理由。

· **이다 (助词)** : 주어가 지시하는 대상의 속성이나 부류를 지정하는 뜻을 나타내는 서술격 조사.
  无对应词汇
  表示指定主语所指示的属性或类型。

· **-야 (语尾)** : (두루낮춤으로) 어떤 사실에 대하여 서술하거나 물음을 나타내는 종결 어미.
  无对应词汇
  (普卑) 表示叙述或询问某个事实。

> 아이 : 엄마+가 <u>나</u>+를 이렇+게 낳+았+잖아.
>   날

- **엄마 (名词)** : 격식을 갖추지 않아도 되는 상황에서 어머니를 이르거나 부르는 말.
  妈妈
  在非正式场合用于指称或称呼母亲。

- **가 (助词)** : 어떤 상태나 상황에 놓인 대상이나 동작의 주체를 나타내는 조사.
  无对应词汇
  表示行为的主体或状态描述的对象。

- **나 (代词)** : 말하는 사람이 친구나 아랫사람에게 자기를 가리키는 말.
  我
  说话人在朋友或晚辈面前用来指称自己。

- **를 (助词)** : 동작이 간접적인 영향을 미치는 대상이나 목적임을 나타내는 조사.
  无对应词汇
  表示动作间接涉及的对象或目的。

- **이렇다 (形容词)** : 상태, 모양, 성질 등이 이와 같다.
  如此，这样
  状态、形状、性质等与此相同。

- **-게 (语尾)** : 앞의 말이 뒤에서 가리키는 일의 목적이나 결과, 방식, 정도 등이 됨을 나타내는 연결 어미.
  无对应词汇
  表示前面的内容为后面所指事情的目的、结果、方式或程度等。

- **낳다 (动词)** : 배 속의 아이, 새끼, 알을 몸 밖으로 내보내다.
  生
  把肚子里的孩子、崽子、卵送出体外。

- **-았- (语尾)** : 사건이 과거에 일어났음을 나타내는 어미.
  无对应词汇
  表示事件发生在过去。

- **-잖아 (语尾)** : (두루낮춤으로) 어떤 상황에 대해 말하는 사람이 상대방에게 확인하거나 정정해 주듯이 말함을 나타내는 표현.
  无对应词汇
  表示说话人向对方以确认或更正的语气说出某种情况。

> <u>그리하</u>+자 엄마+가 하+는 한마디.
> **그러자**

- **그리하다 (动词)** : 앞에서 일어난 일이나 말한 것과 같이 그렇게 하다.
  那样
  就如前面所做或所说的那么做。

- **-자 (语尾)** : 앞의 말이 나타내는 동작이 끝난 뒤 곧 뒤의 말이 나타내는 동작이 잇따라 일어남을 나타내는 연결 어미.
  无对应词汇
  表示前句的言行结束后，后句的言行跟着发生。

- **엄마 (名词)** : 격식을 갖추지 않아도 되는 상황에서 어머니를 이르거나 부르는 말.
  妈妈
  在非正式场合用于指称或称呼母亲。

- **가 (助词)** : 어떤 상태나 상황에 놓인 대상이나 동작의 주체를 나타내는 조사.
  无对应词汇
  表示行为的主体或状态描述的对象。

- **하다 (动词)** : 다른 사람의 말이나 생각 등을 나타내는 문장을 받아 뒤에 오는 단어를 꾸미는 말.
  无对应词汇
  承接他人的话或想法等的句子，并修饰后面的单词。

- **-는 (语尾)** : 앞의 말이 관형어의 기능을 하게 만들고 사건이나 동작이 현재 일어남을 나타내는 어미.
  无对应词汇
  使前面的词具有定语功能，表示事件或动作现在正在发生。

- **한마디 (名词)** : 짧고 간단한 말.
  一句话
  短而简单的话。

엄마 : 너 낳+았+[을 때] 이빨 없+었+거든, 이것+아!

- **너 (代词)** : 듣는 사람이 친구나 아랫사람일 때, 그 사람을 가리키는 말.
  你
  指代听者，用于朋友或晚辈。

- **낳다 (动词)** : 배 속의 아이, 새끼, 알을 몸 밖으로 내보내다.
  生
  把肚子里的孩子、崽子、卵送出体外。

• -았- (语尾) : 사건이 과거에 일어났음을 나타내는 어미.

　无对应词汇

　表示事件发生在过去。

• -을 때 (表达) : 어떤 행동이나 상황이 일어나는 동안이나 그 시기 또는 그러한 일이 일어난 경우를 나
　　　　　　　타내는 표현.

　无对应词汇

　表示某种行动或状况发生的期间、时期或情况。

• 이빨 (名词) : (낮잡아 이르는 말로) 사람이나 동물의 입 안에 있으며, 무엇을 물거나 씹는 데 쓰는 기
　　　　　　관.

　牙齿

　(贬称)一种长在人或动物嘴里，用于咀嚼食物的器官。

• 없다 (形容词) : 사람, 사물, 현상 등이 어떤 곳에 자리나 공간을 차지하고 존재하지 않는 상태이다.

　不在

　人、事物、现象等不占据某处或空间。

• -었- (语尾) : 사건이 과거에 일어났음을 나타내는 어미.

　无对应词汇

　表示过去。

• -거든 (语尾) : (두루낮춤으로) 앞의 내용에 대해 말하는 사람이 생각한 이유나 원인, 근거를 나타내는
　　　　　　　종결 어미.

　无对应词汇

　(普卑) 表示说话人就前面的内容表达理由、原因或根据。

• 이것 (代词) : (귀엽게 이르는 말로) 이 아이.

　这家伙

　(昵称) 这个孩子。

• 아 (助词) : 친구나 아랫사람, 동물 등을 부를 때 쓰는 조사.

　无对应词汇

　用于称呼朋友、晚辈或动物等。

< 4 단원(単元) >

제목 : 아빠, 물 좀 갖다주세요.

● 본문 (原文)

늦은 오후 방에 늘어져 있던 아들은 시원한 물 한 잔이 먹고 싶어졌다.

그러나 꼼짝하기도 싫은 아들은 거실에서 텔레비전을 보고 계시던 아빠에게 큰 소리로 말했다.

아들 : 아빠, 물 좀 갖다주세요.

아빠 : 냉장고에 있으니까 네가 꺼내 먹어.

십 분 후

아들 : 아빠, 물 좀 갖다주세요.

아빠 : 네가 직접 가서 마시라니까.

아빠의 목소리는 점점 짜증이 섞이면서 톤이 높아지고 있었다.

그러나 이에 굴하지 않고 아들은 또 다시 외쳤다.

아들 : 아빠, 물 좀 갖다주세요.

아빠 : 네가 갖다 먹으라고.

　　　　한 번만 더 부르면 혼내 주러 간다.

아빠는 이제 단단히 화가 나셨다.

하지만 아들은 지칠 줄 모르고 다시 십 분 후에 이렇게 말했다.

아들 : 아빠, 저 혼내러 오실 때 물 좀 갖다주세요.

● 발음 (发音)

늦은 오후 방에 늘어져 있던 아들은 시원한 물 한 잔이 먹고 싶어졌다.
느즌 오후 방에 느러저 읻떤 아드른 시원한 물 한 자니 먹꼬 시퍼젇따.
neujeun ohu bange neureojeo itdeon adeureun siwonhan mul han jani meokgo sipeojeotda.

그러나 꼼짝하기도 싫은 아들은 거실에서 텔레비전을 보고 계시던 아빠에게 큰 소리로 말했다.
그러나 꼼짜카기도 시른 아드른 거시레서 텔레비저늘 보고 계시던 아빠에게 큰 소리로 말핻따.
geureona kkomjjakagido sireun adeureun geosireseo tellebijeoneul bogo gyesideon appaege keun soriro malhaetda.

아들 : 아빠, 물 좀 갖다주세요.
아들 : 아빠, 물 좀 갇따주세요.
adeul : appa, mul jom gatdajuseyo.

아빠 : 냉장고에 있으니까 네가 꺼내 먹어.
아빠 : 냉장고에 이쓰니까 네가 꺼내 머거.
appa : naengjanggoe isseunikka nega kkeonae meogeo.

십 분 후
십 분 후
sip bun hu

아들 : 아빠, 물 좀 갖다주세요.
아들 : 아빠, 물 좀 갇따주세요.
adeul : appa, mul jom gatdajuseyo.

아빠 : 네가 직접 가서 마시라니까.
아빠 : 네가 직쩝 가서 마시라니까.
appa : nega jikjeop gaseo masiranikka.

아빠의 목소리는 점점 짜증이 섞이면서 톤이 높아지고 있었다.
아빠의 목쏘리는 점점 짜증이 서끼면서 토니 노파지고 이썯따.
appaui moksorineun jeomjeom jjajeungi seokkimyeonseo toni nopajigo isseotda.

그러나 이에 굴하지 않고 아들은 또 다시 외쳤다.
그러나 이에 굴하지 안코 아드른 또 다시 외철따.
geureona ie gulhaji anko adeureun tto dasi oecheotda.

아들 : 아빠, 물 좀 갖다주세요.
아들 : 아빠, 물 좀 갇따주세요.
adeul : appa, mul jom gatdajuseyo.

아빠 : 네가 갖다 먹으라고.
아빠 : 네가 갇따 머그라고.
appa : nega gatda meogeurago.

한 번만 더 부르면 혼내 주러 간다.
한 번만 더 부르면 혼내 주러 간다.
han beonman deo bureumyeon honnae jureo ganda.

아빠는 이제 단단히 화가 나셨다.
아빠는 이제 단단히 화가 나셛따.
appaneun ije dandanhi hwaga nasyeotda.

하지만 아들은 지칠 줄 모르고 다시 십 분 후에 이렇게 말했다.
하지만 아드른 지칠 쭐 모르고 다시 십 분 후에 이러케 말핻따.
hajiman adeureun jichil jul moreugo dasi sip bun hue ireoke malhaetda.

아들 : 아빠, 저 혼내러 오실 때 물 좀 갖다주세요.
아들 : 아빠, 저 혼내러 오실 때 물 좀 갇따주세요.
adeul : appa, jeo honnaereo osil ttae mul jom gatdajuseyo.

● 어휘 (词汇) / 문법 (语法)

늦+은 오후 방+에 늘어지+<u>어 있</u>+던 아들+은 시원하+ㄴ 물 한 잔+이 먹+<u>고 싶</u>+<u>어지</u>+었+다.

그러나 꼼짝하+기+도 싫+은 아들+은 거실+에서 텔레비전+을 보+<u>고 계시</u>+던 아빠+에게 크+ㄴ 소리+로

말하+였+다.

아들 : 아빠, 물 좀 갖다주+세요.

아빠 : 냉장고+에 있+으니까 네+가 꺼내+(어) 먹+어.

십 분 후

아들 : 아빠, 물 좀 갖다주+세요.

아빠 : 네+가 직접 가+(아)서 마시+라니까.

아빠+의 목소리+는 점점 짜증+이 섞이+면서 톤+이 높아지+<u>고 있</u>+었+다.

그러나 이에 굴하+<u>지 않</u>+고 아들+은 또 다시 외치+었+다.

아들 : 아빠, 물 좀 갖다주+세요.

아빠 : 네+가 갖+다 먹+으라고.

　　　한 번+만 더 부르+면 혼내+<u>(어) 주</u>+러 가+ㄴ다.

아빠+는 이제 단단히 화+가 나+시+었+다.

하지만 아들+은 지치+<u>ㄹ 줄</u> 모르+고 다시 십 분 후+에 이렇+게 말하+였+다.

아들 : 아빠, 저 혼내+러 오+시+<u>ㄹ 때</u> 물 좀 갖다주+세요.

늦+은 오후 방+에 늘어지+[어 있]+던 아들+은 시원하+ㄴ 물 한 잔+이 먹+[고 싶]+[어지]+었+다.
　　　　　　　늘어져 있던　　　　　　　시원한　　　　　　　먹고 싶어졌다

- **늦다 (形容词)** : 적당한 때를 지나 있다. 또는 시기가 한창인 때를 지나 있다.

  缓慢，晚

  过了合适的时候；或错过了最佳时机。

- **-은 (语尾)** : 앞의 말이 관형어의 기능을 하게 만들고 현재의 상태를 나타내는 어미.

  无对应词汇

  使前面的词具有定语功能，表示现在的状态。

- **오후 (名词)** : 정오부터 해가 질 때까지의 동안.

  下午，午后

  从中午到太阳落山的期间。

- **방 (名词)** : 사람이 살거나 일을 하기 위해 벽을 둘러서 막은 공간.

  房间

  人为了生活或工作而用墙壁围绕和外界隔绝的空间。

- **에 (助词)** : 앞말이 어떤 장소나 자리임을 나타내는 조사.

  无对应词汇

  表示某个处所或地点。

- **늘어지다 (名词)** : 몸을 마음껏 펴거나 근심 걱정 없이 쉬다.

  痛痛快快，彻彻底底，无忧无虑

  尽情地伸展身体或没有顾虑地休息。

- **-어 있다 (表达)** : 앞의 말이 나타내는 상태가 계속됨을 나타내는 표현.

  无对应词汇

  表示前面所指的行动持续进行。

- **-던 (语尾)** : 앞의 말이 관형어의 기능을 하게 만들고 사건이나 동작이 과거에 완료되지 않고 중단되었음을 나타내는 어미.

  无对应词汇

  使前面的词具有定语功能，表示事件或动作过去未完成而停止。

- **아들 (名词)** : 남자인 자식.

  儿子

  男性子女。

- **은 (助词)** : 문장 속에서 어떤 대상이 화제임을 나타내는 조사.

  无对应词汇

  表示某个对象是句中的话题。

- **시원하다 (形容词)** : 음식이 먹기 좋을 정도로 차고 산뜻하거나, 속이 후련할 정도로 뜨겁다.
  爽口，清爽
  食物冰凉爽快、正合胃口，或热乎得让人畅快淋漓。

- **-ㄴ (语尾)** : 앞의 말이 관형어의 기능을 하게 만들고 현재의 상태를 나타내는 어미.
  无对应词汇
  使前面的词具有定语功能，表示现在的状态。

- **물 (名词)** : 강, 호수, 바다, 지하수 등에 있으며 순수한 것은 빛깔, 냄새, 맛이 없고 투명한 액체.
  水
  含在河、湖、海、地下水等，纯粹的且无色无香无味的透明液体。

- **한 (冠形词)** : 하나의.
  一
  一个的。

- **잔 (名词)** : 음료나 술 등을 담은 그릇을 기준으로 그 분량을 세는 단위.
  杯
  以盛饮料、酒等的器具为标准，数其数量的单位。

- **이 (助词)** : 어떤 상태나 상황의 대상이나 동작의 주체를 나타내는 조사.
  无对应词汇
  表示行为的主体或状态描述的对象。

- **먹다 (动词)** : 액체로 된 것을 마시다.
  喝
  将液体状的东西咽下去。

- **-고 싶다 (表达)** : 앞의 말이 나타내는 행동을 하기를 원함을 나타내는 표현.
  想，要
  表示有做前面行动的意愿。

- **-어지다 (表达)** : 앞에 오는 말이 나타내는 대로 행동하게 되거나 그 상태로 됨을 나타내는 표현.
  无对应词汇
  表示按照前面所指内容行动或成为那样的状态。

- **-었- (语尾)** : 어떤 사건이 과거에 완료되었거나 그 사건의 결과가 현재까지 지속되는 상황을 나타내는 어미.
  无对应词汇
  表示某一事件已结束或其结果保持到现在。

- **-다 (语尾)** : 어떤 사건이나 사실, 상태를 서술함을 나타내는 종결 어미.
  无对应词汇
  表示陈述某个事件、事实或状态。

그러나 꼼짝하+기+도 싫+은 아들+은 거실+에서 텔레비전+을 보+[고 계시]+던 아빠+에게 크+ㄴ
큰

소리+로 말하+였+다.
말했다

- **그러나 (副词)** : 앞의 내용과 뒤의 내용이 서로 반대될 때 쓰는 말.
  但是 , 可是 , 然而
  用于表示前后内容相反的时候。

- **꼼짝하다 (动词)** : 몸이 느리게 조금씩 움직이다. 또는 몸을 느리게 조금씩 움직이다.
  动弹 , 动一动
  身体缓缓地、一点点地移动；或指使身体缓慢地一点点地移动。

- **-기 (语尾)** : 앞의 말이 명사의 기능을 하게 하는 어미.
  无对应词汇
  使前面的词语具有名词功能。

- **도 (助词)** : 극단적인 경우를 들어 다른 경우는 말할 것도 없음을 나타내는 조사.
  无对应词汇
  举出极端事例。

- **싫다 (形容词)** : 어떤 일을 하고 싶지 않다.
  不愿意 , 不想
  不情愿做某事。

- **-은 (语尾)** : 앞의 말이 관형어의 기능을 하게 만들고 현재의 상태를 나타내는 어미.
  无对应词汇
  使前面的词具有定语功能 , 表示现在的状态。

- **아들 (名词)** : 남자인 자식.
  儿子
  男性子女。

- **은 (助词)** : 문장 속에서 어떤 대상이 화제임을 나타내는 조사.
  无对应词汇
  表示某个对象是句中的话题。

- **거실 (名词)** : 서양식 집에서, 가족이 모여서 생활하거나 손님을 맞는 중심 공간.
  客厅
  在西式房屋里 , 家人会聚或招待客人的主要空间。

- 에서 (助词) : 앞말이 행동이 이루어지고 있는 장소임을 나타내는 조사.
  无对应词汇
  表示前面的内容为动作所进行的地点。

- **텔레비전 (名词)** : 방송국에서 전파로 보내오는 영상과 소리를 받아서 보여 주는 기계.
  电视 , 电视机
  接收电视台以电波传送的图像与声音后使其显示出来的机器。

- 을 (助词) : 동작이 직접적으로 영향을 미치는 대상을 나타내는 조사.
  无对应词汇
  表示动作直接涉及的对象。

- **보다 (动词)** : 눈으로 대상을 즐기거나 감상하다.
  看 , 观看 , 观赏
  用眼睛享受或欣赏某个对象。

- -고 계시다 (表达) : (높임말로) 앞의 말이 나타내는 행동이 계속 진행됨을 나타내는 표현.
  无对应词汇
  (尊称) 表示前面表达的行动持续进行。

- -던 : 앞의 말이 관형어의 기능을 하게 만들고 사건이나 동작이 과거에 완료되지 않고 중단되었음을 나타내는 어미.
  无对应词汇
  使前面的词具有定语功能 , 表示事件或动作过去未完成而停止。

- **아빠 (名词)** : 격식을 갖추지 않아도 되는 상황에서 아버지를 이르거나 부르는 말.
  爸爸
  在非正式场合用于指称或称呼父亲。

- 에게 (助词) : 어떤 행동이 미치는 대상임을 나타내는 조사.
  无对应词汇
  表示某个动作所涉及的对象。

- **크다 (形容词)** : 소리의 세기가 강하다.
  大 , 洪亮 , 嘹亮
  音量很高。

- -ㄴ (语尾) : 앞의 말이 관형어의 기능을 하게 만들고 현재의 상태를 나타내는 어미.
  无对应词汇
  使前面的词具有定语功能 , 表示现在的状态。

- **소리 (名词)** : 사람의 목에서 나는 목소리.
  嗓音 , 嗓子 , 嗓门
  从人的喉咙发出的声音。

• 로 (助词) : 어떤 일의 방법이나 방식을 나타내는 조사.

　无对应词汇

　表示某事的方法或方式。

• 말하다 (动词) : 어떤 사실이나 자신의 생각 또는 느낌을 말로 나타내다.

　说，讲

　用话语表达某种事实、自己的想法或感觉等。

• -였- (语尾) : 어떤 사건이 과거에 완료되었거나 그 사건의 결과가 현재까지 지속되는 상황을 나타내는
　　　　　　　어미.

　无对应词汇

　表示某一事件已结束或其结果保持到现在。

• -다 (语尾) : 어떤 사건이나 사실, 상태를 서술함을 나타내는 종결 어미.

　无对应词汇

　表示陈述某个事件、事实或状态。

> 아들 : 아빠, 물 좀 갖다주+세요.

• 아빠 (名词) : 격식을 갖추지 않아도 되는 상황에서 아버지를 이르거나 부르는 말.

　爸爸

　在非正式场合用于指称或称呼父亲。

• 물 (名词) : 강, 호수, 바다, 지하수 등에 있으며 순수한 것은 빛깔, 냄새, 맛이 없고 투명한 액체.

　水

　含在河、湖、海、地下水等，纯粹的且无色无香无味的透明液体。

• 좀 (副词) : 주로 부탁이나 동의를 구할 때 부드러운 느낌을 주기 위해 넣는 말.

　一下

　主要用于委婉请求或征得同意。

• 갖다주다 (动词) : 무엇을 가지고 와서 주다.

　拿来，带给

　把某个东西带来给。

• -세요 (语尾) : (두루높임으로) 설명, 의문, 명령, 요청의 뜻을 나타내는 종결 어미.

　无对应词汇

　(普尊) 表示说明、疑问、命令、请求。

아빠 : 냉장고+에 있+으니까 네+가 <u>꺼내</u>+(어) 먹+어.

꺼내

- **냉장고 (名词)** : 음식을 상하지 않게 하거나 차갑게 하려고 낮은 온도에서 보관하는 상자 모양의 기계.
  冰箱
  为避免食物坏掉或为了冷却而在低温中进行保管的箱式机器。

- **에 (助词)** : 앞말이 어떤 장소나 자리임을 나타내는 조사.
  无对应词汇
  表示某个处所或地点。

- **있다 (形容词)** : 무엇이 어떤 곳에 자리나 공간을 차지하고 존재하는 상태이다.
  在
  某物占有某处位置或空间。

- **-으니까 (语尾)** : 뒤에 오는 말에 대하여 앞에 오는 말이 원인이나 근거, 전제가 됨을 강조하여 나타내는 연결 어미.
  无对应词汇
  表示强调前句为后句的原因、依据或前提。

- **네 (代词)** : '너'에 조사 '가'가 붙을 때의 형태.
  你
  "너(你)"后面加助词"가(表示动作主体)"时的形态。

  너 (代词) : 듣는 사람이 친구나 아랫사람일 때, 그 사람을 가리키는 말.
  你
  指代听者，用于朋友或晚辈。

- **가 (助词)** : 어떤 상태나 상황에 놓인 대상이나 동작의 주체를 나타내는 조사.
  无对应词汇
  表示行为的主体或状态描述的对象。

- **꺼내다 (动词)** : 안에 있는 물건을 밖으로 나오게 하다.
  拿出，掏出，取出
  把里面的东西拿到外面。

- **-어 (语尾)** : 앞의 말이 뒤의 말보다 먼저 일어났거나 뒤의 말에 대한 방법이나 수단이 됨을 나타내는 연결 어미.
  无对应词汇
  表示前句先于后句发生，或表示前句是后句的方法或手段。

- **먹다 (动词)** : 액체로 된 것을 마시다.
  喝
  将液体状的东西咽下去。

• -어 (语尾) : (두루낮춤으로) 어떤 사실을 서술하거나 물음, 명령, 권유를 나타내는 종결 어미.

　無对应词汇
　(普卑) 表示陈述某种事实、询问、命令或劝说。

┌─────────────────────────────────┐
│ 십 분 후   │
└─────────────────────────────────┘

• 십 (冠形词) : 열의.
　十
　十的。

• 분 (名词) : 한 시간의 60분의 1을 나타내는 시간의 단위.
　分, 分钟
　计时单位, 表示一个小时的六十分之一。

• 후 (名词) : 얼마만큼 시간이 지나간 다음.
　后, 以后, 之后
　一定时间过去以后。

┌───┐
│ 아들 : 아빠, 물 좀 갖다주+세요.   │
└───┘

• 아빠 (名词) : 격식을 갖추지 않아도 되는 상황에서 아버지를 이르거나 부르는 말.
　爸爸
　在非正式场合用于指称或称呼父亲。

• 물 (名词) : 강, 호수, 바다, 지하수 등에 있으며 순수한 것은 빛깔, 냄새, 맛이 없고 투명한 액체.
　水
　含在河、湖、海、地下水等, 纯粹的且无色无香无味的透明液体。

• 좀 (副词) : 주로 부탁이나 동의를 구할 때 부드러운 느낌을 주기 위해 넣는 말.
　一下
　主要用于委婉请求或征得同意。

• 갖다주다 (动词) : 무엇을 가지고 와서 주다.
　拿来, 带给
　把某个东西带来给。

• -세요 (语尾) : (두루높임으로) 설명, 의문, 명령, 요청의 뜻을 나타내는 종결 어미.
　無对应词汇
　(普尊) 表示说明、疑问、命令、请求。

아빠 : 네+가 직접 <u>가</u>+(아)서 마시+라니까.
　　　　　　　가서

- **네 (代词)** : '너'에 조사 '가'가 붙을 때의 형태.
  你
  "너(你)"后面加助词"가(表示动作主体)"时的形态。
  너 (代词) : 듣는 사람이 친구나 아랫사람일 때, 그 사람을 가리키는 말.
  你
  指代听者，用于朋友或晚辈。

- **가 (助词)** : 어떤 상태나 상황에 놓인 대상이나 동작의 주체를 나타내는 조사.
  无对应词汇
  表示行为的主体或状态描述的对象。

- **직접 (副词)** : 중간에 다른 사람이나 물건 등이 끼어들지 않고 바로.
  亲手，亲自
  没有人或物介入在中间而直接。

- **가다 (动词)** : 한 곳에서 다른 곳으로 장소를 이동하다.
  去
  从一个地方移动到另一个地方。

- **-아서 (语尾)** : 앞의 말과 뒤의 말이 순차적으로 일어남을 나타내는 연결 어미.
  无对应词汇
  表示前后内容依次发生。

- **마시다 (动词)** : 물 등의 액체를 목구멍으로 넘어가게 하다.
  喝，饮
  使水等液体流入喉咙。

- **-라니까 (语尾)** : (아주낮춤으로) 가볍게 꾸짖으면서 반복해서 명령하는 뜻을 나타내는 종결 어미.
  无对应词汇
  (高卑) 表示轻微责备，同时反复命令。

아빠+의 목소리+는 점점 짜증+이 섞이+면서 톤+이 높아지+[고 있]+었+다.

- **아빠 (名词)** : 격식을 갖추지 않아도 되는 상황에서 아버지를 이르거나 부르는 말.
  爸爸
  在非正式场合用于指称或称呼父亲。

· 의 (助词) : 앞의 말이 뒤의 말에 대하여 소유, 소속, 소재, 관계, 기원, 주체의 관계를 가짐을 나타내는
　　　　　　조사.
　的
　表示所有、所属、所在、关系、来源、主体等关系。

· 목소리 (名词) : 사람의 목구멍에서 나는 소리.
　嗓音 , 声音
　从人喉咙里发出的声音。

· 는 (助词) : 문장 속에서 어떤 대상이 화제임을 나타내는 조사.
　无对应词汇
　表示某个对象是句中的话题。

· 점점 (副词) : 시간이 지남에 따라 정도가 조금씩 더.
　越来越
　程度随着时间的推移而逐渐地。

· 짜증 (名词) : 마음에 들지 않아서 화를 내거나 싫은 느낌을 겉으로 드러내는 일. 또는 그런 성미.
　心烦 , 厌烦 , 闹心
　由于不满意而发火或把厌恶之情表露于外；或指那样的性格。

· 이 (助词) : 어떤 상태나 상황의 대상이나 동작의 주체를 나타내는 조사.
　无对应词汇
　表示行为的主体或状态描述的对象。

· 섞이다 (动词) : 어떤 말이나 행동에 다른 말이나 행동이 함께 나타나다.
　被夹杂 , 被夹带
　在某种言语或行为中，同时出现其他言语或行为。

· -면서 (语尾) : 두 가지 이상의 동작이나 상태가 함께 일어남을 나타내는 연결 어미.
　无对应词汇
　表示同时发生两个以上的动作或状态。

· 톤 (名词) : 전체적으로 느껴지는 분위기나 말투.
　语调 , 语气 , 声调 , 调门儿 , 音调
　整体上感受到的气氛或口吻。

· 이 (助词) : 어떤 상태나 상황의 대상이나 동작의 주체를 나타내는 조사.
　无对应词汇
　表示行为的主体或状态描述的对象。

· 높아지다 (动词) : 이전보다 더 높은 정도나 수준, 지위에 이르다.
　提高 , 加深
　程度、水平、地位等比以前更高。

• -고 있다 (表达) : 앞의 말이 나타내는 행동이 계속 진행됨을 나타내는 표현.
　正，在，正在
　表示持续进行前一句所指的行为。

• -었- (语尾) : 어떤 사건이 과거에 완료되었거나 그 사건의 결과가 현재까지 지속되는 상황을 나타내는
　　　　　　　어미.
　无对应词汇
　表示某一事件已结束或其结果保持到现在。

• -다 (语尾) : 어떤 사건이나 사실, 상태를 서술함을 나타내는 종결 어미.
　无对应词汇
　表示陈述某个事件、事实或状态。

그러나 이에 굴하+[지 않]+고 아들+은 또 다시 <u>외치</u>+었+다.
외쳤다

• 그러나 (副词) : 앞의 내용과 뒤의 내용이 서로 반대될 때 쓰는 말.
　但是，可是，然而
　用于表示前后内容相反的时候。

• 이에 (副词) : 이러한 내용에 곧.
　随之，据此
　为这样的内容就。

• 굴하다 (动词) : 어떤 힘이나 어려움 앞에서 자신의 의지를 굽히다.
　屈服，屈从
　不会在任何力量或困难面前动摇自己的意志。

• -지 않다 (表达) : 앞의 말이 나타내는 행위나 상태를 부정하는 뜻을 나타내는 표현.
　无对应词汇
　表示否定前面所指的行为或状态。

• -고 (语尾) : 앞의 말이 나타내는 행동이나 그 결과가 뒤에 오는 행동이 일어나는 동안에 그대로 지속됨
　　　　　　을 나타내는 연결 어미.
　无对应词汇
　表示前面的动作或其结果在后面动作进行的过程中一直持续。

• 아들 (名词) : 남자인 자식.
　儿子
　男性子女。

- 은 (助词) : 문장 속에서 어떤 대상이 화제임을 나타내는 조사.
  无对应词汇
  表示某个对象是句中的话题。

- 또 (副词) : 어떤 일이나 행동이 다시.
  又
  某件事情或行为再次发生。

- 다시 (副词) : 같은 말이나 행동을 반복해서 또.
  再，再次
  反复相同的话或行动。

- 외치다 (动词) : 큰 소리를 지르다.
  高喊，大喊
  大声叫。

- -었- (语尾) : 어떤 사건이 과거에 완료되었거나 그 사건의 결과가 현재까지 지속되는 상황을 나타내는 어미.
  无对应词汇
  表示某一事件已结束或其结果保持到现在。

- -다 (语尾) : 어떤 사건이나 사실, 상태를 서술함을 나타내는 종결 어미.
  无对应词汇
  表示陈述某个事件、事实或状态。

아들 : 아빠, 물 좀 갖다주+세요.

- 아빠 (名词) : 격식을 갖추지 않아도 되는 상황에서 아버지를 이르거나 부르는 말.
  爸爸
  在非正式场合用于指称或称呼父亲。

- 물 (名词) : 강, 호수, 바다, 지하수 등에 있으며 순수한 것은 빛깔, 냄새, 맛이 없고 투명한 액체.
  水
  含在河、湖、海、地下水等，纯粹的且无色无香无味的透明液体。

- 좀 (副词) : 주로 부탁이나 동의를 구할 때 부드러운 느낌을 주기 위해 넣는 말.
  一下
  主要用于委婉请求或征得同意。

- 갖다주다 (动词) : 무엇을 가지고 와서 주다.
  拿来，带给
  把某个东西带来给。

· -세요 (语尾) : (두루높임으로) 설명, 의문, 명령, 요청의 뜻을 나타내는 종결 어미.
  无对应词汇
  (普尊) 表示说明、疑问、命令、请求。

아빠 : 네+가 갖+다 먹+으라고.

· 네 (代词) : '너'에 조사 '가'가 붙을 때의 형태.
  你
  "너(你)"后面加助词"가(表示动作主体)"时的形态。
  너 (代词) : 듣는 사람이 친구나 아랫사람일 때, 그 사람을 가리키는 말.
  你
  指代听者，用于朋友或晚辈。

· 가 (助词) : 어떤 상태나 상황에 놓인 대상이나 동작의 주체를 나타내는 조사.
  无对应词汇
  表示行为的主体或状态描述的对象。

· 갖다 (动词) : 무엇을 손에 쥐거나 몸에 지니다.
  持，带，戴
  手里握着或身上携带着某物。

· -다 (语尾) : 어떤 행동이 진행되는 중에 다른 행동이 나타남을 나타내는 연결 어미.
  无对应词汇
  表示某个动作正在进行的时候出现另一个动作。

· 먹다 (动词) : 액체로 된 것을 마시다.
  喝
  将液体状的东西咽下去。

· -으라고 (语尾) : (두루낮춤으로) 말하는 사람의 생각이나 주장을 듣는 사람에게 강조하여 말함을 나타내는 종결 어미.
  无对应词汇
  (普卑) 表示说话人向听者强调自己的想法或主张。

아빠 : 한 번+만 더 부르+면 혼내+[(어) 주]+러 가+ㄴ다.
                    혼내 주러   간다

· 한 (冠形词) : 하나의.
  一
  一个的。

- **번 (名词)** : 일의 횟수를 세는 단위.
  次 , 遍
  计算事情次数的数量单位。

- **만 (助词)** : 앞의 말이 어떤 것에 대한 조건임을 나타내는 조사.
  无对应词汇
  表示限制条件。

- **더 (副词)** : 보태어 계속해서.
  再 , 多
  添补而继续。

- **부르다 (动词)** : 말이나 행동으로 다른 사람을 오라고 하거나 주의를 끌다.
  叫
  用言行让别人过来 , 或吸引注意力。

- **-면 (语尾)** : 뒤에 오는 말에 대한 근거나 조건이 됨을 나타내는 연결 어미.
  无对应词汇
  表示前句为后句的根据或条件。

- **혼내다 (动词)** : 심하게 꾸지람을 하거나 벌을 주다.
  训斥 , 呵斥
  严重指责或惩罚。

- **-어 주다 (表达)** : 남을 위해 앞의 말이 나타내는 행동을 함을 나타내는 표현.
  给
  表示为别人做前面表达的行动。

- **-러 (语尾)** : 가거나 오거나 하는 동작의 목적을 나타내는 연결 어미.
  无对应词汇
  表示来或去的动作的目的。

- **가다 (动词)** : 어떤 목적을 가지고 일정한 곳으로 움직이다.
  去 , 上
  为某种目的而向某个地方移动。

- **-ㄴ다 (语尾)** : (아주낮춤으로) 현재 사건이나 사실을 서술함을 나타내는 종결 어미.
  无对应词汇
  (高卑) 表示对现在事件或事实的叙述。

아빠+는 이제 단단히 화+가 나+시+었+다.
나셨다

- **아빠 (名词)** : 격식을 갖추지 않아도 되는 상황에서 아버지를 이르거나 부르는 말.
  爸爸
  在非正式场合用于指称或称呼父亲。

- **는 (助词)** : 문장 속에서 어떤 대상이 화제임을 나타내는 조사.
  无对应词汇
  表示某个对象是句中的话题。

- **이제 (副词)** : 말하고 있는 바로 이때에.
  现在
  说话的当时。

- **단단히 (副词)** : 보통보다 더 심하게.
  确确实实地
  程度超出一般地。

- **화 (名词)** : 몹시 못마땅하거나 노여워하는 감정.
  火 , 气
  十分不满意或恼怒的情绪。

- **가 (助词)** : 어떤 상태나 상황에 놓인 대상이나 동작의 주체를 나타내는 조사.
  无对应词汇
  表示行为的主体或状态描述的对象。

- **나다 (动词)** : 어떤 감정이나 느낌이 생기다.
  生 , 产生
  出现某种情感或感觉。

- **-시- (语尾)** : 높이고자 하는 인물과 관계된 소유물이나 신체의 일부가 문장의 주어일 때 그 인물을 높이는 뜻을 나타내는 어미.
  无对应词汇
  当所有物或身体部分为句子主语时 , 表示对其所有者的尊敬。

- **-었- (语尾)** : 어떤 사건이 과거에 완료되었거나 그 사건의 결과가 현재까지 지속되는 상황을 나타내는 어미.
  无对应词汇
  表示某一事件已结束或其结果保持到现在。

- **-다 (语尾)** : 어떤 사건이나 사실, 상태를 서술함을 나타내는 종결 어미.
  无对应词汇
  表示陈述某个事件、事实或状态。

하지만 아들+은 지치+[ㄹ 줄] 모르+고 다시 십 분 후+에 이렇+게 말하+였+다.
　　　　　　　지칠 줄　　　　　　　　　　　　　　　　말했다

- **하지만 (副词)** : 내용이 서로 반대인 두 개의 문장을 이어 줄 때 쓰는 말.
  可是 , 但是
  用于连接两个内容相反的分句。

- **아들 (名词)** : 남자인 자식.
  儿子
  男性子女。

- **은 (助词)** : 문장 속에서 어떤 대상이 화제임을 나타내는 조사.
  无对应词汇
  表示某个对象是句中的话题。

- **지치다 (动词)** : 힘든 일을 하거나 어떤 일에 시달려서 힘이 없다.
  疲惫 , 疲乏 , 疲劳
  做吃力的工作或受困于某事而没有力气。

- **-ㄹ 줄 (表达)** : 어떤 사실이나 상태에 대해 알고 있거나 모르고 있음을 나타내는 표현.
  无对应词汇
  表示对某件事情或状态知道或不知道。

- **모르다 (动词)** : 느끼지 않다.
  不知
  感觉不到。

- **-고 (语尾)** : 앞의 말이 나타내는 행동이나 그 결과가 뒤에 오는 행동이 일어나는 동안에 그대로 지속됨
  　　　　　을 나타내는 연결 어미.
  无对应词汇
  表示前面的动作或其结果在后面动作进行的过程中一直持续。

- **다시 (副词)** : 같은 말이나 행동을 반복해서 또.
  再 , 再次
  反复相同的话或行动。

- **십 (冠形词)** : 열의.
  十
  十的。

- **분 (名词)** : 한 시간의 60분의 1을 나타내는 시간의 단위.
  分 , 分钟
  计时单位 , 表示一个小时的六十分之一。

- **후 (名词)** : 얼마만큼 시간이 지나간 다음.

  后 , 以后 , 之后

  一定时间过去以后。

- **에** (助词) : 앞말이 시간이나 때임을 나타내는 조사.

  无对应词汇

  表示时间或时候。

- **이렇다 (形容词)** : 상태, 모양, 성질 등이 이와 같다.

  如此 , 这样

  状态、形状、性质等与此相同。

- **-게** (语尾) : 앞의 말이 뒤에서 가리키는 일의 목적이나 결과, 방식, 정도 등이 됨을 나타내는 연결 어미.

  无对应词汇

  表示前面的内容为后面所指事情的目的、结果、方式或程度等。

- **말하다 (动词)** : 어떤 사실이나 자신의 생각 또는 느낌을 말로 나타내다.

  说 , 讲

  用话语表达某种事实、自己的想法或感觉等。

- **-였-** (语尾) : 어떤 사건이 과거에 완료되었거나 그 사건의 결과가 현재까지 지속되는 상황을 나타내는 어미.

  无对应词汇

  表示某一事件已结束或其结果保持到现在。

- **-다** (语尾) : 어떤 사건이나 사실, 상태를 서술함을 나타내는 종결 어미.

  无对应词汇

  表示陈述某个事件、事实或状态。

> 아들 : 아빠, 저 혼내+러 <u>오+시+[ㄹ 때]</u> 물 좀 갖다주+세요.
>
> **오실 때**

- **아빠 (名词)** : 격식을 갖추지 않아도 되는 상황에서 아버지를 이르거나 부르는 말.

  爸爸

  在非正式场合用于指称或称呼父亲。

- **저 (代词)** : 말하는 사람이 듣는 사람에게 자신을 낮추어 가리키는 말.

  我

  说话人在听话人面前对自己的谦称。

• **혼내다 (动词)** : 심하게 꾸지람을 하거나 벌을 주다.

  训斥 , 呵斥

  严重指责或惩罚。

• **-러 (语尾)** : 가거나 오거나 하는 동작의 목적을 나타내는 연결 어미.

  无对应词汇

  表示来或去的动作的目的。

• **오다 (动词)** : 무엇이 다른 곳에서 이곳으로 움직이다.

  来 , 来到

  从别的地方移动到这个地方。

• **-시- (语尾)** : 어떤 동작이나 상태의 주체를 높이는 뜻을 나타내는 어미.

  无对应词汇

  表示对某个动作或状态主体的尊敬。

• **-ㄹ 때 (表达)** : 어떤 행동이나 상황이 일어나는 동안이나 그 시기 또는 그러한 일이 일어난 경우를 나타내는 표현.

  无对应词汇

  表示某种行为或状况发生的期间、时期或发生此类事情的情况。

• **물 (名词)** : 강, 호수, 바다, 지하수 등에 있으며 순수한 것은 빛깔, 냄새, 맛이 없고 투명한 액체.

  水

  含在河、湖、海、地下水等 , 纯粹的且无色无香无味的透明液体。

• **좀 (副词)** : 주로 부탁이나 동의를 구할 때 부드러운 느낌을 주기 위해 넣는 말.

  一下

  主要用于委婉请求或征得同意。

• **갖다주다 (动词)** : 무엇을 가지고 와서 주다.

  拿来 , 带给

  把某个东西带来给。

• **-세요 (语尾)** : (두루높임으로) 설명, 의문, 명령, 요청의 뜻을 나타내는 종결 어미.

  无对应词汇

  (普尊) 表示说明、疑问、命令、请求。

< 5 단원(単元) >

제목 : 이해가 안 가네요.

● 본문 (原文)

화창한 오후, 앞을 못 보는 시각 장애인이 자신을 안전하게 인도해 줄 개와 함께 지하철역으로 향하고 있었다.

그런데 한참 길을 걷다가 개가 한쪽 다리를 들더니 맹인의 바지에 오줌을 싸는 것이었다.

그러자 그 맹인이 갑자기 주머니에서 과자를 꺼내더니 개에게 주려고 했다.

이때 지나가던 행인이 그 광경을 지켜보다 맹인에게 한마디 했다.

행인 : 저기요, 선생님 잠깐만요.

맹인 : 무슨 일이시죠?

행인 : 아니, 방금 개가 당신 바지에 오줌을 쌌는데 왜 과자를 줍니까?

　　　 저 같으면 개 머리를 한 대 때렸을 텐데 이해가 안 가네요.

맹인 : 개한테 과자를 줘야 머리가 어디 있는지 알 수 있잖아요.

● 발음 (发音)

화창한 오후, 앞을 못 보는 시각 장애인이 자신을 안전하게 인도해 줄 개와 함께 지하철역으로 향하고
화창한 오후, 아플 몯 보는 시각 장애이니 자시늘 안전하게 인도해 줄 개와 함께 지하철려그로 향하고
hwachanghan ohu, apeul mot boneun sigak jangaeini jasineul anjeonhage indohae jul gaewa
hamkke jihacheollyeogeuro hyanghago

있었다.
이썯따.
isseotda.

그런데 한참 길을 걷다가 개가 한쪽 다리를 들더니 맹인의 바지에 오줌을 싸는 것이었다.
그런데 한참 기를 걷따가 개가 한쪽 다리를 들더니 맹이늬 바지에 오주믈 싸는 거시얻따.
geureonde hancham gireul geotdaga gaega hanjjok darireul deuldeoni maenginui bajie ojumeul
ssaneun geosieotda.

그러자 그 맹인이 갑자기 주머니에서 과자를 꺼내더니 개에게 주려고 했다.
그러자 그 맹이니 갑짜기 주머니에서 과자를 꺼내더니 개에게 주려고 핻따.
geureoja geu maengini gapjagi jumeonieseo gwajareul kkeonaedeoni gaeege juryeogo haetda.

이때 지나가던 행인이 그 광경을 지켜보다 맹인에게 한마디 했다.
이때 지나가던 행이니 그 광경을 지켜보다 맹이네게 한마디 핻따.
ittae jinagadeon haengini geu gwanggyeongeul jikyeoboda maenginege hanmadi haetda.

행인 : 저기요, 선생님 잠깐만요.
행인 : 저기요, 선생님 잠깐마뇨.
haengin : jeogiyo, seonsaengnim jamkkanmanyo.

맹인 : 무슨 일이시죠?
맹인 : 무슨 이리시죠?
maengin : museun irisijyo?

행인 : 아니, 방금 개가 당신 바지에 오줌을 쌌는데 왜 과자를 줍니까?
행인 : 아니, 방금 개가 당신 바지에 오주믈 싼는데 왜 과자를 줌니까?
haengin : ani, banggeum gaega dangsin bajie ojumeul ssanneunde wae
gwajareul jumnikka?

저 같으면 개 머리를 한 대 때렸을 텐데 이해가 안 가네요.

저 가트면 개 머리를 한 대 때려쓸 텐데 이해가 안 가네요.

jeo gateumyeon gae meorireul han dae ttaeryeosseul tende ihaega an ganeyo.

맹인 : 개한테 과자를 줘야 머리가 어디 있는지 알 수 있잖아요.

맹인 : 개한테 과자를 줘야 머리가 어디 인는지 알 쑤 읻짜나요.

maengin : gaehante gwajareul jwoya meoriga eodi inneunji al su itjanayo.

● 어휘 (词汇) / 문법 (语法)

화창하+ㄴ 오후, 앞+을 못 보+는 시각 장애인+이 자신+을 안전하+게 인도하+<u>여 주</u>+ㄹ 개+와 함께

지하철역+으로 향하+<u>고 있</u>+었+다.

그런데 한참 길+을 걷+다가 개+가 한쪽 다리+를 들+더니 맹인+의 바지+에 오줌+을 싸+<u>는 것</u>+이+었+다.

그리하+자 그 맹인+이 갑자기 주머니+에서 과자+를 꺼내+더니 개+에게 주+<u>려고 하</u>+였+다.

이때 지나가+던 행인+이 그 광경+을 지켜보+다 맹인+에게 한마디 하+였+다.

행인 : 저기, 선생님 잠깐+만+요.

맹인 : 무슨 일+이+시+죠?

행인 : 아니, 방금 개+가 선생님 바지+에 오줌+을 싸+았+는데 왜 과자+를 주+ㅂ니까?

　　　　저 같+으면 개 머리+를 한 대 때리+었+<u>을 텐데</u> 이해+가 안 가+네요.

맹인 : 개+한테 과자+를 주+어야 머리+가 어디 있+는지 알(아)+<u>ㄹ 수 있</u>+잖아요.

화창하+ㄴ 오후, 앞+을 못 보+는 시각 장애인+이 자신+을 안전하+게 <u>인도하</u>+[여 주]+ㄹ 개+와 함께
　　화창한　　　　　　　　　　　　　　　　　　　　　　　　　인도해 줄

지하철역+으로 향하+[고 있]+었+다.

- **화창하다 (形容词)** : 날씨가 맑고 따뜻하며 바람이 부드럽다.
  和畅，风和日丽
  天气晴朗温暖，有柔风。

- **-ㄴ (语尾)** : 앞의 말이 관형어의 기능을 하게 만들고 현재의 상태를 나타내는 어미.
  无对应词汇
  使前面的词具有定语功能，表示现在的状态。

- **오후 (名词)** : 정오부터 해가 질 때까지의 동안.
  下午，午后
  从中午到太阳落山的期间。

- **앞 (名词)** : 향하고 있는 쪽이나 곳.
  前，前面
  所向的一面或地方。

- **을 (助词)** : 동작이 직접적으로 영향을 미치는 대상을 나타내는 조사.
  无对应词汇
  表示动作直接涉及的对象。

- **못 (副词)** : 동사가 나타내는 동작을 할 수 없게.
  无对应词汇
  不会做动词所指的动作。

- **보다 (动词)** : 눈으로 대상의 존재나 겉모습을 알다.
  看
  用眼睛识辨对象的存在或外观。

- **-는 (语尾)** : 앞의 말이 관형어의 기능을 하게 만들고 사건이나 동작이 현재 일어남을 나타내는 어미.
  无对应词汇
  使前面的词具有定语功能，表示事件或动作现在正在发生。

- **시각 장애인 (名词)** : 눈이 멀어서 앞을 보지 못하는 사람.

  盲人

  失去视力而看不见东西的人。

  시각 (名词) : 물체의 모양이나 움직임, 빛깔 등을 보는 눈의 감각.

  视觉

  看物体的样子、运动、色彩等时的眼睛的感觉。

  장애인 (名词) : 몸에 장애가 있거나 정신적으로 부족한 점이 있어 일상생활이나 사회생활이 어려운 사람.

  残疾人

  有身体障碍或精神上的不健全，日常生活或社会生活方面有困难的人。

- **이 (助词)** : 어떤 상태나 상황의 대상이나 동작의 주체를 나타내는 조사.

  无对应词汇

  表示行为的主体或状态描述的对象。

- **자신 (名词)** : 바로 그 사람.

  自身，自己

  本人。

- **을 (助词)** : 동작이 간접적인 영향을 미치는 대상이나 목적임을 나타내는 조사.

  无对应词汇

  表示动作间接涉及的对象或目的。

- **안전하다 (形容词)** : 위험이 생기거나 사고가 날 염려가 없다.

  安全

  不用担心会发生危险或事故。

- **-게 (语尾)** : 앞의 말이 뒤에서 가리키는 일의 목적이나 결과, 방식, 정도 등이 됨을 나타내는 연결 어미.

  无对应词汇

  表示前面的内容为后面所指事情的目的、结果、方式或程度等。

- **인도하다 (动词)** : 길이나 장소를 안내하다.

  引导

  给人引路或把人带到某个场所。

- **-여 주다 (表达)** : 남을 위해 앞의 말이 나타내는 행동을 함을 나타내는 표현.

  给

  表示为别人做前面表达的行动。

- **-ㄹ (语尾)** : 앞의 말이 관형어의 기능을 하게 만들고 추측, 예정, 의지, 가능성 등을 나타내는 어미.

  无对应词汇

  使前面的词具有定语的功能，表示推测、预定、意志、可能性等。

• **개 (名词)** : 냄새를 잘 맡고 귀가 매우 밝으며 영리하고 사람을 잘 따라 사냥이나 애완 등의 목적으로
　　　　　 기르는 동물.

　狗 , 犬

　一种以打猎或玩赏等为目的饲养的动物，嗅觉和听觉都很灵敏，头脑聪明，顺从听话。

• **와 (助词)** : 어떤 일을 함께 하는 대상임을 나타내는 조사.

　和 , 跟

　引进一起做某事的对象。

• **함께 (副词)** : 여럿이서 한꺼번에 같이.

　一起 , 共同 , 与共

　许多人一下子同时。

• **지하철역 (名词)** : 지하철을 타고 내리는 곳.

　地铁站

　乘坐或下地铁的地方。

• **으로 (助词)** : 움직임의 방향을 나타내는 조사.

　无对应词汇

　表示移动的方向。

• **향하다 (动词)** : 어떤 목적이나 목표로 나아가다.

　向着 , 朝着

　向某个目的或目标出发。

• **-고 있다 (表达)** : 앞의 말이 나타내는 행동이 계속 진행됨을 나타내는 표현.

　正 , 在 , 正在

　表示持续进行前一句所指的行为。

• **-었- (语尾)** : 사건이 과거에 일어났음을 나타내는 어미.

　无对应词汇

　表示事件发生在过去。

• **-다 (语尾)** : 어떤 사건이나 사실, 상태를 서술함을 나타내는 종결 어미.

　无对应词汇

　表示陈述某个事件、事实或状态。

그런데 한참 길+을 걷+다가 개+가 한쪽 다리+를 들+더니 맹인+의 바지+에 오줌+을

싸+[는 것]+이+었+다.

- **그런데 (副词)** : 이야기를 앞의 내용과 관련시키면서 다른 방향으로 바꿀 때 쓰는 말.

  可是 , 可

  用于将话题与前面内容相连接的同时 , 又将话头转向其他方向。

- **한참 (名词)** : 시간이 꽤 지나는 동안.

  一阵 , 好一阵 , 好一会 , 老半天 , 大半天

  时间过了很久。

- **길 (名词)** : 사람이나 차 등이 지나다닐 수 있게 땅 위에 일정한 너비로 길게 이어져 있는 공간.

  路 , 道 , 道路

  供人或车等通行的 , 以一定宽度延伸的长长的地面上空间。

- **을 (助词)** : 동작이 직접적으로 영향을 미치는 대상을 나타내는 조사.

  无对应词汇

  表示动作直接涉及的对象。

- **걷다 (动词)** : 바닥에서 발을 번갈아 떼어 옮기면서 움직여 위치를 옮기다.

  走 , 行走 , 步行

  在地上交替着抬起并移动脚 , 改换位置。

- **-다가 (语尾)** : 어떤 행동이나 상태 등이 중단되고 다른 행동이나 상태로 바뀜을 나타내는 연결 어미.

  无对应词汇

  表示某个动作或状态等中断后转为另一动作或状态。

- **개 (名词)** : 냄새를 잘 맡고 귀가 매우 밝으며 영리하고 사람을 잘 따라 사냥이나 애완 등의 목적으로 기르는 동물.

  狗 , 犬

  一种以打猎或玩赏等为目的饲养的动物 , 嗅觉和听觉都很灵敏 , 头脑聪明 , 顺从听话。

- **가 (助词)** : 어떤 상태나 상황에 놓인 대상이나 동작의 주체를 나타내는 조사.

  无对应词汇

  表示行为的主体或状态描述的对象。

- **한쪽 (名词)** : 어느 한 부분이나 방향.

  一边 , 一方 , 一面 , 一头 , 一端

  某一部分或方向。

- **다리 (名词)** : 사람이나 동물의 몸통 아래에 붙어, 서고 걷고 뛰는 일을 하는 신체 부위.

  腿 , 下肢

  人或动物身体下的 , 做站、走、跳的动作的身体部位。

- **를 (助词)** : 동작이 직접적으로 영향을 미치는 대상을 나타내는 조사.

  无对应词汇

  表示动作直接涉及的对象。

- **들다 (动词)** : 아래에 있는 것을 위로 올리다.

  提 , 拿

  将下面的东西往上捡。

- **-더니 (语尾)** : 과거의 사실이나 상황에 뒤이어 어떤 사실이나 상황이 일어남을 나타내는 연결 어미.

  无对应词汇

  表示随着过去的某个事实或状况 , 紧接着又发生了某一事实或状况。

- **맹인 (名词)** : 눈이 먼 사람.

  盲人

  失去视力的人。

- **의 (助词)** : 앞의 말이 뒤의 말에 대하여 소유, 소속, 소재, 관계, 기원, 주체의 관계를 가짐을 나타내는 조사.

  的

  表示所有、所属、所在、关系、来源、主体等关系。

- **바지 (名词)** : 위는 통으로 되고 아래는 두 다리를 넣을 수 있게 갈라진, 몸의 아랫부분에 입는 옷.

  裤子

  穿在下身的衣物 , 上面为筒状 , 下面是可以放腿的两条分叉。

- **에 (助词)** : 앞말이 어떤 행위나 작용이 미치는 대상임을 나타내는 조사.

  无对应词汇

  表示某行为或作用所涉及的对象。

- **오줌 (名词)** : 혈액 속의 노폐물과 수분이 요도를 통하여 몸 밖으로 배출되는, 누렇고 지린내가 나는 액체.

  小便 , 尿

  血液中的废物和水分通过尿道排出体外的 , 黄色带有骚味的液体。

- **을 (助词)** : 동작이 직접적으로 영향을 미치는 대상을 나타내는 조사.

  无对应词汇

  表示动作直接涉及的对象。

- **싸다 (动词)** : 똥이나 오줌을 누다.

  拉 , 撒

  拉屎或撒尿。

- **-는 것 (表达)** : 명사가 아닌 것을 문장에서 명사처럼 쓰이게 하거나 '이다' 앞에 쓰일 수 있게 할 때 쓰는 표현.

  无对应词汇

  用于使非名词在句中用作名词或使其可出现在"이다"前面。

- 이다 (助词) : 주어가 지시하는 대상의 속성이나 부류를 지정하는 뜻을 나타내는 서술격 조사.
  无对应词汇
  表示指定主语所指示的属性或类型。

- -었- (语尾) : 사건이 과거에 일어났음을 나타내는 어미.
  无对应词汇
  表示事件发生在过去。

- -다 (语尾) : 어떤 사건이나 사실, 상태를 서술함을 나타내는 종결 어미.
  无对应词汇
  表示陈述某个事件、事实或状态。

그리하+자 그 맹인+이 갑자기 주머니+에서 과자+를 꺼내+더니 개+에게 주+[려고 하]+였+다.
　그러자　　　　　　　　　　　　　　　　　　　　　　　　　　　주려고 했다

- 그리하다 (动词) : 앞에서 일어난 일이나 말한 것과 같이 그렇게 하다.
  那样
  就如前面所做或所说的那么做。

- -자 (语尾) : 앞의 말이 나타내는 동작이 끝난 뒤 곧 뒤의 말이 나타내는 동작이 잇따라 일어남을 나타내는 연결 어미.
  无对应词汇
  表示前句的言行结束后，后句的言行跟着发生。

- 그 (冠形词) : 앞에서 이미 이야기한 대상을 가리킬 때 쓰는 말.
  那个
  指代前面已经讲过的对象。

- 맹인 (名词) : 눈이 먼 사람.
  盲人
  失去视力的人。

- 이 (助词) : 어떤 상태나 상황의 대상이나 동작의 주체를 나타내는 조사.
  无对应词汇
  表示行为的主体或状态描述的对象。

- 갑자기 (副词) : 미처 생각할 틈도 없이 빨리.
  突然，忽然，猛地，一下子
  来不及想，很快地。

- 주머니 (名词) : 옷에 천 등을 덧대어 돈이나 물건 등을 넣을 수 있도록 만든 부분.
  衣袋，衣兜
  缝在衣服上用以装钱或物的部分。

- 에서 (助词) : 앞말이 어떤 일의 출처임을 나타내는 조사.

  无对应词汇

  表示前面的内容为某事的出处。

- 과자 (名词) : 밀가루나 쌀가루 등에 우유, 설탕 등을 넣고 반죽하여 굽거나 튀긴 간식.

  饼干

  把牛奶、白糖等放入面粉或米粉中搅拌后烤制或油炸而成的零食。

- 를 (助词) : 동작이 직접적으로 영향을 미치는 대상을 나타내는 조사.

  无对应词汇

  表示动作直接涉及的对象。

- 꺼내다 (动词) : 안에 있는 물건을 밖으로 나오게 하다.

  拿出 , 掏出 , 取出

  把里面的东西拿到外面。

- -더니 (语尾) : 과거의 사실이나 상황에 뒤이어 어떤 사실이나 상황이 일어남을 나타내는 연결 어미.

  无对应词汇

  表示随着过去的某个事实或状况，紧接着又发生了某一事实或状况。

- 개 (名词) : 냄새를 잘 맡고 귀가 매우 밝으며 영리하고 사람을 잘 따라 사냥이나 애완 등의 목적으로 기르는 동물.

  狗 , 犬

  一种以打猎或玩赏等为目的饲养的动物，嗅觉和听觉都很灵敏，头脑聪明，顺从听话。

- 에게 (助词) : 어떤 행동이 미치는 대상임을 나타내는 조사.

  无对应词汇

  表示某个动作所涉及的对象。

- 주다 (动词) : 물건 등을 남에게 건네어 가지거나 쓰게 하다.

  给予 , 给

  把东西等递给别人，让别人拥有或使用。

- -려고 하다 (表达) : 앞의 말이 나타내는 일이 곧 일어날 것 같거나 시작될 것임을 나타내는 표현.

  无对应词汇

  表示前面所指的事情好像即将要发生或快要开始。

- -였- (语尾) : 사건이 과거에 일어났음을 나타내는 어미.

  无对应词汇

  表示事件发生在过去。

- -다 (语尾) : 어떤 사건이나 사실, 상태를 서술함을 나타내는 종결 어미.

  无对应词汇

  表示陈述某个事件、事实或状态。

이때 지나가+던 행인+이 그 광경+을 지켜보+다 맹인+에게 한마디 <u>하+였+다</u>.
했다

- **이때 (名词)** : 바로 지금. 또는 바로 앞에서 이야기한 때.
  这时，此时
  就在这个时候；或指就在前面所说的这个时候。

- **지나가다 (动词)** : 어떤 대상의 주위를 지나쳐 가다.
  途径，经过
  通过某个对象的周围。

- **-던 (语尾)** : 앞의 말이 관형어의 기능을 하게 만들고 사건이나 동작이 과거에 완료되지 않고 중단되었
  음을 나타내는 어미.
  无对应词汇
  使前面的词具有定语功能，表示事件或动作过去未完成而停止。

- **행인 (名词)** : 길을 가는 사람.
  行人
  走路的人。

- **이 (助词)** : 어떤 상태나 상황의 대상이나 동작의 주체를 나타내는 조사.
  无对应词汇
  表示行为的主体或状态描述的对象。

- **그 (冠形词)** : 앞에서 이미 이야기한 대상을 가리킬 때 쓰는 말.
  那个
  指代前面已经讲过的对象。

- **광경 (名词)** : 어떤 일이나 현상이 벌어지는 장면 또는 모양.
  景象，情景，情境
  某些事情或现象发生的场面或样子。

- **을 (助词)** : 동작이 직접적으로 영향을 미치는 대상을 나타내는 조사.
  无对应词汇
  表示动作直接涉及的对象。

- **지켜보다 (动词)** : 사물이나 모습 등을 주의를 기울여 보다.
  留心看，注视
  注意观察事物或样子等。

- **-다 (语尾)** : 어떤 행동이 진행되는 중에 다른 행동이 나타남을 나타내는 연결 어미.
  无对应词汇
  表示某个动作正在进行的时候出现另一个动作。

- **맹인 (名词)** : 눈이 먼 사람.
  盲人
  失去视力的人。

- **에게 (助词)** : 어떤 행동이 미치는 대상임을 나타내는 조사.
  无对应词汇
  表示某个动作所涉及的对象。

- **한마디 (名词)** : 짧고 간단한 말.
  一句话
  短而简单的话。

- **하다 (动词)** : 어떤 행동이나 동작, 활동 등을 행하다.
  做，干
  进行某种行动、动作或活动。

- **–였– (语尾)** : 사건이 과거에 일어났음을 나타내는 어미.
  无对应词汇
  表示事件发生在过去。

- **–다 (语尾)** : 어떤 사건이나 사실, 상태를 서술함을 나타내는 종결 어미.
  无对应词汇
  表示陈述某个事件、事实或状态。

행인 : 저기, 선생님 잠깐+만+요.

- **저기 (叹词)** : 말을 꺼내기 어색하고 편하지 않을 때에 쓰는 말.
  喂
  用于开口很尴尬、不方便。

- **선생님 (名词)** : (높이는 말로) 나이가 어지간히 든 사람을 대접하여 이르는 말.
  先生
  (敬语) 对上了一定年纪的人的敬称。

- **잠깐 (名词)** : 아주 짧은 시간 동안.
  暂时，一会儿，片刻
  非常短的时间。

- **만 (助词)** : 무엇을 강조하는 뜻을 나타내는 조사.
  无对应词汇
  表示强调。

・요 (助词) : 높임의 대상인 상대방에게 존대의 뜻을 나타내는 조사.
  无对应词汇
  对于尊敬的对象表示尊重。主要用在在名词、副词、连接词尾后。

맹인 : 무슨 일+이+시+죠?

・무슨 (冠形词) : 확실하지 않거나 잘 모르는 일, 대상, 물건 등을 물을 때 쓰는 말.
  什么
  用于询问不确定或不知道的事情、对象、东西等。

・일 (名词) : 해결하거나 처리해야 할 문제나 사항.
  事，工作
  需要解决或处理的问题或事项。

・이다 (助词) : 주어가 지시하는 대상의 속성이나 부류를 지정하는 뜻을 나타내는 서술격 조사.
  无对应词汇
  表示指定主语所指示的属性或类型。

・-시- (语尾) : 어떤 동작이나 상태의 주체를 높이는 뜻을 나타내는 어미.
  无对应词汇
  表示对某个动作或状态主体的尊敬。

・-죠 (语尾) : (두루높임으로) 말하는 사람이 듣는 사람에게 친근함을 나타내며 물을 때 쓰는 종결 어미.
  无对应词汇
  (普尊) 表示说话人亲切询问听话人。

행인 : 아니, 방금 개+가 선생님 바지+에 오줌+을 싸+았+는데 왜 과자+를 주+ㅂ니까?
**   쌌는데   줍니까**

・아니 (叹词) : 놀라거나 감탄스러울 때, 또는 의심스럽고 이상할 때 하는 말.
  啊，唉，呀
  用于表示感到惊讶、赞叹，或感到怀疑、奇怪。

・방금 (副词) : 말하고 있는 시점보다 바로 조금 전에.
  刚才，方才
  比说话时刻稍微早一点的时间。

- **개 (名词)** : 냄새를 잘 맡고 귀가 매우 밝으며 영리하고 사람을 잘 따라 사냥이나 애완 등의 목적으로
기르는 동물.

  狗 , 犬

  一种以打猎或玩赏等为目的饲养的动物 , 嗅觉和听觉都很灵敏 , 头脑聪明 , 顺从听话。

- **가 (助词)** : 어떤 상태나 상황에 놓인 대상이나 동작의 주체를 나타내는 조사.

  无对应词汇

  表示行为的主体或状态描述的对象。

- **선생님 (名词)** : (높이는 말로) 나이가 어지간히 든 사람을 대접하여 이르는 말.

  先生

  (敬语) 对上了一定年纪的人的敬称。

- **바지 (名词)** : 위는 통으로 되고 아래는 두 다리를 넣을 수 있게 갈라진, 몸의 아랫부분에 입는 옷.

  裤子

  穿在下身的衣物 , 上面为筒状 , 下面是可以放腿的两条分叉。

- **에 (助词)** : 앞말이 어떤 행위나 작용이 미치는 대상임을 나타내는 조사.

  无对应词汇

  表示某行为或作用所涉及的对象。

- **오줌 (名词)** : 혈액 속의 노폐물과 수분이 요도를 통하여 몸 밖으로 배출되는, 누렇고 지린내가 나는 액
체.

  小便 , 尿

  血液中的废物和水分通过尿道排出体外的 , 黄色带有骚味的液体。

- **을 (助词)** : 동작이 직접적으로 영향을 미치는 대상을 나타내는 조사.

  无对应词汇

  表示动作直接涉及的对象。

- **싸다 (动词)** : 똥이나 오줌을 누다.

  拉 , 撒

  拉屎或撒尿。

- **-았- (语尾)** : 어떤 사건이 과거에 완료되었거나 그 사건의 결과가 현재까지 지속되는 상황을 나타내는
어미.

  无对应词汇

  表示某一事件已结束或其结果保持到现在。

- **-는데 (语尾)** : 뒤의 말을 하기 위하여 그 대상과 관련이 있는 상황을 미리 말함을 나타내는 연결 어미.

  无对应词汇

  表示为了说后面的话而先说与其相关的状况。

- 왜 **(副词)** : 무슨 이유로. 또는 어째서.
  为什么
  因什么原因；或指怎么。

- 과자 **(名词)** : 밀가루나 쌀가루 등에 우유, 설탕 등을 넣고 반죽하여 굽거나 튀긴 간식.
  饼干
  把牛奶、白糖等放入面粉或米粉中搅拌后烤制或油炸而成的零食。

- 를 **(助词)** : 동작이 직접적으로 영향을 미치는 대상을 나타내는 조사.
  无对应词汇
  表示动作直接涉及的对象。

- 주다 **(动词)** : 물건 등을 남에게 건네어 가지거나 쓰게 하다.
  给予，给
  把东西等递给别人，让别人拥有或使用。

- -ㅂ니까 **(语尾)** : (아주높임으로) 말하는 사람이 듣는 사람에게 정중하게 물음을 나타내는 종결 어미.
  无对应词汇
  (高尊) 表示说话人以郑重的语气向听话人询问。

> 행인 : 저 같+으면 개 머리+를 한 대 **때리**+었+[을 텐데] 이해+가 안 가+네요.
> **때렸을 텐데**

- 저 **(代词)** : 말하는 사람이 듣는 사람에게 자신을 낮추어 가리키는 말.
  我
  说话人在听话人面前对自己的谦称。

- 같다 **(形容词)** : '어떤 상황이나 조건이라면'의 뜻을 나타내는 말.
  要是，如果是
  表示"如果在某种状况或条件下"。

- -으면 **(语尾)** : 뒤에 오는 말에 대한 근거나 조건이 됨을 나타내는 연결 어미.
  无对应词汇
  表示前句为后句的根据或条件。

- 개 **(名词)** : 냄새를 잘 맡고 귀가 매우 밝으며 영리하고 사람을 잘 따라 사냥이나 애완 등의 목적으로 기르는 동물.
  狗，犬
  一种以打猎或玩赏等为目的饲养的动物，嗅觉和听觉都很灵敏，头脑聪明，顺从听话。

- 머리 **(名词)** : 사람이나 동물의 몸에서 얼굴과 머리털이 있는 부분을 모두 포함한 목 위의 부분.
  头
  在人或动物身体中，包括脸和头发的脖子以上的部分。

- 를 (助词)：동작이 직접적으로 영향을 미치는 대상을 나타내는 조사.

  无对应词汇

  表示动作直接涉及的对象。

- 한 (冠形词)：하나의.

  一

  一个的。

- 대 (名词)：때리는 횟수를 세는 단위.

  下

  计算抽打次数的单位。

- 때리다 (动词)：손이나 손에 든 물건으로 아프게 치다.

  打，揍，抽

  用手或手中的东西狠狠地打击。

- -었- (语尾)：사건이 과거에 일어났음을 나타내는 어미.

  无对应词汇

  表示事件发生在过去。

- -을 텐데 (表达)：앞에 오는 말에 대하여 말하는 사람의 강한 추측을 나타내면서 그와 관련되는 내용을
  이어 말할 때 쓰는 표현.

  无对应词汇

  表示说话人对前面内容有把握的推测，同时连接后面与此相关的内容。

- 이해 (名词)：무엇이 어떤 것인지를 앎. 또는 무엇이 어떤 것이라고 받아들임.

  理解

  知道某物是什么；或指接受某物是什么。

- 가 (助词)：어떤 상태나 상황에 놓인 대상이나 동작의 주체를 나타내는 조사.

  无对应词汇

  表示行为的主体或状态描述的对象。

- 안 (副词)：부정이나 반대의 뜻을 나타내는 말.

  不

  表示否定或反对。

- 가다 (动词)：어떤 것에 대해 생각이나 이해가 되다.

  能够，给予

  可以想到或理解某事。

- -네요 (表达)：(두루높임으로) 말하는 사람이 직접 경험하여 새롭게 알게 된 사실에 대해 감탄함을 나타
  낼 때 쓰는 표현.

  无对应词汇

  (普尊) 表示说话人感叹亲身经历所得知的新事实。

맹인 : 개+한테 과자+를 <u>주</u>+어야 머리+가 어디 있+는지 <u>알(아)</u>+[ㄹ 수 있]+<u>잖아요</u>.
　　　　　　　줘야　　　　　　　　　　　　　　　**알 수 있잖아요**

- **개 (名词)** : 냄새를 잘 맡고 귀가 매우 밝으며 영리하고 사람을 잘 따라 사냥이나 애완 등의 목적으로
　　　　　　　기르는 동물.
　　狗，犬
　　一种以打猎或玩赏等为目的饲养的动物，嗅觉和听觉都很灵敏，头脑聪明，顺从听话。

- **한테 (助词)** : 어떤 행동이 미치는 대상임을 나타내는 조사.
　　无对应词汇
　　表示某个动作所涉及的对象。

- **과자 (名词)** : 밀가루나 쌀가루 등에 우유, 설탕 등을 넣고 반죽하여 굽거나 튀긴 간식.
　　饼干
　　把牛奶、白糖等放入面粉或米粉中搅拌后烤制或油炸而成的零食。

- **를 (助词)** : 동작이 직접적으로 영향을 미치는 대상을 나타내는 조사.
　　无对应词汇
　　表示动作直接涉及的对象。

- **주다 (动词)** : 물건 등을 남에게 건네어 가지거나 쓰게 하다.
　　给予，给
　　把东西等递给别人，让别人拥有或使用。

- **-어야 (语尾)** : 앞에 오는 말이 뒤에 오는 말에 대한 필수적인 조건임을 나타내는 연결 어미.
　　无对应词汇
　　表示前面内容是后面内容的必要条件。

- **머리 (名词)** : 사람이나 동물의 몸에서 얼굴과 머리털이 있는 부분을 모두 포함한 목 위의 부분.
　　头
　　在人或动物身体中，包括脸和头发的脖子以上的部分。

- **가 (助词)** : 어떤 상태나 상황에 놓인 대상이나 동작의 주체를 나타내는 조사.
　　无对应词汇
　　表示行为的主体或状态描述的对象。

- **어디 (代词)** : 모르는 곳을 가리키는 말.
　　哪里，哪儿
　　指代不知道的处所。

- **있다 (形容词)** : 무엇이 어떤 곳에 자리나 공간을 차지하고 존재하는 상태이다.
　　在
　　某物占有某处位置或空间。

- -는지 (语尾) : 뒤에 오는 말의 내용에 대한 막연한 이유나 판단을 나타내는 연결 어미.
  无对应词汇
  表示模糊的原因或判断。

- **알다 (动词)** : 교육이나 경험, 생각 등을 통해 사물이나 상황에 대한 정보 또는 지식을 갖추다.
  知道，明白
  通过教育、经验、思考等来，具备与事物或情况相关的信息或知识。

- -ㄹ 수 있다 (表达) : 어떤 행동이나 상태가 가능함을 나타내는 표현.
  无对应词汇
  表示某种行为或状态有可能发生。

- -잖아요 (表达) : (두루높임으로) 어떤 상황에 대해 말하는 사람이 상대방에게 확인하거나 정정해 주듯이
  말함을 나타내는 표현.
  无对应词汇
  (普尊) 表示说话人向对方以确认或更正的语气说出某种情况。

< 6 단원(単元) >

제목 : 왜 아버지 직업을 수산업이라고 적었니?

● 본문 (原文)

서울의 한 초등학교에서 가정 환경 조사를 실시하였다.

담임 선생님이 학생들이 제출한 자료를 꼼꼼히 살펴보고 있었다.

잠시 후 고개를 갸우뚱거리시더니 한 학생에게 물었다.

선생님 : 아버님이 선장이시니?

학생 : 아뇨.

선생님 : 그럼 어부시니?

학생 : 아니요.

선생님 : 그럼 양식 사업하시니?

학생 : 아닌데요.

선생님 : 그런데 왜 아버지 직업을 수산업이라고 적었니?

학생 : 우리 아버지는 학교 앞에서 붕어빵을 구우시거든요.

　　　맛있어서 엄청 많이 팔려요.

　　　선생님도 한번 드셔 보실래요?

● 발음 (发音)

서울의 한 초등학교에서 가정 환경 조사를 실시하였다.
서울의 한 초등학꾜에서 가정 환경 조사를 실씨하엳따.
seourui han chodeunghakgyoeseo gajeong hwangyeong josareul silsihayeotda.

담임 선생님이 학생들이 제출한 자료를 꼼꼼히 살펴보고 있었다.
다밈 선생니미 학쌩드리 제출한 자료를 꼼꼼히 살펴보고 이썯따.
damim seonsaengnimi haksaengdeuri jechulhan jaryoreul kkomkkomhi salpyeobogo isseotda.

잠시 후 고개를 갸우뚱거리시더니 한 학생에게 물었다.
잠시 후 고개를 갸우뚱거리시더니 한 학쌩에게 무럳따.
jamsi hu gogaereul gyauttunggeorisideoni han haksaengege mureotda.

선생님 : 아버님이 선장이시니?
선생님 : 아버니미 선장이시니?
seonsaengnim : abeonimi seonjangisini?

학생 : 아뇨.
학쌩 : 아뇨.
haksaeng : anyo.

선생님 : 그럼 어부시니?
선생님 : 그럼 어부시니?
seonsaengnim : geureom eobusini?

학생 : 아니요.
학쌩 : 아니요.
haksaeng : aniyo.

선생님 : 그럼 양식 사업하시니?
선생님 : 그럼 양식 사어파시니?
seonsaengnim : geureom yangsik saeopasini?

학생 : 아닌데요.
학쌩 : 아닌데요.
haksaeng : anindeyo.

선생님 : 그런데 왜 아버지 직업을 수산업이라고 적었니?
선생님 : 그런데 왜 아버지 지거블 수사너비라고 저건니?
seonsaengnim : geureonde wae abeoji jigeobeul susaneobirago jeogeonni?

학생 : 우리 아버지는 학교 앞에서 붕어빵을 구우시거든요.
학쌩 : 우리 아버지는 학꾜 아페서 붕어빵을 구우시거드뇨.
haksaeng : uri abeojineun hakgyo apeseo bungeoppangeul guusigeodeunyo.

맛있어서 엄청 많이 팔려요.
마시써서 엄청 마니 팔려요.
masisseoseo eomcheong mani pallyeoyo.

선생님도 한번 드셔 보실래요?
선생님도 한번 드셔 보실래요?
seonsaengnimdo hanbeon deusyeo bosillaeyo?

● 어휘 (词汇) / 문법 (语法)

서울+의 한 초등학교+에서 가정 환경 조사+를 실시하+였+다.

담임 선생+님+이 학생+들+이 제출하+ㄴ 자료+를 꼼꼼히 살펴보+<u>고 있</u>+었+다.

잠시 후 고개+를 갸우뚱거리+시+더니 한 학생+에게 묻(물)+었+다.

선생님 : 아버님+이 선장+이+시+니?

학생: 아뇨.

선생님 : 그럼 어부+(이)+시+니?

학생 : 아니요.

선생님 : 그럼 양식 사업하+시+니?

학생 : 아니+ㄴ데요.

선생님 : 그런데 왜 아버지 직업+을 수산업+이라고 적+었+니?

학생 : 우리 아버지+는 학교 앞+에서 붕어빵+을 굽(구우)+시+거든요.

　　　 맛있+어서 엄청 많이 팔리+어요.

　　　 선생님+도 한번 들(드)+시+<u>어 보</u>+시+ㄹ래요?

서울+의 한 초등학교+에서 가정 환경 조사+를 실시하+였+다.

- **서울 (名词)** : 한반도 중앙에 있는 특별시. 한국의 수도이자 정치, 경제, 산업, 사회, 문화, 교통의 중심 지이다. 북한산, 관악산 등의 산에 둘러싸여 있고 가운데로는 한강이 흐른다.

  首尔

  位于朝鲜半岛中央的特别市。既是韩国的首都，又是韩国政治、经济、产业、社会、文化、交通的中心地。被北汉山、冠岳山等众山围绕，汉江贯穿其中。

- **의 (助词)** : 앞의 말이 뒤의 말에 대하여 소유, 소속, 소재, 관계, 기원, 주체의 관계를 가짐을 나타내는 조사.

  的

  表示所有、所属、所在、关系、来源、主体等关系。

- **한 (冠形词)** : 여럿 중 하나인 어떤.

  一个

  多个中的一个。

- **초등학교 (名词)** : 학교 교육의 첫 번째 단계로 만 여섯 살에 입학하여 육 년 동안 기본 교육을 받는 학교.

  小学

  学校教育的第一阶段，学生满6岁入学，接受6年基本教育的学校。

- **에서 (助词)** : 앞말이 주어임을 나타내는 조사.

  无对应词汇

  表示前面的内容为主语。

- **가정 환경 (名词)** : 가정의 분위기나 조건.

  家境，家庭环境

  家庭的氛围或经济条件。

- **조사 (名词)** : 어떤 일이나 사물의 내용을 알기 위하여 자세히 살펴보거나 찾아봄.

  调查

  为了解某事或某事物的内容，仔细地查看或查找。

- **를 (助词)** : 동작이 직접적으로 영향을 미치는 대상을 나타내는 조사.

  无对应词汇

  表示动作直接涉及的对象。

- **실시하다 (动词)** : 어떤 일이나 법, 제도 등을 실제로 행하다.

  实行，实施

  实际施行某事、法律或制度等。

- -였- (语尾) : 어떤 사건이 과거에 완료되었거나 그 사건의 결과가 현재까지 지속되는 상황을 나타내는 어미.

  无对应词汇

  表示某一事件已结束或其结果保持到现在。

- -다 (语尾) : 어떤 사건이나 사실, 상태를 서술함을 나타내는 종결 어미.

  无对应词汇

  表示陈述某个事件、事实或状态。

> 담임 선생+님+이 학생+들+이 제출하+ㄴ 자료+를 꼼꼼히 살펴보+[고 있]+었+다.
> **제출한**

- **담임 선생 (名词)** : 한 반이나 한 학년을 책임지고 맡아서 가르치는 선생님.

  班主任

  全面负责教授一个班级或一个年级的老师。

- 님 (词缀) : '높임'의 뜻을 더하는 접미사.

  无对应词汇

  指"敬称"。

- 이 (助词) : 어떤 상태나 상황의 대상이나 동작의 주체를 나타내는 조사.

  无对应词汇

  表示行为的主体或状态描述的对象。

- **학생 (名词)** : 학교에 다니면서 공부하는 사람.

  学生

  在学校学习的人。

- 들 (词缀) : '복수'의 뜻을 더하는 접미사.

  无对应词汇

  指"复数"。

- 이 (助词) : 어떤 상태나 상황의 대상이나 동작의 주체를 나타내는 조사.

  无对应词汇

  表示行为的主体或状态描述的对象。

- **제출하다 (动词)** : 어떤 안건이나 의견, 서류 등을 내놓다.

  提交 , 出具

  提出某个案件、意见或文件等。

- -ㄴ (语尾) : 앞의 말이 관형어의 기능을 하게 만들고 사건이나 동작이 완료되어 그 상태가 유지되고 있음을 나타내는 어미.

  无对应词汇

  使前面的词具有定语功能，表示事件或动作完成后其状态一直持续。

- 자료 (名词) : 연구나 조사를 하는 데 기본이 되는 재료.

  资料

  做研究或调查最基本的材料。

- 를 (助词) : 동작이 직접적으로 영향을 미치는 대상을 나타내는 조사.

  无对应词汇

  表示动作直接涉及的对象。

- 꼼꼼히 (副词) : 빈틈이 없이 자세하고 차분하게.

  细密地，细致地

  很细心、很沉着、毫无漏洞地。

- 살펴보다 (动词) : 여기저기 빠짐없이 자세히 보다.

  察看

  各个方面没有遗漏地仔细看。

- -고 있다 (表达) : 앞의 말이 나타내는 행동이 계속 진행됨을 나타내는 표현.

  正，在，正在

  表示持续进行前一句所指的行为。

- -었- (语尾) : 어떤 사건이 과거에 완료되었거나 그 사건의 결과가 현재까지 지속되는 상황을 나타내는 어미.

  无对应词汇

  表示某一事件已结束或其结果保持到现在。

- -다 (语尾) : 어떤 사건이나 사실, 상태를 서술함을 나타내는 종결 어미.

  无对应词汇

  表示陈述某个事件、事实或状态。

> 잠시 후 고개+를 갸우뚱거리+시+더니 한 학생+에게 묻(물)+었+다.
>
> **물었다**

- 잠시 (名词) : 잠깐 동안.

  片刻，暂时

  一小会儿。

· **후 (名词)** : 얼마만큼 시간이 지나간 다음.
　后，以后，之后
　一定时间过去以后。

· **고개 (名词)** : 목을 포함한 머리 부분.
　头，脑袋
　包括脖子在内的头部。

· **를 (助词)** : 동작이 직접적으로 영향을 미치는 대상을 나타내는 조사.
　无对应词汇
　表示动作直接涉及的对象。

· **갸우뚱거리다 (动词)** : 물체가 자꾸 이쪽저쪽으로 기울어지며 흔들리다. 또는 그렇게 하다.
　摇晃，摇摆，歪斜
　物体总是倒来倒去地晃动；或指使那样晃动。

· **-시- (语尾)** : 어떤 동작이나 상태의 주체를 높이는 뜻을 나타내는 어미.
　无对应词汇
　表示对某个动作或状态主体的尊敬。

· **-더니 (语尾)** : 과거의 사실이나 상황에 뒤이어 어떤 사실이나 상황이 일어남을 나타내는 연결 어미.
　无对应词汇
　表示随着过去的某个事实或状况，紧接着又发生了某一事实或状况。

· **한 (冠形词)** : 여럿 중 하나인 어떤.
　一个
　多个中的一个。

· **학생 (名词)** : 학교에 다니면서 공부하는 사람.
　学生
　在学校学习的人。

· **에게 (助词)** : 어떤 행동이 미치는 대상임을 나타내는 조사.
　无对应词汇
　表示某个动作所涉及的对象。

· **묻다 (动词)** : 대답이나 설명을 요구하며 말하다.
　问
　要求回答或说明。

· **-었- (语尾)** : 어떤 사건이 과거에 완료되었거나 그 사건의 결과가 현재까지 지속되는 상황을 나타내는 어미.
　无对应词汇
　表示某一事件已结束或其结果保持到现在。

- -다 (语尾) : 어떤 사건이나 사실, 상태를 서술함을 나타내는 종결 어미.
  无对应词汇
  表示陈述某个事件、事实或状态。

> 선생님 : 아버님+이 선장+이+시+니?
>
> 학생 : 아뇨.

- **아버님 (名词)** : (높임말로) 자기를 낳아 준 남자를 이르거나 부르는 말.
  父亲 , 爸爸
  (尊称) 用于指称或称呼生育自己的男子。

- 이 (助词) : 어떤 상태나 상황의 대상이나 동작의 주체를 나타내는 조사.
  无对应词汇
  表示行为的主体或状态描述的对象。

- **선장 (名词)** : 배에 탄 선원들을 감독하고, 배의 항해와 사무를 책임지는 사람.
  船长
  监督船上的船员并负责船的航海和事务的人。

- 이다 (助词) : 주어가 지시하는 대상의 속성이나 부류를 지정하는 뜻을 나타내는 서술격 조사.
  无对应词汇
  表示指定主语所指示的属性或类型。

- -시- (语尾) : 어떤 동작이나 상태의 주체를 높이는 뜻을 나타내는 어미.
  无对应词汇
  表示对某个动作或状态主体的尊敬。

- -니 (语尾) : (아주낮춤으로) 물음을 나타내는 종결 어미.
  无对应词汇
  (高卑) 表示询问。

- **아뇨 (叹词)** : 윗사람이 묻는 말에 대하여 부정하며 대답할 때 쓰는 말.
  不用 , 不是
  用于否定回答长辈所提出的问题。

선생님 : 그럼 <u>어부+(이)+시+니?</u>
　　　　　　　　어부시니

학생 : 아니요.

- **그럼 (副词)** : 앞의 내용을 받아들이거나 그 내용을 바탕으로 하여 새로운 주장을 할 때 쓰는 말.
  那么，既然那样
  用于表示接受前文内容，或以前文为基础，提出新的主张。

- **어부 (名词)** : 물고기를 잡는 일을 직업으로 하는 사람.
  渔夫
  以捕鱼为职业的人。

- **이다 (助词)** : 주어가 지시하는 대상의 속성이나 부류를 지정하는 뜻을 나타내는 서술격 조사.
  无对应词汇
  表示指定主语所指示的属性或类型。

- **-시- (语尾)** : 어떤 동작이나 상태의 주체를 높이는 뜻을 나타내는 어미.
  无对应词汇
  表示对某个动作或状态主体的尊敬。

- **-니 (语尾)** : (아주낮춤으로) 물음을 나타내는 종결 어미.
  无对应词汇
  (高卑) 表示询问。

- **아니요 (叹词)** : 윗사람이 묻는 말에 대하여 부정하며 대답할 때 쓰는 말.
  不是，不用
  用于否定回答长辈所提出的问题。

선생님 : 그럼 양식 사업하+시+니?

학생 : <u>아니+ㄴ데요.</u>
　　　　　아닌데요

- **그럼 (副词)** : 앞의 내용을 받아들이거나 그 내용을 바탕으로 하여 새로운 주장을 할 때 쓰는 말.
  那么，既然那样
  用于表示接受前文内容，或以前文为基础，提出新的主张。

- **양식 (名词)** : 물고기, 김, 미역, 버섯 등을 인공적으로 길러서 번식하게 함.
  养殖
  人工培育繁殖鱼、海苔、海带、蘑菇等。

- **사업하다 (动词)** : 경제적 이익을 얻기 위하여 어떤 조직을 경영하다.
  做事业，做生意
  为取得经济利益而经营某种组织。

- **-시- (语尾)** : 어떤 동작이나 상태의 주체를 높이는 뜻을 나타내는 어미.
  无对应词汇
  表示对某个动作或状态主体的尊敬。

- **-니 (语尾)** : (아주낮춤으로) 물음을 나타내는 종결 어미.
  无对应词汇
  (高卑) 表示询问。

- **아니다 (形容词)** : 어떤 사실이나 내용을 부정하는 뜻을 나타내는 말.
  不是，非
  表示否定某些事实或内容。

- **-ㄴ데요 (表达)** : (두루높임으로) 어떤 상황을 전달하여 듣는 사람의 반응을 기대함을 나타내는 표현.
  无对应词汇
  (普尊) 表示转达某种状况后期待听话人的反应。

선생님 : 그런데 왜 아버지 직업+을 수산업+이라고 적+었+니?

- **그런데 (副词)** : 이야기를 앞의 내용과 관련시키면서 다른 방향으로 바꿀 때 쓰는 말.
  可是，可
  用于将话题与前面内容相连接的同时，又将话头转向其他方向。

- **왜 (副词)** : 무슨 이유로. 또는 어째서.
  为什么
  因什么原因；或指怎么。

- **아버지 (名词)** : 자기를 낳아 준 남자를 이르거나 부르는 말.
  父亲，爸爸
  用于指称或称呼生育自己的男子。

- **직업 (名词)** : 보수를 받으면서 일정하게 하는 일.
  职业
  领报酬而从事的工作。

· 을 (助词) : 동작이 직접적으로 영향을 미치는 대상을 나타내는 조사.

　无对应词汇

　表示动作直接涉及的对象。

· **수산업 (名词)** : 바다나 강 등의 물에서 나는 생물을 잡거나 기르거나 가공하는 등의 산업.

　水产业

　抓捕、养殖或加工从海或江等出产的生物的产业。

· 이라고 (助词) : 앞의 말이 원래 말해진 그대로 인용됨을 나타내는 조사.

　无对应词汇

　表示直接引用原话。

· **적다 (动词)** : 어떤 내용을 글로 쓰다.

　写

　把内容用文字书写处理。

· -었- (语尾) : 어떤 사건이 과거에 완료되었거나 그 사건의 결과가 현재까지 지속되는 상황을 나타내는
　　　　　　　어미.

　无对应词汇

　表示某一事件已结束或其结果保持到现在。

· -니 (语尾) : (아주낮춤으로) 물음을 나타내는 종결 어미.

　无对应词汇

　(高卑) 表示询问。

학생 : 우리 아버지+는 학교 앞+에서 붕어빵+을 <u>굽(구우)+시+거든요</u>.
　　　　　　　　　　　　　　　　　　　구우시거든요

· **우리 (代词)** : 말하는 사람이 자기보다 높지 않은 사람에게 자기와 관련된 것을 친근하게 나타낼 때 쓰
　　　　　　　는 말.

　我，我们

　说话人亲切地指代与自己有关的一些对象。一般对没有自己身份地位高的人使用。

· **아버지 (名词)** : 자기를 낳아 준 남자를 이르거나 부르는 말.

　父亲，爸爸

　用于指称或称呼生育自己的男子。

· 는 (助词) : 문장 속에서 어떤 대상이 화제임을 나타내는 조사.

　无对应词汇

　表示文中某个对象成为话题。

- **학교 (名词)** : 일정한 목적, 교과 과정, 제도 등에 의하여 교사가 학생을 가르치는 기관.
  学校
  按照一定的目标、教育课程、制度等，教师对学生进行教育的机构。

- **앞 (名词)** : 향하고 있는 쪽이나 곳.
  前，前面
  所向的一面或地方。

- **에서 (助词)** : 앞말이 행동이 이루어지고 있는 장소임을 나타내는 조사.
  无对应词汇
  表示前面的内容为动作所进行的地点。

- **붕어빵 (名词)** : 붕어 모양 풀빵
  붕어
  鲫鱼
  身体扁平，背部多呈黄褐色，鳞片较大的淡水鱼。
  모양
  样子，模样
  表露于外的长相或形貌。
  풀빵
  烤饼
  在刻有形状的模具里放入稀面糊和红豆馅儿后烤出来的面包。

- **을 (助词)** : 동작이 직접적으로 영향을 미치는 대상을 나타내는 조사.
  无对应词汇
  表示动作直接涉及的对象。

- **굽다 (动词)** : 음식을 불에 익히다.
  烤，烧烤
  在火上把食物烧熟。

- **-시- (语尾)** : 어떤 동작이나 상태의 주체를 높이는 뜻을 나타내는 어미.
  无对应词汇
  表示对某个动作或状态主体的尊敬。

- **-거든요 (表达)** : (두루높임으로) 앞의 내용에 대해 말하는 사람이 생각한 이유나 원인, 근거를 나타내는 표현.
  无对应词汇
  (普尊) 表示说话人就前面的内容表达理由、原因或根据。

학생 : 맛있+어서 엄청 많이 팔리+어요.
팔려요

- **맛있다 (形容词)** : 맛이 좋다.
  好吃 , 可口 , 香
  食物的味道好。

- **-어서 (语尾)** : 이유나 근거를 나타내는 연결 어미.
  无对应词汇
  表示理由或根据。

- **엄청 (副词)** : 양이나 정도가 아주 지나치게.
  相当 , 特别
  量或程度十分过分地。

- **많이 (副词)** : 수나 양, 정도 등이 일정한 기준보다 넘게.
  多
  数、量、程度等超过一定标准地。

- **팔리다 (动词)** : 값을 받고 물건이나 권리가 다른 사람에게 넘겨지거나 노력 등이 제공되다.
  被卖掉 , 被卖出
  收取钱财后 , 物品或权利被交给对方或劳动力等被提供。

- **-어요 (语尾)** : (두루높임으로) 어떤 사실을 서술하거나 질문, 명령, 권유함을 나타내는 종결 어미.
  无对应词汇
  (普尊) 表示叙述某个事实 , 或提问、命令、劝说。

학생 : 선생님+도 한번 들(드)+시+[어 보]+시+ㄹ래요?
드셔 보실래요

- **선생님 (名词)** : (높이는 말로) 학생을 가르치는 사람.
  老师 , 教师
  (敬语) 教授学生的人。

- **도 (助词)** : 이미 있는 어떤 것에 다른 것을 더하거나 포함함을 나타내는 조사.
  无对应词汇
  表示添加或包括。

· **한번 (副词)** : 어떤 일을 시험 삼아 시도함을 나타내는 말.

一下

表示把某事当做试验来尝试。

· **들다 (动词)** : (높임말로) 먹다.

进，用

(尊称) 吃。

· **-시- (语尾)** : 어떤 동작이나 상태의 주체를 높이는 뜻을 나타내는 어미.

无对应词汇

表示对某个动作或状态主体的尊敬。

· **-어 보다 (表达)** : 앞의 말이 나타내는 행동을 시험 삼아 함을 나타내는 표현.

无对应词汇

表示试着做前面所指的行动。

· **-시- (语尾)** : 어떤 동작이나 상태의 주체를 높이는 뜻을 나타내는 어미.

无对应词汇

表示对某个动作或状态主体的尊敬。

· **-ㄹ래요 (表达)** : (두루높임으로) 앞으로 어떤 일을 하려고 하는 자신의 의사를 나타내거나 그 일에 대하여 듣는 사람의 의사를 물어봄을 나타내는 표현.

无对应词汇

(普尊) 用于表达自己将要做某件事情的意愿或就此事询问听话人的意思。

< 7 단원(単元) >

제목 : 도대체 어디가 아픈지 잘 모르겠어요.

● 본문 (原文)

교통사고를 당한 사람이 진찰을 받으러 병원에 갔다.

환자 : 의사 선생님, 도대체 어디가 아픈지 잘 모르겠어요.

의사 : 일단 손가락으로 여기저기 한번 눌러 보세요.

환자 : 어디를 눌러도 까무러칠 만큼 아파요.

의사 : 제가 한번 눌러 볼게요.

　　　어떠세요?

환자 : 그다지 아픈 것 같지 않은데요.

결국 그 환자는 다른 병원을 찾아 갔지만 역시 아픈 곳을 정확히 찾지 못했다.

답답했던 그 환자는 어느 한의원에 들어갔다.

환자 : 정확히 어디가 아픈지 잘 모르겠지만 어디를 눌러 봐도 아파 죽겠어요.

　　　제발 좀 찾아 주세요.

한의사 선생님은 의미심장한 표정을 지으며 말했다.

한의사 : 손가락이 부러지셨군요!

● 발음 (发音)

교통사고를 당한 사람이 진찰을 받으러 병원에 갔다.
교통사고를 당한 사라미 진차를 바드러 병워네 갇따.
gyotongsagoreul danghan sarami jinchareul badeureo byeongwone gatda.

환자 : 의사 선생님, 도대체 어디가 아픈지 잘 모르겠어요.
환자 : 의사 선생님, 도대체 어디가 아픈지 잘 모르게써요.
hwanja : uisa seonsaengnim, dodaeche eodiga apeunji jal moreugesseoyo.

의사 : 일단 손가락으로 여기저기 한번 눌러 보세요.
의사 : 일딴 손까라그로 여기저기 한번 눌러 보세요.
uisa : ildan songarageuro yeogijeogi hanbeon nulleo boseyo.

환자 : 어디를 눌러도 까무러칠 만큼 아파요.
환자 : 어디를 눌러도 까무러칠 만큼 아파요.
hwanja : eodireul nulleodo kkamureochil mankeum apayo.

의사 : 제가 한번 눌러 볼게요.
의사 : 제가 한번 눌러 볼께요.
uisa : jega hanbeon nulleo bolgeyo.

어떠세요?
어떠세요?
eotteoseyo?

환자 : 그다지 아픈 것 같지 않은데요.
환자 : 그다지 아픈 건 갇찌 아는데요.
hwanja : geudaji apeun geot gatji aneundeyo.

결국 그 환자는 다른 병원을 찾아 갔지만 역시 아픈 곳을 정확히 찾지 못했다.
결국 그 환자는 다른 병워늘 차자 갇찌만 역씨 아픈 고슬 정화키 찾찌 모탣따.
gyeolguk geu hwanjaneun dareun byeongwoneul chaja gatjiman yeoksi apeun goseul jeonghwaki chatji motaetda.

답답했던 그 환자는 어느 한의원에 들어갔다.
답따팯떤 그 혼자는 어느 하니워네 드러갇따.
dapdapaetdeon geu hwanjaneun eoneu hanuiwone(haniwone) deureogatda.

환자 : 정확히 어디가 아픈지 잘 모르겠지만 어디를 눌러 봐도 아파 죽겠어요.
환자 : 정화키 어디가 아픈지 잘 모르겓찌만 어디를 눌러 봐도 아파 죽게써요.
hwanja : jeonghwaki eodiga apeunji jal moreugetjiman eodireul nulleo bwado apa jukgesseoyo.

제발 좀 찾아 주세요.
제발 좀 차자 주세요.
jebal jom chaja juseyo.

한의사 선생님은 의미심장한 표정을 지으며 말했다.
하니사 선생니믄 의미심장한 표정을 지으며 말핻따.
hanuisa(hanisa) seonsaengnimeun uimisimjanghan pyojeongeul jieumyeo malhaetda.

한의사 : 손가락이 부러지셨군요!
하니사 : 손까라기 부러지션꾜!
hanuisa(hanisa) : songaragi bureojisyeotgunyo!

● 어휘 (词汇) / 문법 (语法)

교통사고+를 당하+ㄴ 사람+이 진찰+을 받+으러 병원+에 가+았+다.

환자 : 의사 선생님, 도대체 어디+가 아프+ㄴ지 잘 모르+겠+어요.

의사 : 일단, 손가락+으로 여기저기 한번 누르(눌ㄹ)+<u>어 보</u>+세요.

환자 : 어디+를 누르(눌ㄹ)+어도 까무러치+ㄹ 만큼 아프(아ㅍ)+아요.

의사 : 그럼, 제+가 한번 누르(눌ㄹ)+<u>어 보</u>+ㄹ게요.

   어떻(어떠)+세요?

환자 : 그다지 아프+ㄴ 것 같+<u>지 않</u>+은데요.

결국 그 환자+는 다른 병원+을 찾아가+았+지만 역시 아프+ㄴ 곳+을 정확히 찾+<u>지 못하</u>+였+다.
답답하+였던 그 환자+는 어느 한의원+에 들어가+았+다.

환자 : 정확히 어디+가 아프+ㄴ지 잘 모르+겠+지만

   어디+를 누르(눌ㄹ)+<u>어 보</u>+아도 아프(아ㅍ)+<u>아 죽</u>+겠+어요.

   제발 좀 찾+<u>아 주</u>+세요.

한의사 선생님+은 의미심장하+ㄴ 표정+을 짓(지)+으며 말하+였+다.

한의사 : 손가락+이 부러지+시+었+군요!

교통사고+를 당하+ㄴ 사람+이 진찰+을 받+으러 병원+에 가+았+다.
　　　　　　당한　　　　　　　　　　　　　　　　　　갔다

- **교통사고 (名词)**：자동차나 기차 등이 다른 교통 기관과 부딪치거나 사람을 치는 사고.
  交通事故
  汽车或火车等与其他交通工具相撞或撞到人的事故。

- **를 (助词)**：동작이 직접적으로 영향을 미치는 대상을 나타내는 조사.
  无对应词汇
  表示动作直接涉及的对象。

- **당하다 (动词)**：좋지 않은 일을 겪다.
  遭遇，遭受
  经历不好的事情。

- **-ㄴ (语尾)**：앞의 말이 관형어의 기능을 하게 만들고 사건이나 동작이 과거에 일어났음을 나타내는 어미.
  无对应词汇
  使前面的词具有定语功能，表示事件或动作过去已经发生。

- **사람 (名词)**：생각할 수 있으며 언어와 도구를 만들어 사용하고 사회를 이루어 사는 존재.
  人
  可以思考，会制造并使用语言和工具、构成社会而生活的存在。

- **이 (助词)**：어떤 상태나 상황의 대상이나 동작의 주체를 나타내는 조사.
  无对应词汇
  表示行为的主体或状态描述的对象。

- **진찰 (名词)**：의사가 치료를 위하여 환자의 병이나 상태를 살핌.
  诊察
  医生为了进行治疗，诊视察验患者的病情。

- **을 (助词)**：동작이 직접적으로 영향을 미치는 대상을 나타내는 조사.
  无对应词汇
  表示动作直接涉及的对象。

- **받다 (名词)**：다른 사람이 하는 행동, 심리적인 작용 등을 당하거나 입다.
  接受，遭受，经受，承蒙
  受到他人行为、心理作用等的影响。

- **-으러 (语尾)**：가거나 오거나 하는 동작의 목적을 나타내는 연결 어미.
  无对应词汇
  表示移动的目的。

- **병원 (名词)** : 시설을 갖추고 의사와 간호사가 병든 사람을 치료해 주는 곳.
  医院
  具备相关设施、由医生和护士治疗病人的地方。

- **에 (助词)** : 앞말이 목적지이거나 어떤 행위의 진행 방향임을 나타내는 조사.
  无对应词汇
  表示目的地或某行为进行的方向。

- **가다 (动词)** : 어떤 목적을 가지고 일정한 곳으로 움직이다.
  去，上
  为某种目的而向某个地方移动。

- **-았- (语尾)** : 사건이 과거에 일어났음을 나타내는 어미.
  无对应词汇
  表示事件发生在过去。

- **-다 (语尾)** : 어떤 사건이나 사실, 상태를 서술함을 나타내는 종결 어미.
  无对应词汇
  表示陈述某个事件、事实或状态。

> **환자 :** 의사 선생님, 도대체 어디+가 <u>아프+ㄴ지</u> 잘 모르+겠+어요.
> **아픈지**

- **의사 (名词)** : 일정한 자격을 가지고서 병을 진찰하고 치료하는 일을 직업으로 하는 사람.
  医生
  具有一定资格、以诊断治疗病症为业的人。

- **선생님 (名词)** : 어떤 사람의 성이나 직업에 붙여 그 사람을 높이는 말.
  先生
  加在某人的姓氏或职业之后，以表示对其的尊敬。

- **도대체 (副词)** : 유감스럽게도 전혀.
  简直，就是
  令人遗憾，一点都不。

- **어디 (代词)** : 모르는 곳을 가리키는 말.
  哪里，哪儿
  指代不知道的处所。

- **가 (助词)** : 어떤 상태나 상황에 놓인 대상이나 동작의 주체를 나타내는 조사.
  无对应词汇
  表示行为的主体或状态描述的对象。

- **아프다 (形容词)** : 다치거나 병이 생겨 통증이나 괴로움을 느끼다.

  疼，痛，不舒服

  因受伤或生病，而感到痛症或痛苦。

- **-ㄴ지 (语尾)** : 뒤에 오는 말의 내용에 대한 막연한 이유나 판단을 나타내는 연결 어미.

  无对应词汇

  表示后句的原因或判断，带有不肯定的语气。

- **잘 (副词)** : 분명하고 정확하게.

  清楚地，仔细地

  分明而准确地。

- **모르다 (动词)** : 사람이나 사물, 사실 등을 알지 못하거나 이해하지 못하다.

  不知道，不认识，不懂

  不清楚或不了解人或事物、事实等。

- **-겠- (语尾)** : 완곡하게 말하는 태도를 나타내는 어미.

  无对应词汇

  表示婉转的态度。

- **-어요 (语尾)** : (두루높임으로) 어떤 사실을 서술하거나 질문, 명령, 권유함을 나타내는 종결 어미.

  无对应词汇

  (普尊) 表示叙述某个事实，或提问、命令、劝说。

의사 : 일단, 손가락+으로 여기저기 한번 <u>누르(눌ㄹ)</u>+[어 보]+<u>세요</u>.

눌러 보세요

- **일단 (副词)** : 우선 먼저.

  首先

  最先。

- **손가락 (名词)** : 사람의 손끝의 다섯 개로 갈라진 부분.

  手指

  手掌的五个终端部分。

- **으로 (助词)** : 어떤 일의 수단이나 도구를 나타내는 조사.

  无对应词汇

  表示某事的手段或工具。

- **여기저기 (名词)** : 분명하게 정해지지 않은 여러 장소나 위치.

  到处，这里那里

  没有明确定下的多个场所或位置。

· **한번 (副词)** : 어떤 일을 시험 삼아 시도함을 나타내는 말.
　一下
　表示把某事当做试验来尝试。

· **누르다 (动词)** : 물체의 전체나 부분에 대하여 위에서 아래로 힘을 주어 무게를 가하다.
　按，压，摁
　从上往下用力向物体的整体或部分施力。

· **-어 보다 (表达)** : 앞의 말이 나타내는 행동을 시험 삼아 함을 나타내는 표현.
　无对应词汇
　表示试着做前面所指的行动。

· **-세요 (语尾)** : (두루높임으로) 설명, 의문, 명령, 요청의 뜻을 나타내는 종결 어미.
　无对应词汇
　(普尊) 表示说明、疑问、命令、请求。

환자 : 어디+를 누르(눌ㄹ)+어도 까무러치+ㄹ 만큼 아프(아프)+아요.
**　　　　　　눌러도　　　까무러칠　　　아파요**

· **어디 (代词)** : 정해져 있지 않거나 정확하게 말할 수 없는 어느 곳을 가리키는 말.
　哪里，哪儿
　指代不确定的或难以准确表述的某个处所。

· **를 (助词)** : 동작이 직접적으로 영향을 미치는 대상을 나타내는 조사.
　无对应词汇
　表示动作直接涉及的对象。

· **누르다 (动词)** : 물체의 전체나 부분에 대하여 위에서 아래로 힘을 주어 무게를 가하다.
　按，压，摁
　从上往下用力向物体的整体或部分施力。

· **-어도 (语尾)** : 앞에 오는 말을 가정하거나 인정하지만 뒤에 오는 말에는 관계가 없거나 영향을 끼치지
　　　　　　　　않음을 나타내는 연결 어미.
　无对应词汇
　表示虽然假设或承认前句某种状况，但和后句内容没有关系或不会对此造成影响。

· **까무러치다 (动词)** : 정신을 잃고 쓰러지다.
　晕倒，晕过去
　昏迷倒下。

· **-ㄹ (语尾)** : 앞의 말이 관형어의 기능을 하게 만드는 어미.
　无对应词汇
　使前面的词具有定语的功能。

• **만큼 (名词)** : 앞의 내용과 같은 양이나 정도임을 나타내는 말.

　无对应词汇

　表示和前面的内容相同的量或程度。

• **아프다 (形容词)** : 다치거나 병이 생겨 통증이나 괴로움을 느끼다.

　疼 , 痛 , 不舒服

　因受伤或生病 , 而感到痛症或痛苦。

• **-아요 (语尾)** : (두루높임으로) 어떤 사실을 서술하거나 질문, 명령, 권유함을 나타내는 종결 어미.

　无对应词汇

　(普尊) 表示叙述某个事实 , 或提问、命令、劝说。

> **의사** : 그럼, 제+가 한번 <u>누르(눌ㄹ)+[어 보]+ㄹ게요</u>.　<u>어떻(어떠)+세요</u>?
>
> 　　　　　　　　　　　**눌러 볼게요**　　　　　　　**어떠세요**

• **그럼 (副词)** : 앞의 내용을 받아들이거나 그 내용을 바탕으로 하여 새로운 주장을 할 때 쓰는 말.

　那么 , 既然那样

　用于表示接受前文内容 , 或以前文为基础 , 提出新的主张。

• **제 (代词)** : 말하는 사람이 자신을 낮추어 가리키는 말인 '저'에 조사 '가'가 붙을 때의 형태.

　我

　说话人对自己的谦称"저"后加助词"가"的形态。

• **가 (助词)** : 어떤 상태나 상황에 놓인 대상이나 동작의 주체를 나타내는 조사.

　无对应词汇

　表示行为的主体或状态描述的对象。

• **한번 (副词)** : 어떤 일을 시험 삼아 시도함을 나타내는 말.

　一下

　表示把某事当做试验来尝试。

• **누르다 (动词)** : 물체의 전체나 부분에 대하여 위에서 아래로 힘을 주어 무게를 가하다.

　按 , 压 , 摁

　从上往下用力向物体的整体或部分施力。

• **-어 보다 (表达)** : 앞의 말이 나타내는 행동을 시험 삼아 함을 나타내는 표현.

　无对应词汇

　表示试着做前面所指的行动。

• **-ㄹ게요 (表达)** : (두루높임으로) 말하는 사람이 어떤 행동을 할 것을 듣는 사람에게 약속하거나 의지를

　　　　　　　　　　　나타내는 표현.

　无对应词汇

　(普尊) 表示说话人向听话人约定做某个行为或表达做某个行为的意志。

- **어떻다 (形容词)** : 생각, 느낌, 상태, 형편 등이 어찌 되어 있다.

  怎么样

  想法、感觉、状态或境况等成为什么状况。

- **-세요 (语尾)** : (두루높임으로) 설명, 의문, 명령, 요청의 뜻을 나타내는 종결 어미.

  无对应词汇

  (普尊) 表示说明、疑问、命令、请求。

환자 : 그다지 아프+[ㄴ 것 같]+[지 않]+은데요.

아픈 것 같지 않은데요

- **그다지 (副词)** : 대단한 정도로는. 또는 그렇게까지는.

  多么, 不怎么

  以了得的程度；或指到那种程度。

- **아프다 (形容词)** : 다치거나 병이 생겨 통증이나 괴로움을 느끼다.

  疼, 痛, 不舒服

  因受伤或生病, 而感到痛症或痛苦。

- **-ㄴ 것 같다 (表达)** : 추측을 나타내는 표현.

  无对应词汇

  表示推测。

- **-지 않다 (表达)** : 앞의 말이 나타내는 행위나 상태를 부정하는 뜻을 나타내는 표현.

  无对应词汇

  表示否定前面所指的行为或状态。

- **-은데요 (表达)** : (두루높임으로) 의외라 느껴지는 어떤 사실을 감탄하여 말할 때 쓰는 표현.

  无对应词汇

  (普尊) 表示感叹某个意外的事实。

결국 그 환자+는 다른 병원+을 찾아가+았+지만 역시 아프+ㄴ 곳+을 정확히 찾+[지 못하]+였+다.

찾아갔지만   **아픈**   **찾지 못했다**

- **결국 (副词)** : 일의 결과로.

  最后, 终于

  作为事情的结果。

- 그 (冠形词) : 앞에서 이미 이야기한 대상을 가리킬 때 쓰는 말.
  那个
  指代前面已经讲过的对象。

- 환자 (名词) : 몸에 병이 들거나 다쳐서 아픈 사람.
  患者，病人
  由于身体生病或受伤而疼痛的人。

- 는 (助词) : 문장 속에서 어떤 대상이 화제임을 나타내는 조사.
  无对应词汇
  表示文中某个对象成为话题。

- 다른 (冠形词) : 해당하는 것 이외의.
  其他，别的
  除相关之外的。

- 병원 (名词) : 시설을 갖추고 의사와 간호사가 병든 사람을 치료해 주는 곳.
  医院
  具备相关设施、由医生和护士治疗病人的地方。

- 을 (助词) : 동작의 도착지나 동작이 이루어지는 장소를 나타내는 조사.
  无对应词汇
  表示动作的终点或动作进行的地点。

- 찾아가다 (动词) : 사람을 만나거나 어떤 일을 하러 가다.
  去，去找，去见，拜访
  去见某人或去做某事。

- -았- (语尾) : 사건이 과거에 일어났음을 나타내는 어미.
  无对应词汇
  表示事件发生在过去。

- -지만 (语尾) : 앞에 오는 말을 인정하면서 그와 반대되거나 다른 사실을 덧붙일 때 쓰는 연결 어미.
  无对应词汇
  表示承认前面的话，同时添加与此相反或不同的事实。

- 역시 (副词) : 이전과 마찬가지로.
  还，也
  和以前一样。

- 아프다 (形容词) : 다치거나 병이 생겨 통증이나 괴로움을 느끼다.
  疼，痛，不舒服
  因受伤或生病，而感到痛症或痛苦。

- -ㄴ (语尾) : 앞의 말이 관형어의 기능을 하게 만들고 현재의 상태를 나타내는 어미.
  无对应词汇
  使前面的词具有定语功能，表示现在的状态。

- **곳 (名词)** : 일정한 장소나 위치.
  地方，地区
  一个特定的地点或位置。

- 을 (助词) : 동작이 직접적으로 영향을 미치는 대상을 나타내는 조사.
  无对应词汇
  表示动作直接涉及的对象。

- **정확히 (副词)** : 바르고 확실하게.
  正确地
  确实无误地。

- **찾다 (动词)** : 모르는 것을 알아내려고 노력하다. 또는 모르는 것을 알아내다.
  探明，查明，探索，追查，追求
  为了弄清不懂的东西而努力；或指弄清不懂的东西。

- -지 못하다 (表达) : 앞의 말이 나타내는 행동을 할 능력이 없거나 주어의 의지대로 되지 않음을 나타내는 표현.
  无对应词汇
  表示没有能力做前面所指的行为，或不如主语所愿。

- -였- (语尾) : 사건이 과거에 일어났음을 나타내는 어미.
  无对应词汇
  表示事件发生在过去。

- -다 (语尾) : 어떤 사건이나 사실, 상태를 서술함을 나타내는 종결 어미.
  无对应词汇
  表示陈述某个事件、事实或状态。

답답하+였던 그 환자+는 어느 한의원+에 들어가+았+다.
답답했던　　　　　　　　　　　**들어갔다**

- **답답하다 (形容词)** : 근심이나 걱정으로 마음이 초조하고 속이 시원하지 않다.
  着急，心焦
  因忧虑或担心而心里焦躁不安。

• -였던 (表达) : 과거의 사건이나 상태를 다시 떠올리거나 그 사건이나 상태가 완료되지 않고 중단되었다
　　　　　　　는 의미를 나타내는 표현.
　　无对应词汇
　　表示回顾过去的事件或状态，或指该事件或状态结束之前就已经中断。

• 그 (冠形词) : 앞에서 이미 이야기한 대상을 가리킬 때 쓰는 말.
　　那个
　　指代前面已经讲过的对象。

• 환자 (名词) : 몸에 병이 들거나 다쳐서 아픈 사람.
　　患者，病人
　　由于身体生病或受伤而疼痛的人。

• 는 (助词) : 문장 속에서 어떤 대상이 화제임을 나타내는 조사.
　　无对应词汇
　　表示文中某个对象成为话题。

• 어느 (冠形词) : 확실하지 않거나 분명하게 말할 필요가 없는 사물, 사람, 때, 곳 등을 가리키는 말.
　　某
　　指不明确或没必要说清楚的事物、人、时、地方的话。

• 한의원 (名词) : 우리나라 전통 의술로 환자를 치료하는 의원.
　　韩医院，汉医院，中医院
　　用韩国传统医术治疗患者的医院。

• 에 (助词) : 앞말이 목적지이거나 어떤 행위의 진행 방향임을 나타내는 조사.
　　无对应词汇
　　表示目的地或某行为进行的方向。

• 들어가다 (动词) : 밖에서 안으로 향하여 가다.
　　进，进去
　　由外往里去。

• -았- (语尾) : 사건이 과거에 일어났음을 나타내는 어미.
　　无对应词汇
　　表示事件发生在过去。

• -다 (语尾) : 어떤 사건이나 사실, 상태를 서술함을 나타내는 종결 어미.
　　无对应词汇
　　表示陈述某个事件、事实或状态。

환자 : 정확히 어디+가 <u>아프+ㄴ지</u> 잘 모르+겠+지만
아픈지

어디+를 <u>누르(눌ㄹ)+[어 보]</u>+아도 <u>아프(아ㅍ)+[아 죽]+겠</u>+어요.
눌러 보아도   아파 죽겠어요

- **정확히 (副词)** : 바르고 확실하게.
  正确地
  确实无误地。

- **어디 (代词)** : 모르는 곳을 가리키는 말.
  哪里 , 哪儿
  指代不知道的处所。

- **가 (助词)** : 어떤 상태나 상황에 놓인 대상이나 동작의 주체를 나타내는 조사.
  无对应词汇
  表示行为的主体或状态描述的对象。

- **아프다 (形容词)** : 다치거나 병이 생겨 통증이나 괴로움을 느끼다.
  疼 , 痛 , 不舒服
  因受伤或生病，而感到痛症或痛苦。

- **-ㄴ지 (语尾)** : 뒤에 오는 말의 내용에 대한 막연한 이유나 판단을 나타내는 연결 어미.
  无对应词汇
  表示后句的原因或判断，带有不肯定的语气。

- **잘 (副词)** : 분명하고 정확하게.
  清楚地 , 仔细地
  分明而准确地。

- **모르다 (动词)** : 사람이나 사물, 사실 등을 알지 못하거나 이해하지 못하다.
  不知道 , 不认识 , 不懂
  不清楚或不了解人或事物、事实等。

- **-겠- (语尾)** : 완곡하게 말하는 태도를 나타내는 어미.
  无对应词汇
  表示婉转的态度。

- **-지만 (语尾)** : 앞에 오는 말을 인정하면서 그와 반대되거나 다른 사실을 덧붙일 때 쓰는 연결 어미.
  无对应词汇
  表示承认前面的话，同时添加与此相反或不同的事实。

• **어디 (代词)** : 정해져 있지 않거나 정확하게 말할 수 없는 어느 곳을 가리키는 말.

　哪里，哪儿

　指代不确定的或难以准确表述的某个处所。

• **를 (助词)** : 동작이 직접적으로 영향을 미치는 대상을 나타내는 조사.

　无对应词汇

　表示动作直接涉及的对象。

• **누르다 (动词)** : 물체의 전체나 부분에 대하여 위에서 아래로 힘을 주어 무게를 가하다.

　按，压，摁

　从上往下用力向物体的整体或部分施力。

• **-어 보다 (表达)** : 앞의 말이 나타내는 행동을 시험 삼아 함을 나타내는 표현.

　无对应词汇

　表示试着做前面所指的行动。

• **-아도 (语尾)** : 앞에 오는 말을 가정하거나 인정하지만 뒤에 오는 말에는 관계가 없거나 영향을 끼치지 않음을 나타내는 연결 어미.

　无对应词汇

　表示虽然假设或承认前句某种状况，但和后句内容没有关系或不会对此造成影响。

• **아프다 (形容词)** : 다치거나 병이 생겨 통증이나 괴로움을 느끼다.

　疼，痛，不舒服

　因受伤或生病，而感到痛症或痛苦。

• **-아 죽다 (表达)** : 앞의 말이 나타내는 상태의 정도가 매우 심함을 나타내는 표현.

　无对应词汇

　表示前面所指状态的程度极深。

• **-겠- (语尾)** : 완곡하게 말하는 태도를 나타내는 어미.

　无对应词汇

　表示婉转的态度。

• **-어요 (语尾)** : (두루높임으로) 어떤 사실을 서술하거나 질문, 명령, 권유함을 나타내는 종결 어미.

　无对应词汇

　(普尊) 表示叙述某个事实，或提问、命令、劝说。

> **환자** : 제발 좀 찾+[아 주]+세요.
>
> 　　　　　　찾아 주세요

• **제발 (副词)** : 간절히 부탁하는데.

　千万，切切

　恳切请求。

- **좀 (副词)** : 주로 부탁이나 동의를 구할 때 부드러운 느낌을 주기 위해 넣는 말.

  一下

  主要用于委婉请求或征得同意。

- **찾다 (动词)** : 모르는 것을 알아내려고 노력하다. 또는 모르는 것을 알아내다.

  探明，查明，探索，追查，追求

  为了弄清不懂的东西而努力；或指弄清不懂的东西。

- **-아 주다 (表达)** : 남을 위해 앞의 말이 나타내는 행동을 함을 나타내는 표현.

  给

  表示为别人做前面表达的行为。

- **-세요 (语尾)** : (두루높임으로) 설명, 의문, 명령, 요청의 뜻을 나타내는 종결 어미.

  无对应词汇

  (普尊) 表示说明、疑问、命令、请求。

한의사 선생님+은 <u>의미심장하</u>+ㄴ 표정+을 <u>짓(지)</u>+으며 <u>말하</u>+<u>였</u>+다.
의미심장한 　　　　　 지으며 　　　 말했다

- **한의사 (名词)** : 우리나라 전통 의술로 치료하는 의사.

  韩医师，汉医师，中医师

  用韩国传统医术治病的医生。

- **선생님 (名词)** : 어떤 사람의 성이나 직업에 붙여 그 사람을 높이는 말.

  先生

  加在某人的姓氏或职业之后，以表示对其的尊敬。

- **은 (助词)** : 문장 속에서 어떤 대상이 화제임을 나타내는 조사.

  无对应词汇

  表示某个对象是句中的话题。

- **의미심장하다 (形容词)** : 뜻이 매우 깊다.

  意味深长

  意义非常深远。

- **-ㄴ (语尾)** : 앞의 말이 관형어의 기능을 하게 만들고 현재의 상태를 나타내는 어미.

  无对应词汇

  使前面的词具有定语功能，表示现在的状态。

- **표정 (名词)** : 마음속에 품은 감정이나 생각 등이 얼굴에 드러남. 또는 그런 모습.

  表情，脸色

  心中的情感或想法等表露在脸上；或指那样的模样。

- 을 (助词) : 동작이 직접적으로 영향을 미치는 대상을 나타내는 조사.
  无对应词汇
  表示动作直接涉及的对象。

- 짓다 (动词) : 어떤 표정이나 태도 등을 얼굴이나 몸에 나타내다.
  露出，做出
  脸上或肢体上表达出某种表情或态度。

- -으며 (语尾) : 두 가지 이상의 동작이나 상태가 함께 일어남을 나타내는 연결 어미.
  无对应词汇
  表示同时发生两个以上的动作或状态。

- 말하다 (动词) : 어떤 사실이나 자신의 생각 또는 느낌을 말로 나타내다.
  说，讲
  用话语表达某种事实、自己的想法或感觉等。

- -였- (语尾) : 사건이 과거에 일어났음을 나타내는 어미.
  无对应词汇
  表示事件发生在过去。

- -다 (语尾) : 어떤 사건이나 사실, 상태를 서술함을 나타내는 종결 어미.
  无对应词汇
  表示陈述某个事件、事实或状态。

한의사 : 손가락+이 부러지+시+었+군요!
부러지셨군요

- 손가락 (名词) : 사람의 손끝의 다섯 개로 갈라진 부분.
  手指
  手掌的五个终端部分。

- 이 (助词) : 어떤 상태나 상황의 대상이나 동작의 주체를 나타내는 조사.
  无对应词汇
  表示行为的主体或状态描述的对象。

- 부러지다 (动词) : 단단한 물체가 꺾여 둘로 겹쳐지거나 동강이 나다.
  折，折断
  坚硬的物体弯成两半，变得重叠或断开。

- -시- (语尾) : 높이고자 하는 인물과 관계된 소유물이나 신체의 일부가 문장의 주어일 때 그 인물을 높이는 뜻을 나타내는 어미.

  无对应词汇

  当所有物或身体部分为句子主语时，表示对其所有者的尊敬。

- -었- (语尾) : 어떤 사건이 과거에 완료되었거나 그 사건의 결과가 현재까지 지속되는 상황을 나타내는 어미.

  无对应词汇

  表示某一事件已结束或其结果保持到现在。

- -군요 (表达) : (두루높임으로) 새롭게 알게 된 사실에 주목하거나 감탄함을 나타내는 표현.

  无对应词汇

  (普尊) 表示关注或感叹新发现的事实。

< 8 단원(単元) >

제목 : 소는 왜 안 보이니?

● 본문 (原文)

어느 초등학교 미술 시간이었다.

선생님 : 여러분! 지금은 미술 시간이에요.

　　　　오늘은 목장 풍경을 한번 그려 보세요.

시간이 한참 지난 후에 선생님께서는 아이들 자리를 돌아다니며 그림을 살펴보았다.

선생님 : 소가 참 한가로워 보이네요.

　　　　잘 그렸어요.

이렇게 선생님께서는 학생들의 그림을 보면서 칭찬을 해 주셨다.

그런데 한 학생의 스케치북은 백지상태 그대로였다.

선생님 : 넌 어떤 그림을 그린 거니?

학생 : 풀을 뜯고 있는 소를 그렸어요.

선생님 : 그런데 풀은 어디 있니?

학생 : 소가 이미 다 먹어 버렸어요.

선생님 : 그럼 소는 왜 안 보이니?

학생 : 선생님도 참, 소가 풀을 다 먹었는데 여기에 있겠어요?

● 발음 (发音)

어느 초등학교 미술 시간이었다.
어느 초등학꾜 미술 시가니얻따.
eoneu chodeunghaggyo misul siganieotda.

선생님 : 여러분! 지금은 미술 시간이에요.
선생님 : 여러분! 지그믄 미술 시가니에요.
seonsaengnim : yeoreobun! jigeumeun misul siganieyo.

오늘은 목장 풍경을 한번 그려 보세요.
오느른 목짱 풍경을 한번 그려 보세요.
oneureun mokjang punggyeongeul hanbeon geuryeo boseyo.

시간이 한참 지난 후에 선생님께서는 아이들 자리를 돌아다니며 그림을 살펴보았다.
시가니 한참 지난 후에 선생님께서는 아이들 자리를 도라다니며 그리믈 살펴보앋따.
sigani hancham jinan hue seonsaengnimkkeseoneun aideul jarireul doradanimyeo geurimeul
salpyeoboatda.

선생님 : 소가 참 한가로워 보이네요.
선생님 : 소가 참 한가로워 보이네요.
seonsaengnim : soga cham hangarowo boineyo.

잘 그렸어요.
잘 그려써요.
jal geuryeosseoyo.

이렇게 선생님께서는 학생들의 그림을 보면서 칭찬을 해 주셨다.
이러케 선생님께서는 학쌩드레 그리믈 보면서 칭차늘 해 주셛따.
ireoke seonsaengnimkkeseoneun haksaengdeurui(haksaengdeure) geurimeul bomyeonseo
chingchaneul hae jusyeotda.

그런데 한 학생의 스케치북은 백지상태 그대로였다.
그런데 한 학쌩에 스케치부근 백찌상태 그대로엳따.
geureonde han haksaengui(haksaenge) seukechibugeun baekjisangtae geudaeroyeotda.

선생님 : 넌 어떤 그림을 그린 거니?
선생님 : 넌 어떤 그리믈 그린 거니?
seonsaengnim : neon eotteon geurimeul geurin geoni?

학생 : 풀을 뜯고 있는 소를 그렸어요.
학쌩 : 푸를 뜯꼬 인는 소를 그려써요.
haksaeng : pureul tteutgo inneun soreul geuryeosseoyo.

선생님 : 그런데 풀은 어디 있니?
선생님 : 그런데 푸른 어디 인니?
seonsaengnim : geureonde pureun eodi inni?

학생 : 소가 이미 다 먹어 버렸어요.
학쌩 : 소가 이미 다 머거 버려써요.
haksaeng : soga imi da meogeo beoryeosseoyo.

선생님 : 그럼 소는 왜 안 보이니?
선생님 : 그럼 소는 왜 안 보이니?
seonsaengnim : geureom soneun wae an boini?

학생 : 선생님도 참, 소가 풀을 다 먹었는데 여기에 있겠어요?
학쌩 : 선생님도 참, 소사 푸를 다 머건는데 여기에 읻께써요?
haksaeng : seonsaengnimdo cham, soga pureul da meogeonneunde yeogie itgesseoyo?

● 어휘 (词汇) / 문법 (语法)

어느 초등학교 미술 시간+이+었+다.

선생님 : 여러분! 지금+은 미술 시간+이+에요.

　　　　오늘+은 목장 풍경+을 한번 그리+<u>어 보</u>+세요.

시간+이 한참 지나+<u>ㄴ 후에</u> 선생님+께서+는 아이+들 자리+를 돌아다니+며 그림+을 살펴보+았+다.

선생님 : 소+가 참 한가롭(한가로우)+<u>어 보이</u>+네요.

　　　　잘 그리+었+어요.

이렇+게 선생님+께서+는 학생+들+의 그림+을 보+면서 칭찬+을 하+<u>여 주</u>+시+었+다.

그런데 한 학생+의 스케치북+은 백지상태 그대로+이+었+다.

선생님 : 너+는 어떤 그림+을 그리+<u>ㄴ 것</u>(거)+(이)+니?

학생 : 풀+을 뜯+<u>고 있</u>+는 소+를 그리+었+어요.

선생님 : 그런데 풀+은 어디 있+니?

학생 : 소+가 이미 다 먹+<u>어 버리</u>+었+어요.

선생님 : 그럼 소+는 왜 안 보이+니?

학생 : 선생님+도 참, 소+가 풀+을 다 먹+었+는데 여기+에 있+겠+어요?

어느 초등학교 미술 시간+이+었+다.

- **어느 (冠形词)** : 확실하지 않거나 분명하게 말할 필요가 없는 사물, 사람, 때, 곳 등을 가리키는 말.
  某
  指不明确或没必要说清楚的事物、人、时、地方的话。

- **초등학교 (名词)** : 학교 교육의 첫 번째 단계로 만 여섯 살에 입학하여 육 년 동안 기본 교육을 받는 학교.
  小学
  学校教育的第一阶段，学生满6岁入学，接受6年基本教育的学校。

- **미술 (名词)** : 그림이나 조각처럼 눈으로 볼 수 있는 아름다움을 표현한 예술.
  美术
  绘画或雕刻等表现视觉美的艺术。

- **시간 (名词)** : 어떤 일이 시작되어 끝날 때까지의 동안.
  时间
  某件事从开始到结束的间隔期间。

- **이다 (助词)** : 주어가 지시하는 대상의 속성이나 부류를 지정하는 뜻을 나타내는 서술격 조사.
  无对应词汇
  表示指定主语所指示的属性或类型。

- **-었- (语尾)** : 사건이 과거에 일어났음을 나타내는 어미.
  无对应词汇
  表示事件发生在过去。

- **-다 (语尾)** : 어떤 사건이나 사실, 상태를 서술함을 나타내는 종결 어미.
  无对应词汇
  表示陈述某个事件、事实或状态。

선생님 : 여러분! 지금+은 미술 시간+이+에요.

- **여러분 (代词)** : 듣는 사람이 여러 명일 때 그 사람들을 높여 이르는 말.
  诸位，各位，大家
  有多个听话人时对那些人的尊称。

- **지금 (名词)** : 말을 하고 있는 바로 이때.
  现在
  指正在说话的此时。

- **은 (助词)** : 문장 속에서 어떤 대상이 화제임을 나타내는 조사.
  无对应词汇
  表示某个对象是句中的话题。

- **미술 (名词)** : 그림이나 조각처럼 눈으로 볼 수 있는 아름다움을 표현한 예술.
  美术
  绘画或雕刻等表现视觉美的艺术。

- **시간 (名词)** : 어떤 일이 시작되어 끝날 때까지의 동안.
  时间
  某件事从开始到结束的间隔期间。

- **이다 (助词)** : 주어가 지시하는 대상의 속성이나 부류를 지정하는 뜻을 나타내는 서술격 조사.
  无对应词汇
  表示指定主语所指示的属性或类型。

- **-에요 (语尾)** : (두루높임으로) 어떤 사실을 서술하거나 질문함을 나타내는 종결 어미.
  无对应词汇
  (普尊) 表示叙述或询问某个事实。

선생님 : 오늘+은 목장 풍경+을 한번 <u>그리+[어 보]+세요</u>.
그려 보세요

- **오늘 (名词)** : 지금 지나가고 있는 이날.
  今天 , 今日
  现在正在度过的这一天。

- **은 (助词)** : 문장 속에서 어떤 대상이 화제임을 나타내는 조사.
  无对应词汇
  表示某个对象是句中的话题。

- **목장 (名词)** : 우리와 풀밭 등을 갖추어 소나 말이나 양 등을 놓아 기르는 곳.
  牧场
  拥有围栏和草地等设施 , 放牧牛、马、羊等的地方。

- **풍경 (名词)** : 감정을 불러일으키는 경치나 상황.
  情景 , 景象
  能引发情感的风景或状况。

- **을 (助词)** : 동작이 직접적으로 영향을 미치는 대상을 나타내는 조사.
  无对应词汇
  表示动作直接涉及的对象。

- **한번 (副词)** : 어떤 일을 시험 삼아 시도함을 나타내는 말.
  一下
  表示把某事当做试验来尝试。

- **그리다 (动词)** : 연필이나 붓 등을 이용하여 사물을 선이나 색으로 나타내다.
  画
  利用铅笔或毛笔等以线条或色彩来表现事物。

- **-어 보다 (表达)** : 앞의 말이 나타내는 행동을 시험 삼아 함을 나타내는 표현.
  无对应词汇
  表示试着做前面所指的行动。

- **-세요 (语尾)** : (두루높임으로) 설명, 의문, 명령, 요청의 뜻을 나타내는 종결 어미.
  无对应词汇
  (普尊) 表示说明、疑问、命令、请求。

시간+이 한참 지나+[ㄴ 후에] 선생님+께서+는 아이+들 자리+를 돌아다니+며 그림+을 살펴보+았+다.
지난 후에

- **시간 (名词)** : 자연히 지나가는 세월.
  光阴 , 时光
  自然而然流逝的岁月。

- **이 (助词)** : 어떤 상태나 상황의 대상이나 동작의 주체를 나타내는 조사.
  无对应词汇
  表示行为的主体或状态描述的对象。

- **한참 (名词)** : 시간이 꽤 지나는 동안.
  一阵 , 好一阵 , 好一会 , 老半天 , 大半天
  时间过了很久。

- **지나다 (动词)** : 시간이 흘러 그 시기에서 벗어나다.
  过 , 过去
  随时间流逝 , 脱离那个时期。

- **-ㄴ 후에 (表达)** : 앞에 오는 말이 나타내는 행동을 하고 시간적으로 뒤에 다른 행동을 함을 나타내는 표현.
  无对应词汇
  表示前面表达的行动结束之后进行时间上较为靠后的行动。

- **선생님 (名词)** : (높이는 말로) 학생을 가르치는 사람.
  老师 , 教师
  (敬语) 教授学生的人。

- 께서 (助词) : (높임말로) 가. 이. 어떤 동작의 주체가 높여야 할 대상임을 나타내는 조사.
  无对应词汇
  (尊称) 表示动作主体。

- 는 (助词) : 문장 속에서 어떤 대상이 화제임을 나타내는 조사.
  无对应词汇
  表示某个对象是句中的话题。

- **아이** (名词) : 나이가 어린 사람.
  小孩，孩子
  年纪小的人。

- 들 (词缀) : '복수'의 뜻을 더하는 접미사.
  无对应词汇
  指"复数"。

- **자리** (名词) : 사람이 앉을 수 있도록 만들어 놓은 곳.
  座位，席位
  供人坐的地方。

- 를 (助词) : 동작의 도착지나 동작이 이루어지는 장소를 나타내는 조사.
  无对应词汇
  表示动作的终点或动作进行的地点。

- **돌아다니다** (动词) : 여기저기를 두루 다니다.
  转悠，跑来跑去
  走遍各处。

- -며 (语尾) : 두 가지 이상의 동작이나 상태가 함께 일어남을 나타내는 연결 어미.
  无对应词汇
  表示同时发生两个以上的动作或状态。

- **그림** (名词) : 선이나 색채로 사물의 모양이나 이미지 등을 평면 위에 나타낸 것.
  画儿，绘画，画作，图画
  用线条或色彩把事物的模样或形象等表现在平面上的东西。

- 을 (助词) : 동작이 직접적으로 영향을 미치는 대상을 나타내는 조사.
  无对应词汇
  表示动作直接涉及的对象。

- **살펴보다** (动词) : 여기저기 빠짐없이 자세히 보다.
  察看
  各个方面没有遗漏地仔细看。

- -았- (语尾) : 사건이 과거에 일어났음을 나타내는 어미.
  无对应词汇
  表示事件发生在过去。

- -다 (语尾) : 어떤 사건이나 사실, 상태를 서술함을 나타내는 종결 어미.
  无对应词汇
  表示陈述某个事件、事实或状态。

선생님 : 소+가 참 <u>한가롭(한가로우)+[어 보이]</u>+네요.
한가로워 보이네요

- **소 (名词)** : 몸집이 크고 갈색이나 흰색과 검은색의 털이 있으며, 젖을 짜 먹거나 고기를 먹기 위해 기르는 짐승.
  牛
  为了挤奶或食用而饲养的牲畜，体型大，毛色为褐色或黑白相间。

- **가 (助词)** : 어떤 상태나 상황에 놓인 대상이나 동작의 주체를 나타내는 조사.
  无对应词汇
  表示行为的主体或状态描述的对象。

- **참 (副词)** : 사실이나 이치에 조금도 어긋남이 없이 정말로.
  真，实在，的确
  毫不违背事实或道理，真正地。

- **한가롭다 (形容词)** : 바쁘지 않고 여유가 있는 듯하다.
  闲暇，闲适
  不忙，有余暇。

- **-어 보이다 (表达)** : 겉으로 볼 때 앞의 말이 나타내는 것처럼 느껴지거나 추측됨을 나타내는 표현.
  看起来，看上去
  表示从表面上能感觉到或能猜到前面表达的内容。

- **-네요 (表达)** : (두루높임으로) 말하는 사람이 직접 경험하여 새롭게 알게 된 사실에 대해 감탄함을 나타낼 때 쓰는 표현.
  无对应词汇
  (普尊) 表示说话人感叹亲身经历所得知的新事实。

> 선생님 : 잘 <u>그리+었+어요</u>.
> **그렸어요**

- **잘 (副词)** : 익숙하고 솜씨 있게.
  很好地，熟练地
  熟悉而擅长地。

- **그리다 (动词)** : 연필이나 붓 등을 이용하여 사물을 선이나 색으로 나타내다.
  画
  利用铅笔或毛笔等以线条或色彩来表现事物。

- **-었- (语尾)** : 어떤 사건이 과거에 완료되었거나 그 사건의 결과가 현재까지 지속되는 상황을 나타내는 어미.
  无对应词汇
  表示某一事件已结束或其结果保持到现在。

- **-어요 (语尾)** : (두루높임으로) 어떤 사실을 서술하거나 질문, 명령, 권유함을 나타내는 종결 어미.
  无对应词汇
  (普尊) 表示叙述某个事实，或提问、命令、劝说。

> 이렇+게 선생님+께서+는 학생+들+의 그림+을 보+면서 칭찬+을 <u>하+[여 주]+시+었+다</u>.
> **해 주셨다**

- **이렇다 (形容词)** : 상태, 모양, 성질 등이 이와 같다.
  如此，这样
  状态、形状、性质等与此相同。

- **-게 (语尾)** : 앞의 말이 뒤에서 가리키는 일의 목적이나 결과, 방식, 정도 등이 됨을 나타내는 연결 어미.
  无对应词汇
  表示前面的内容为后面所指事情的目的、结果、方式或程度等。

- **선생님 (名词)** : (높이는 말로) 학생을 가르치는 사람.
  老师，教师
  (敬语) 教授学生的人。

- **께서 (助词)** : (높임말로) 가. 이. 어떤 동작의 주체가 높여야 할 대상임을 나타내는 조사.
  无对应词汇
  (尊称) 表示动作主体。

• 는 (助词) : 문장 속에서 어떤 대상이 화제임을 나타내는 조사.
　无对应词汇
　表示某个对象是句中的话题。

• **학생** (名词) : 학교에 다니면서 공부하는 사람.
　学生
　在学校学习的人。

• 들 (词缀) : '복수'의 뜻을 더하는 접미사.
　无对应词汇
　指"复数"。

• 의 (助词) : 앞의 말이 뒤의 말에 대하여 소유, 소속, 소재, 관계, 기원, 주체의 관계를 가짐을 나타내는
　　　　　　조사.
　的
　表示所有、所属、所在、关系、来源、主体等关系。

• **그림** (名词) : 선이나 색채로 사물의 모양이나 이미지 등을 평면 위에 나타낸 것.
　画儿 , 绘画 , 画作 , 图画
　用线条或色彩把事物的模样或形象等表现在平面上的东西。

• 을 (助词) : 동작이 직접적으로 영향을 미치는 대상을 나타내는 조사.
　无对应词汇
　表示动作直接涉及的对象。

• **보다** (动词) : 책이나 신문, 지도 등의 글자나 그림, 기호 등을 읽고 내용을 이해하다.
　阅读 , 看
　读书籍、报纸、地图中的字、图、符号等而理解内容。

• -면서 (语尾) : 두 가지 이상의 동작이나 상태가 함께 일어남을 나타내는 연결 어미.
　无对应词汇
　表示同时发生两个以上的动作或状态。

• **칭찬** (名词) : 좋은 점이나 잘한 일 등을 매우 훌륭하게 여기는 마음을 말로 나타냄. 또는 그런 말.
　称赞
　用言语表达对优点、好事等的喜爱；或指那样的话。

• 을 (助词) : 동작이 직접적으로 영향을 미치는 대상을 나타내는 조사.
　无对应词汇
　表示动作直接涉及的对象。

• **하다** (动词) : 어떤 행동이나 동작, 활동 등을 행하다.
　做 , 干
　进行某种行动、动作或活动。

• -여 주다 (表达) : 남을 위해 앞의 말이 나타내는 행동을 함을 나타내는 표현.

　給

　表示为别人做前面表达的行动。

• -시- (语尾) : 어떤 동작이나 상태의 주체를 높이는 뜻을 나타내는 어미.

　无对应词汇

　表示对某个动作或状态主体的尊敬。

• -었- (语尾) : 사건이 과거에 일어났음을 나타내는 어미.

　无对应词汇

　表示事件发生在过去。

• -다 (语尾) : 어떤 사건이나 사실, 상태를 서술함을 나타내는 종결 어미.

　无对应词汇

　表示陈述某个事件、事实或状态。

그런데 한 학생+의 스케치북+은 백지상태 <u>그대로+이+었+다</u>.
그대로였다

• **그런데 (副词)** : 이야기를 앞의 내용과 관련시키면서 다른 방향으로 바꿀 때 쓰는 말.

　可是，可

　用于将话题与前面内容相连接的同时，又将话头转向其他方向。

• **한 (冠形词)** : 여럿 중 하나인 어떤.

　一个

　多个中的一个。

• **학생 (名词)** : 학교에 다니면서 공부하는 사람.

　学生

　在学校学习的人。

• 의 (助词) : 앞의 말이 뒤의 말에 대하여 소유, 소속, 소재, 관계, 기원, 주체의 관계를 가짐을 나타내는 조사.

　的

　表示所有、所属、所在、关系、来源、主体等关系。

• **스케치북 (名词)** : 그림을 그릴 수 있는 하얀 도화지를 여러 장 묶어 놓은 책.

　素描本，写生册

　用多张可以作画的画图纸编成的本子。

• 은 (助词) : 문장 속에서 어떤 대상이 화제임을 나타내는 조사.

　无对应词汇

　表示某个对象是句中的话题。

· **백지상태** (名词) : 종이에 아무것도 쓰지 않은 상태.
　白纸状态
　纸上什么都没有写的状态。

· **그대로** (名词) : 그것과 똑같은 것.
　原原本本地 , 原封不动地 , 如实地 , 照原样
　与其完全相同的。

· **이다** (助词) : 주어가 지시하는 대상의 속성이나 부류를 지정하는 뜻을 나타내는 서술격 조사.
　无对应词汇
　表示指定主语所指示的属性或类型。

· **-었-** (语尾) : 사건이 과거에 일어났음을 나타내는 어미.
　无对应词汇
　表示事件发生在过去。

· **-다** (语尾) : 어떤 사건이나 사실, 상태를 서술함을 나타내는 종결 어미.
　无对应词汇
　表示陈述某个事件、事实或状态。

> **선생님** : 너+는 어떤 그림+을 그리+[ㄴ 것(거)]+(이)+니?
> 　　　　　 넌　　　　　　　　　그린 거니

· **너** (代词) : 듣는 사람이 친구나 아랫사람일 때, 그 사람을 가리키는 말.
　你
　指代听者 , 用于朋友或晚辈。

· **는** (助词) : 문장 속에서 어떤 대상이 화제임을 나타내는 조사.
　无对应词汇
　表示某个对象是句中的话题。

· **어떤** (冠形词) : 사람이나 사물의 특징, 내용, 성격, 성질, 모양 등이 무엇인지 물을 때 쓰는 말.
　什么样的 , 怎么样的
　用于询问人或事物的特征、内容、性格、性质、模样等。

· **그림** (名词) : 선이나 색채로 사물의 모양이나 이미지 등을 평면 위에 나타낸 것.
　画儿 , 绘画 , 画作 , 图画
　用线条或色彩把事物的模样或形象等表现在平面上的东西。

· **을** (助词) : 서술어의 명사형 목적어임을 나타내는 조사.
　无对应词汇
　表示名词形谓词作宾语。

- **그리다 (动词)** : 연필이나 붓 등을 이용하여 사물을 선이나 색으로 나타내다.
  画
  利用铅笔或毛笔等以线条或色彩来表现事物。

- **-ㄴ 것 (表达)** : 명사가 아닌 것을 문장에서 명사처럼 쓰이게 하거나 '이다' 앞에 쓰일 수 있게 할 때 쓰는 표현.
  无对应词汇
  用于使非名词的词性在句中用作名词或使其可出现在"이다"前面。

- **이다 (助词)** : 주어가 지시하는 대상의 속성이나 부류를 지정하는 뜻을 나타내는 서술격 조사.
  无对应词汇
  表示指定主语所指示的属性或类型。

- **-니 (语尾)** : (아주낮춤으로) 물음을 나타내는 종결 어미.
  无对应词汇
  (高卑) 表示询问。

학생 : 풀+을 뜯+[고 있]+는 소+를 <u>그리+었</u>+어요.
그렸어요

- **풀 (名词)** : 줄기가 연하고, 대개 한 해를 지내면 죽는 식물.
  草
  一种茎秆柔软的植物，大部分为一年生。

- **을 (助词)** : 동작이 직접적으로 영향을 미치는 대상을 나타내는 조사.
  无对应词汇
  表示动作直接涉及的对象。

- **뜯다 (动词)** : 풀이나 질긴 음식을 입에 물고 떼어서 먹다.
  啃，撕咬
  撕着吃草或难啃的食物。

- **-고 있다 (表达)** : 앞의 말이 나타내는 행동이 계속 진행됨을 나타내는 표현.
  正，在，正在
  表示持续进行前一句所指的行为。

- **-는 (语尾)** : 앞의 말이 관형어의 기능을 하게 만들고 사건이나 동작이 현재 일어남을 나타내는 어미.
  无对应词汇
  使前面的词具有定语功能，表示事件或动作现在正在发生。

- 소 (名词) : 몸집이 크고 갈색이나 흰색과 검은색의 털이 있으며, 젖을 짜 먹거나 고기를 먹기 위해 기르는 짐승.

  牛

  为了挤奶或食用而饲养的牲畜，体型大，毛色为褐色或黑白相间。

- 를 (助词) : 동작이 직접적으로 영향을 미치는 대상을 나타내는 조사.

  无对应词汇

  表示动作直接涉及的对象。

- 그리다 (动词) : 연필이나 붓 등을 이용하여 사물을 선이나 색으로 나타내다.

  画

  利用铅笔或毛笔等以线条或色彩来表现事物。

- -었- (语尾) : 어떤 사건이 과거에 완료되었거나 그 사건의 결과가 현재까지 지속되는 상황을 나타내는 어미.

  无对应词汇

  表示某一事件已结束或其结果保持到现在。

- -어요 (语尾) : (두루높임으로) 어떤 사실을 서술하거나 질문, 명령, 권유함을 나타내는 종결 어미.

  无对应词汇

  (普尊) 表示叙述某个事实，或提问、命令、劝说。

선생님 : 그런데 풀+은 어디 있+니?

- 그런데 (副词) : 이야기를 앞의 내용과 관련시키면서 다른 방향으로 바꿀 때 쓰는 말.

  可是，可

  用于将话题与前面内容相连接的同时，又将话头转向其他方向。

- 풀 (名词) : 줄기가 연하고, 대개 한 해를 지내면 죽는 식물.

  草

  一种茎秆柔软的植物，大部分为一年生。

- 은 (助词) : 문장 속에서 어떤 대상이 화제임을 나타내는 조사.

  无对应词汇

  表示某个对象是句中的话题。

- 어디 (代词) : 모르는 곳을 가리키는 말.

  哪里，哪儿

  指代不知道的处所。

- 있다 (形容词) : 무엇이 어떤 곳에 자리나 공간을 차지하고 존재하는 상태이다.

  在

  某物占有某处位置或空间。

- **-니** (语尾) : (아주낮춤으로) 물음을 나타내는 종결 어미.

  无对应词汇

  (高卑) 表示询问。

학생 : 소+가 이미 다 먹+[어 버리]+었+어요.
먹어 버렸어요

- **소** (名词) : 몸집이 크고 갈색이나 흰색과 검은색의 털이 있으며, 젖을 짜 먹거나 고기를 먹기 위해 기르는 짐승.

  牛

  为了挤奶或食用而饲养的牲畜，体型大，毛色为褐色或黑白相间。

- **가** (助词) : 어떤 상태나 상황에 놓인 대상이나 동작의 주체를 나타내는 조사.

  无对应词汇

  表示行为的主体或状态描述的对象。

- **이미** (副词) : 어떤 일이 이루어진 때가 지금 시간보다 앞서.

  已经

  某事发生的时间比现在早地。

- **다** (副词) : 남거나 빠진 것이 없이 모두.

  全，都

  一点不剩或不落下而全部。

- **먹다** (动词) : 음식 등을 입을 통하여 배 속에 들여보내다.

  吃

  将食物送进口中并咽下。

- **-어 버리다** (表达) : 앞의 말이 나타내는 행동이 완전히 끝났음을 나타내는 표현.

  无对应词汇

  表示前面所指的行动完全结束。

- **-었-** (语尾) : 어떤 사건이 과거에 완료되었거나 그 사건의 결과가 현재까지 지속되는 상황을 나타내는 어미.

  无对应词汇

  表示某一事件已结束或其结果保持到现在。

- **-어요** (语尾) : (두루높임으로) 어떤 사실을 서술하거나 질문, 명령, 권유함을 나타내는 종결 어미.

  无对应词汇

  (普尊) 表示叙述某个事实，或提问、命令、劝说。

> **선생님** : 그럼 소+는 왜 안 보이+니?

- **그럼 (副词)** : 앞의 내용을 받아들이거나 그 내용을 바탕으로 하여 새로운 주장을 할 때 쓰는 말.

  那么 , 既然那样

  用于表示接受前文内容 , 或以前文为基础 , 提出新的主张。

- **소 (名词)** : 몸집이 크고 갈색이나 흰색과 검은색의 털이 있으며, 젖을 짜 먹거나 고기를 먹기 위해 기르는 짐승.

  牛

  为了挤奶或食用而饲养的牲畜 , 体型大 , 毛色为褐色或黑白相间。

- **는 (助词)** : 문장 속에서 어떤 대상이 화제임을 나타내는 조사.

  无对应词汇

  表示某个对象是句中的话题。

- **왜 (副词)** : 무슨 이유로. 또는 어째서.

  为什么

  因什么原因 ; 或指怎么。

- **안 (副词)** : 부정이나 반대의 뜻을 나타내는 말.

  不

  表示否定或反对。

- **보이다 (动词)** : 눈으로 대상의 존재나 겉모습을 알게 되다.

  让看见

  用眼睛看而得知对象的存在或样子。

- **-니 (语尾)** : (아주낮춤으로) 물음을 나타내는 종결 어미.

  无对应词汇

  (高卑) 表示询问。

> **학생** : 선생님+도 참, 소+가 풀+을 다 먹+었+는데 여기+에 있+겠+어요?

- **선생님 (名词)** : (높이는 말로) 학생을 가르치는 사람.

  老师 , 教师

  (敬语) 教授学生的人。

- **도 (助词)** : 놀라움, 감탄, 실망 등의 감정을 강조함을 나타내는 조사.

  无对应词汇

  表示强调惊讶、感叹、失望。

· **참 (叹词)** : 어이가 없거나 난처할 때 내는 소리.
　哎哟
　感到荒唐或为难而发出的声音。

· **소 (名词)** : 몸집이 크고 갈색이나 흰색과 검은색의 털이 있으며, 젖을 짜 먹거나 고기를 먹기 위해 기르는 짐승.
　牛
　为了挤奶或食用而饲养的牲畜，体型大，毛色为褐色或黑白相间。

· **가 (助词)** : 어떤 상태나 상황에 놓인 대상이나 동작의 주체를 나타내는 조사.
　无对应词汇
　表示行为的主体或状态描述的对象。

· **풀 (名词)** : 줄기가 연하고, 대개 한 해를 지내면 죽는 식물.
　草
　一种茎秆柔软的植物，大部分为一年生。

· **을 (助词)** : 동작이 직접적으로 영향을 미치는 대상을 나타내는 조사.
　无对应词汇
　表示动作直接涉及的对象。

· **다 (副词)** : 남거나 빠진 것이 없이 모두.
　全，都
　一点不剩或不落下而全部。

· **먹다 (动词)** : 음식 등을 입을 통하여 배 속에 들여보내다.
　吃
　将食物送进口中并咽下。

· **-었- (语尾)** : 어떤 사건이 과거에 완료되었거나 그 사건의 결과가 현재까지 지속되는 상황을 나타내는 어미.
　无对应词汇
　表示某一事件已结束或其结果保持到现在。

· **-는데 (语尾)** : 뒤의 말을 하기 위하여 그 대상과 관련이 있는 상황을 미리 말함을 나타내는 연결 어미.
　无对应词汇
　表示为了说后面的话而先说与其相关的状况。

· **여기 (代词)** : 말하는 사람에게 가까운 곳을 가리키는 말.
　这里，这儿
　指代与说话人较近的地方。

· **에 (助词)** : 앞말이 어떤 장소나 자리임을 나타내는 조사.
　无对应词汇
　表示某个处所或地点。

• **있다 (动词)** : 사람이나 동물이 어느 곳에서 떠나거나 벗어나지 않고 머물다.

　待着

　人或动物停留在某处，不离开。

• **-겠- (语尾)** : 완곡하게 말하는 태도를 나타내는 어미.

　无对应词汇

　表示婉转的态度。

• **-어요 (语尾)** : (두루높임으로) 어떤 사실을 서술하거나 질문, 명령, 권유함을 나타내는 종결 어미.

　无对应词汇

　(普尊) 表示叙述某个事实，或提问、命令、劝说。

< 9 단원(单元) >

제목 : 가장 큰 장애 요소는 무엇일까요?

● 본문 (原文)

한 중학교에서 선생님이 꿈의 중요성에 대해 이야기하고 있었다.

선생님 : 자, 여러분들에게 질문 하나 할게요.

　　　　여러분들이 꿈을 펼치려고 할 때 가장 큰 장애 요소는 무엇일까요?

　　　　잘 생각해 보세요.

　　　　힌트를 하나 줄게요.

　　　　답은 '자'로 시작하는 네 글자예요.

학생 1 : 정답은 자기 비하라고 생각합니다.

학생 2 : 정답은 자기 부정이라고 생각합니다.

선생님 : 맞아요.

　　　　자기 비하 또는 자기 부정은 꿈을 이루는 데 장애 요소가 돼요.

그때 한 학생이 천연덕스럽게 대답했다.

학생 3 : 정답은 자기 부모라고 생각합니다.

● 발음 (发音)

한 중학교에서 선생님이 꿈의 중요성에 대해 이야기하고 있었다.
한 중학꾜에서 선생니미 꾸메 중요성에 대해 이야기하고 이썯따.
han junghakgyoeseo seonsaengnimi kkumui(kkume) jungyoseonge daehae iyagihago isseotda.

선생님 : 자, 여러분들에게 질문 하나 할게요.
선생님 : 자, 여러분드레게 질문 하나 할께요.
seonsaengnim : ja, yeoreobundeurege jilmun hana halgeyo.

여러분들이 꿈을 펼치려고 할 때 가장 큰 장애 요소는 무엇일까요?
여러분드리 꾸믈 펼치려고 할 때 가장 큰 장애 요소는 무어실까요?
yeoreobundeuri kkumeul pyeolchiryeogo hal ttae gajang keun jangae
yosoneun mueosilkkayo?

잘 생각해 보세요.
잘 생가캐 보세요.
jal saenggakae boseyo.

힌트를 하나 줄게요.
힌트를 하나 줄께요.
hinteureul hana julgeyo.

답은 '자'로 시작하는 네 글자예요.
다븐 '자'로 시자카는 네 글자예요.
dabeun 'ja'ro sijakaneun ne geuljayeyo.

학생 1 : 정답은 자기 비하라고 생각합니다.
학쌩 1 : 정다븐 자기 비하라고 생가캄니다.
haksaeng 1 : jeongdabeun jagi biharago saenggakamnida.

학생 2 : 정답은 자기 부정이라고 생각합니다.
학생 2 : 정다븐 자기 부정이라고 생가캄니다.
haksaeng 2 : jeongdabeun jagi bujeongirago saenggakamnida.

선생님 : 맞아요.
선생님 : 마자요.
seonsaengnim : majayo.

자기 비하 또는 자기 부정은 꿈을 이루는 데 장애 요소가 돼요.
자기 비하 또는 자기 부정은 꾸믈 이루는 데 장애 요소가 돼요.
jagi biha ttoneun jagi bujeongeun kkumeul iruneun de jangae yosoga
dwaeyo.

그때 한 학생이 천연덕스럽게 대답했다.
그때 한 학쌩이 처년덕쓰럽께 대다팯따.
geuttae han haksaengi cheonyeondeokseureopge daedapaetda.

학생 3 : 정답은 자기 부모라고 생각합니다.
학쌩 3 : 정다븐 자기 부모라고 생가캄니다.
haksaeng 3 : jeongdabeun jagi bumorago saenggakamnida.

● 어휘 (词汇) / 문법 (语法)

한 중학교+에서 선생님+이 꿈+의 중요성+에 대하+여 이야기하+<u>고 있</u>+었+다.

선생님 : 자, 여러분+들+에게 질문 하나 하+ㄹ게요.

여러분+들+이 꿈+을 펼치+<u>려고 하</u>+ㄹ 때 가장 크+ㄴ 장애 요소+는

무엇+이+ㄹ까요?

잘 생각하+<u>여 보</u>+세요.

힌트+를 하나 주+ㄹ게요.

답+은 '자'+로 시작하+는 네 글자+이+에요.

학생 1 : 정답+은 자기 비하+(이)+라고 생각하+ㅂ니다.

학생 2 : 정답+은 자기 부정+이+라고 생각하+ㅂ니다.

선생님 : 맞+아요.

자기 비하 또는 자기 부정+은 꿈+을 이루+는 데 장애 요소+가 되+어요.

그때 한 학생+이 천연덕스럽+게 대답하+였+다.

학생 3 : 정답+은 자기 부모+(이)+라고 생각하+ㅂ니다.

한 중학교+에서 선생님+이 꿈+의 중요성+에 <u>대하+여</u> 이야기하+[고 있]+었+다.
대해

- **한 (冠形词)** : 여럿 중 하나인 어떤.
  一个
  多个中的一个。

- **중학교 (名词)** : 초등학교를 졸업하고 중등 교육을 받기 위해 다니는 학교.
  初中
  小学毕业后，为接受中等教育而上的学校。

- **에서 (助词)** : 앞말이 행동이 이루어지고 있는 장소임을 나타내는 조사.
  无对应词汇
  表示前面的内容为动作所进行的地点。

- **선생님 (名词)** : (높이는 말로) 학생을 가르치는 사람.
  老师，教师
  (敬语) 教授学生的人。

- **이 (助词)** : 어떤 상태나 상황의 대상이나 동작의 주체를 나타내는 조사.
  无对应词汇
  表示行为的主体或状态描述的对象。

- **꿈 (名词)** : 앞으로 이루고 싶은 희망이나 목표.
  梦想
  以后想实现的希望或目标。

- **의 (助词)** : 앞의 말이 뒤의 말에 대하여 속성이나 수량을 한정하거나 같은 자격임을 나타내는 조사.
  无对应词汇
  表示限定属性或数量，或相同资格。

- **중요성 (名词)** : 귀중하고 꼭 필요한 요소나 성질.
  重要性
  贵重而必不可缺的要素或特性。

- **에 (助词)** : 앞말이 말하고자 하는 특정한 대상임을 나타내는 조사.
  无对应词汇
  表示想讲述的特定对象。

- **대하다 (动词)** : 대상이나 상대로 삼다.
  对，对于
  当作对象或对方。

• -여 (语尾) : 앞의 말이 뒤의 말보다 먼저 일어났거나 뒤의 말에 대한 방법이나 수단이 됨을 나타내는
　　　　　 연결 어미.
　无对应词汇
　表示前句先于后句发生，或表示前句是后句的方法或手段。

• 이야기하다 (动词) : 어떠한 사실이나 상태, 현상, 경험, 생각 등에 관해 누군가에게 말을 하다.
　谈到，谈及
　向某人说出某个事实、状态、现象、经验、想法等。

• -고 있다 (表达) : 앞의 말이 나타내는 행동이 계속 진행됨을 나타내는 표현.
　正，在，正在
　表示持续进行前一句所指的行为。

• -었- (语尾) : 사건이 과거에 일어났음을 나타내는 어미.
　无对应词汇
　表示事件发生在过去。

• -다 (语尾) : 어떤 사건이나 사실, 상태를 서술함을 나타내는 종결 어미.
　无对应词汇
　表示陈述某个事件、事实或状态。

선생님 : 자, 여러분+들+에게 질문 하나 <u>하+르게요</u>.
　　　　　　　　　　　　　할게요

• 자 (叹词) : 남의 주의를 끌려고 할 때에 하는 말.
　好吧
　用于引起别人的注意。

• 여러분 (代词) : 듣는 사람이 여러 명일 때 그 사람들을 높여 이르는 말.
　诸位，各位，大家
　有多个听话人时对那些人的尊称。

• 들 (词缀) : '복수'의 뜻을 더하는 접미사.
　无对应词汇
　指"复数"。

• 에게 (助词) : 어떤 행동이 미치는 대상임을 나타내는 조사.
　无对应词汇
　表示某个动作所涉及的对象。

• **질문 (名词)** : 모르는 것이나 알고 싶은 것을 물음.
  提问
  询问不懂或想知道的问题。

• **하나 (数词)** : 숫자를 셀 때 맨 처음의 수.
  一
  数数时的第一个数字。

• **하다 (动词)** : 어떤 행동이나 동작, 활동 등을 행하다.
  做 , 干
  进行某种行动、动作或活动。

• **-ㄹ게요 (表达)** : (두루높임으로) 말하는 사람이 어떤 행동을 할 것을 듣는 사람에게 약속하거나 의지를
  나타내는 표현.
  无对应词汇
  (普尊) 表示说话人向听话人约定做某个行为或表达做某个行为的意志。

선생님 : 여러분+들+이 꿈+을 펼치+[려고 하]+[ㄹ 때] 가장 크+ㄴ 장애 요소+는
　　　　　　　　　　펼치려고 할 때　　　　　　　큰

　　　　무엇+이+ㄹ까요?
　　　　　　무엇일까요

• **여러분 (代词)** : 듣는 사람이 여러 명일 때 그 사람들을 높여 이르는 말.
  诸位 , 各位 , 大家
  有多个听话人时对那些人的尊称。

• **들 (词缀)** : '복수'의 뜻을 더하는 접미사.
  无对应词汇
  指"复数"。

• **이 (助词)** : 어떤 상태나 상황의 대상이나 동작의 주체를 나타내는 조사.
  无对应词汇
  表示行为的主体或状态描述的对象。

• **꿈 (名词)** : 앞으로 이루고 싶은 희망이나 목표.
  梦想
  以后想实现的希望或目标。

• **을 (助词)** : 동작이 직접적으로 영향을 미치는 대상을 나타내는 조사.
  无对应词汇
  表示动作直接涉及的对象。

- **펼치다 (动词)** : 꿈이나 계획 등을 실제로 행하다.

  展开，实现

  实际施行梦想、计划、政策等。

- **-려고 하다 (表达)** : 앞의 말이 나타내는 행동을 할 의도나 의향이 있음을 나타내는 표현.

  无对应词汇

  表示有要做前面所指行动的意图或意向。

- **-ㄹ 때 (表达)** : 어떤 행동이나 상황이 일어나는 동안이나 그 시기 또는 그러한 일이 일어난 경우를 나타내는 표현.

  无对应词汇

  表示某种行为或状况发生的期间、时期或发生此类事情的情况。

- **가장 (副词)** : 여럿 가운데에서 제일로.

  最

  多个中占第一。

- **크다 (形容词)** : 길이, 넓이, 높이, 부피 등이 보통 정도를 넘다.

  大，高，长，壮阔

  长度、宽度、高度、体积等都超出了普通程度。

- **-ㄴ (语尾)** : 앞의 말이 관형어의 기능을 하게 만들고 현재의 상태를 나타내는 어미.

  无对应词汇

  使前面的词具有定语功能，表示现在的状态。

- **장애 (名词)** : 가로막아서 어떤 일을 하는 데 거슬리거나 방해가 됨. 또는 그런 일이나 물건.

  障碍，阻力

  做某事被阻拦，有妨碍；或指那样的事或物品。

- **요소 (名词)** : 무엇을 이루는 데 반드시 있어야 할 중요한 성분이나 조건.

  要素，因素，成分

  组成某事时必不可少的重要的成分或条件。

- **는 (助词)** : 문장 속에서 어떤 대상이 화제임을 나타내는 조사.

  无对应词汇

  表示某个对象是句中的话题。

- **무엇 (代词)** : 모르는 사실이나 사물을 가리키는 말.

  什么

  指代不知道的事实或事物。

- **이다 (助词)** : 주어가 지시하는 대상의 속성이나 부류를 지정하는 뜻을 나타내는 서술격 조사.

  无对应词汇

  表示指定主语所指示的属性或类型。

• -ㄹ까요 (表达) : (두루높임으로) 아직 일어나지 않았거나 모르는 일에 대해서 말하는 사람이 추측하며 질문할 때 쓰는 표현.

　无对应词汇

　(普尊) 表示说话人推测并询问还没发生或不知道的事。

선생님 : 잘 <u>생각하+[여 보]</u>+세요.

　　　　　생각해 보세요

　　　　힌트+를 하나 <u>주+ㄹ게요</u>.

　　　　　줄게요

• **잘 (副词)** : 생각이 매우 깊고 조심스럽게.

　认真地，谨慎地

　深入思考而小心地。

• **생각하다 (动词)** : 사람이 머리를 써서 판단하거나 인식하다.

　想，思考

　人动脑子后做出判断或认知。

• **-여 보다 (表达)** : 앞의 말이 나타내는 행동을 시험 삼아 함을 나타내는 표현.

　无对应词汇

　表示试着做前面所指的行动。

• **-세요 (语尾)** : (두루높임으로) 설명, 의문, 명령, 요청의 뜻을 나타내는 종결 어미.

　无对应词汇

　(普尊) 表示说明、疑问、命令、请求。

• **힌트 (名词)** : 문제를 풀거나 일을 해결하는 데 도움이 되는 것.

　提示，暗示，示意

　对解答问题或解决事情有帮助的东西。

• **를 (助词)** : 동작이 직접적으로 영향을 미치는 대상을 나타내는 조사.

　无对应词汇

　表示动作直接涉及的对象。

• **하나 (数词)** : 숫자를 셀 때 맨 처음의 수.

　一

　数数时的第一个数字。

- **주다 (动词)** : 남에게 경고, 암시 등을 하여 어떤 내용을 알 수 있게 하다.

  给

  给别人警告、暗示等，让别人知道某些内容。

- **-ㄹ게요 (表达)** : (두루높임으로) 말하는 사람이 어떤 행동을 할 것을 듣는 사람에게 약속하거나 의지를 나타내는 표현.

  无对应词汇

  (普尊) 表示说话人向听话人约定做某个行为或表达做某个行为的意志。

> **선생님** : 답+은 '**자**'+로 시작하+는 네 글자+이+에요.
>
> **글자예요**

- **답 (名词)** : 질문이나 문제가 요구하는 것을 밝혀 말함. 또는 그런 말.

  应答，解答

  对疑问或问题所要求的内容进行阐明；或指那种话。

- **은 (助词)** : 문장 속에서 어떤 대상이 화제임을 나타내는 조사.

  无对应词汇

  表示某个对象是句中的话题。

- **로 (助词)** : 움직임의 방향을 나타내는 조사.

  无对应词汇

  表示移动的方向。

- **시작하다 (动词)** : 어떤 일이나 행동의 처음 단계를 이루거나 이루게 하다.

  开始

  完成某件事或行为的第一阶段。

- **-는 (语尾)** : 앞의 말이 관형어의 기능을 하게 만들고 사건이나 동작이 현재 일어남을 나타내는 어미.

  无对应词汇

  使前面的词具有定语功能，表示事件或动作现在正在发生。

- **네 (冠形词)** : 넷의.

  四

  四的。

- **글자 (名词)** : 말을 적는 기호.

  字，文字

  记录语言的符号。

• 이다 (助词) : 주어가 지시하는 대상의 속성이나 부류를 지정하는 뜻을 나타내는 서술격 조사.
　无对应词汇
　表示指定主语所指示的属性或类型。

• -에요 (语尾) : (두루높임으로) 어떤 사실을 서술하거나 질문함을 나타내는 종결 어미.
　无对应词汇
　(普尊) 表示叙述或询问某个事实。

선생님 : 이 장애물+은 여러분+도 많이 <u>가지+[고 있]+[을 것(거)]+이+에요</u>.
가지고 있을 거예요

• **이 (冠形词)** : 바로 앞에서 이야기한 대상을 가리킬 때 쓰는 말.
　这
　用于指示刚才所说的对象。

• **장애물 (名词)** : 가로막아서 어떤 일을 하는 데 거슬리거나 방해가 되는 사물.
　障碍物
　阻挡做某事或造成妨碍的事物。

• **은 (助词)** : 문장 속에서 어떤 대상이 화제임을 나타내는 조사.
　无对应词汇
　表示某个对象是句中的话题。

• **여러분 (代词)** : 듣는 사람이 여러 명일 때 그 사람들을 높여 이르는 말.
　诸位 , 各位 , 大家
　有多个听话人时对那些人的尊称。

• **도 (助词)** : 이미 있는 어떤 것에 다른 것을 더하거나 포함함을 나타내는 조사.
　无对应词汇
　表示添加或包括。

• **많이 (副词)** : 수나 양, 정도 등이 일정한 기준보다 넘게.
　多
　数、量、程度等超过一定标准地。

• **가지다 (动词)** : 생각, 태도, 사상 등을 마음에 품다.
　怀有 , 感
　心里有想法、态度、思想等。

• **-고 있다 (表达)** : 앞의 말이 나타내는 행동의 결과가 계속됨을 나타내는 표현.
　无对应词汇
　表示前面所指行为的结果将持续。

• -을 것 (表达) : 명사가 아닌 것을 문장에서 명사처럼 쓰이게 하거나 '이다' 앞에 쓰일 수 있게 할 때 쓰
　　　　　　는 표현.
　　无对应词汇
　　用于使非名词在句中用作名词，或使其能用在"이다"前面。

• 이다 (助词) : 주어가 지시하는 대상의 속성이나 부류를 지정하는 뜻을 나타내는 서술격 조사.
　　无对应词汇
　　表示指定主语所指示的属性或类型。

• -에요 (语尾) : (두루높임으로) 어떤 사실을 서술하거나 질문함을 나타내는 종결 어미.
　　无对应词汇
　　(普尊) 表示叙述或询问某个事实。

학생 1 : 정답+은 자기 비하+(이)+라고 생각하+ㅂ니다.
**　　　　　자기 비하라고　　　생각합니다**

• **정답 (名词)** : 어떤 문제나 질문에 대한 옳은 답.
　　正解，正确答案
　　对某个问题或提问的正确回答。

• 은 (助词) : 문장 속에서 어떤 대상이 화제임을 나타내는 조사.
　　无对应词汇
　　表示某个对象是句中的话题。

• **자기 (名词)** : 그 사람 자신.
　　自己
　　自身。

• **비하 (名词)** : 자기 자신을 낮춤.
　　自卑
　　贬低自己。

• 이다 (助词) : 주어가 지시하는 대상의 속성이나 부류를 지정하는 뜻을 나타내는 서술격 조사.
　　无对应词汇
　　表示指定主语所指示的属性或类型。

• -라고 (表达) : 다른 사람에게서 들은 내용을 간접적으로 전달하거나 주어의 생각, 의견 등을 나타내는
　　　　　　표현.
　　无对应词汇
　　用于间接转述他人所说的话或表达主语的想法、意见等。

- **생각하다 (动词)** : 사람이 머리를 써서 판단하거나 인식하다.

  想 , 思考

  人动脑子后做出判断或认知。

- **-ㅂ니다 (语尾)** : (아주높임으로) 현재의 동작이나 상태, 사실을 정중하게 설명함을 나타내는 종결 어미.

  无对应词汇

  (高尊) 表示以郑重的语气说明现在的动作、状态或事实。

> **학생 2 : 정답+은 자기 부정+이+라고 <u>생각하+ㅂ니다</u>.**
> **생각합니다**

- **정답 (名词)** : 어떤 문제나 질문에 대한 옳은 답.

  正解 , 正确答案

  对某个问题或提问的正确回答。

- **은 (助词)** : 문장 속에서 어떤 대상이 화제임을 나타내는 조사.

  无对应词汇

  表示某个对象是句中的话题。

- **자기 (名词)** : 그 사람 자신.

  自己

  自身。

- **부정 (名词)** : 그렇지 않다고 판단하여 결정하거나 옳지 않다고 반대함.

  否定

  做出"不是"的判断和决定 , 或认为不正确而反对。

- **이다 (助词)** : 주어가 지시하는 대상의 속성이나 부류를 지정하는 뜻을 나타내는 서술격 조사.

  无对应词汇

  表示指定主语所指示的属性或类型。

- **-라고 (表达)** : 다른 사람에게서 들은 내용을 간접적으로 전달하거나 주어의 생각, 의견 등을 나타내는 표현.

  无对应词汇

  用于间接转述他人所说的话或表达主语的想法、意见等。

- **생각하다 (动词)** : 사람이 머리를 써서 판단하거나 인식하다.

  想 , 思考

  人动脑子后做出判断或认知。

- **-ㅂ니다 (语尾)** : (아주높임으로) 현재의 동작이나 상태, 사실을 정중하게 설명함을 나타내는 종결 어미.

  无对应词汇

  (高尊) 表示以郑重的语气说明现在的动作、状态或事实。

> 선생님 : 맞+아요.

- **맞다 (动词)** : 문제에 대한 답이 틀리지 않다.
  正确，对
  问题的答案没有错。

- **-아요 (语尾)** : (두루높임으로) 어떤 사실을 서술하거나 질문, 명령, 권유함을 나타내는 종결 어미.
  无对应词汇
  (普尊) 表示叙述某个事实，或提问、命令、劝说。

> 선생님 : 자기 비하 또는 자기 부정+은 꿈+을 이루+는 데 장애 요소+가 되+어요.
> 돼요

- **자기 (名词)** : 그 사람 자신.
  自己
  自身。

- **비하 (名词)** : 자기 자신을 낮춤.
  自卑
  贬低自己。

- **또는 (副词)** : 그렇지 않으면.
  或，或者，要么
  如若不然。

- **자기 (名词)** : 그 사람 자신.
  自己
  自身。

- **부정 (名词)** : 그렇지 않다고 판단하여 결정하거나 옳지 않다고 반대함.
  否定
  做出"不是"的判断和决定，或认为不正确而反对。

- **은 (助词)** : 문장 속에서 어떤 대상이 화제임을 나타내는 조사.
  无对应词汇
  表示某个对象是句中的话题。

- **꿈 (名词)** : 앞으로 이루고 싶은 희망이나 목표.
  梦想
  以后想实现的希望或目标。

- 을 (助词) : 동작이 직접적으로 영향을 미치는 대상을 나타내는 조사.
  无对应词汇
  表示动作直接涉及的对象。

- 이루다 (动词) : 뜻대로 되어 바라는 결과를 얻다.
  实现，达到，完成
  如愿以偿，得到希望的结果。

- -는 (语尾) : 앞의 말이 관형어의 기능을 하게 만들고 사건이나 동작이 현재 일어남을 나타내는 어미.
  无对应词汇
  使前面的词具有定语功能，表示事件或动作现在正在发生。

- 데 (名词) : 일이나 것.
  无对应词汇
  事情，东西。

- 장애 (名词) : 가로막아서 어떤 일을 하는 데 거슬리거나 방해가 됨. 또는 그런 일이나 물건.
  障碍，阻力
  做某事被阻拦，有妨碍；或指那样的事或物品。

- 요소 (名词) : 무엇을 이루는 데 반드시 있어야 할 중요한 성분이나 조건.
  要素，因素，成分
  组成某事时必不可少的重要的成分或条件。

- 가 (助词) : 바뀌게 되는 대상이나 부정하는 대상임을 나타내는 조사.
  无对应词汇
  表示变化或否定的对象。

- 되다 (动词) : 어떤 특별한 뜻을 가지는 상태에 놓이다.
  成为
  处于某种具有特殊含义的状态。

- -어요 (语尾) : (두루높임으로) 어떤 사실을 서술하거나 질문, 명령, 권유함을 나타내는 종결 어미.
  无对应词汇
  (普尊) 表示叙述某个事实，或提问、命令、劝说。

그때 한 학생+이 천연덕스럽+게 대답하+였+다.
대답했다

- 그때 (名词) : 앞에서 이야기한 어떤 때.
  那时，那时候
  前面所说的某一时间。

- **한 (冠形词)** : 여럿 중 하나인 어떤.

  一个

  多个中的一个。

- **학생 (名词)** : 학교에 다니면서 공부하는 사람.

  学生

  在学校学习的人。

- **이 (助词)** : 어떤 상태나 상황의 대상이나 동작의 주체를 나타내는 조사.

  无对应词汇

  表示行为的主体或状态描述的对象。

- **천연덕스럽다 (形容词)** : 생긴 그대로 조금도 거짓이나 꾸밈이 없고 자연스러운 데가 있다.

  天然的，自然的

  事物本来的样子，没有丝毫欺骗或粉饰，非常自然。

- **-게 (语尾)** : 앞의 말이 뒤에서 가리키는 일의 목적이나 결과, 방식, 정도 등이 됨을 나타내는 연결 어미.

  无对应词汇

  表示前面的内容为后面所指事情的目的、结果、方式或程度等。

- **대답하다 (动词)** : 묻거나 요구하는 것에 해당하는 것을 말하다.

  回答，解答

  对问或要求的事情做出相应的答复。

- **-였- (语尾)** : 사건이 과거에 일어났음을 나타내는 어미.

  无对应词汇

  表示事件发生在过去。

- **-다 (语尾)** : 어떤 사건이나 사실, 상태를 서술함을 나타내는 종결 어미.

  无对应词汇

  表示陈述某个事件、事实或状态。

학생 3 : 정답+은 <u>자기 부모+(이)+라고</u> <u>생각하+ㅂ니다</u>.
자기 부모라고   생각합니다

- **정답 (名词)** : 어떤 문제나 질문에 대한 옳은 답.

  正解，正确答案

  对某个问题或提问的正确回答。

- 은 (助词) : 문장 속에서 어떤 대상이 화제임을 나타내는 조사.
  无对应词汇
  表示某个对象是句中的话题。

- 자기 (名词) : 그 사람 자신.
  自己
  自身。

- 부모 (名词) : 아버지와 어머니.
  父母
  父亲和母亲。

- 이다 (助词) : 주어가 지시하는 대상의 속성이나 부류를 지정하는 뜻을 나타내는 서술격 조사.
  无对应词汇
  表示指定主语所指示的属性或类型。

- -라고 (表达) : 다른 사람에게서 들은 내용을 간접적으로 전달하거나 주어의 생각, 의견 등을 나타내는 표현.
  无对应词汇
  用于间接转述他人所说的话或表达主语的想法、意见等。

- 생각하다 (动词) : 사람이 머리를 써서 판단하거나 인식하다.
  想，思考
  人动脑子后做出判断或认知。

- -ㅂ니다 (语尾) : (아주높임으로) 현재의 동작이나 상태, 사실을 정중하게 설명함을 나타내는 종결 어미.
  无对应词汇
  (高尊) 表示以郑重的语气说明现在的动作、状态或事实。

< 10 단원(単元) >

제목 : 뭐, 없어진 물건이라도 있으세요?

● 본문 (原文)

북적거리는 쇼핑몰에서 한 여성이 핸드백을 잃어버렸다.

핸드백을 주운 정직한 소년은 그 여성에게 가방을 돌려줬다.

건네받은 핸드백 안을 이리저리 살펴보던 여자가 말했다.

여자 : 핸드백에 중요한 것이 많아서 못 찾을까 봐 걱정했는데 너무 고맙구나.

　　　그런데 음, 이상한 일이구나.

소년 : 뭐, 없어진 물건이라도 있으세요?

여자 : 그건 아니고, 지갑 안에 분명히 오만 원짜리 지폐 한 장이 들어 있었는데

　　　지금은 만 원짜리 다섯 장이 들어 있네.

　　　거참, 신기하네.

소년 : 아, 그거요.

　　　저번에 제가 어떤 여자분 지갑을 찾아 줬는데 그분이 잔돈이 없다고

　　　사례금을 안 주셨거든요.

● 발음 (发音)

북적거리는 쇼핑몰에서 한 여성이 핸드백을 잃어버렸다.
북쩍꺼리는 쇼핑모레서 한 여성이 핸드배글 이러버렫따.
bukjeokgeorineun syopingmoreseo han yeoseongi haendeubaegeul ireobeoryeotda.

핸드백을 주운 정직한 소년은 그 여성에게 가방을 돌려줬다.
핸드배글 주운 정지칸 소녀는 그 여성에게 가방을 돌려줟따.
haendeubaegeul juun jeongjikan sonyeoneun geu yeoseongege gabangeul dollyeojwotda.

건네받은 핸드백 안을 이리저리 살펴보던 여자가 말했다.
건네바든 핸드백 아늘 이리저리 살펴보던 여자가 말핻따.
geonnebadeun haendeubaek aneul irijeori salpyeobodeon yeojaga malhaetda.

여자 : 핸드백에 중요한 것이 많아서 못 찾을까 봐 걱정했는데 너무 고맙구나.
여자 : 핸드배게 중요한 거시 마나서 몯 차즐까 봐 걱쩡핸는데 너무 고맙꾸나.
yeoja : haendeubaege jungyohan geosi manaseo mot chajeulkka bwa geokjeonghaenneunde neomu gomapguna.

그런데 음, 이상한 일이구나.
그런데 음, 이상한 이리구나.
geureonde eum, isanghan iriguna.

소년 : 뭐, 없어진 물건이라도 있으세요?
소년 : 뭐, 업써진 물거니라도 이쓰세요?
sonyeon : mwo, eopseojin mulgeonirado isseuseyo?

여자 : 그건 아니고, 지갑 안에 분명히 오만 원짜리 지폐 한 장이 들어 있었는데
여자 : 그건 아니고, 지갑 아네 분명히 오만 원짜리 지폐 한 장이 드러 이썬는데
yeoja : geugeon anigo, jigap ane bunmyeonghi oman wonjjari jipye(jipe) han
        jangi deureo isseonneunde

지금은 만 원짜리 다섯 장이 들어 있네.
지그믄 만 원짜리 다섣 장이 드러 인네.
jigeumeun man wonjjari daseot jangi deureo inne.

거참, 신기하네.

거참, 신기하네.

geocham, singihane.

소년 : 아, 그거요.

소년 : 아, 그거요.

sonyeon : a, geugeoyo.

저번에 제가 어떤 여자분 지갑을 찾아 줬는데 그분이 잔돈이 없다고

저버네 제가 어떤 여자분 지가블 차자 줜는데 그부니 잔도니 업따고

jeobeone jega eotteon yeojabun jigabeul chaja jwonneunde geubuni jandoni eopdago

사례금을 안 주셨거든요.

사례그믈 안 주셔꺼드뇨.

saryegeumeul an jusyeotgeodeunyo.

● 어휘 (词汇) / 문법 (语法)

북적거리+는 쇼핑몰+에서 한 여성+이 핸드백+을 잃어버리+었+다.

핸드백+을 줍(주우)+ㄴ 정직하+ㄴ 소년+은 그 여성+에게 가방+을 돌려주+었+다.

건네받+은 핸드백 안+을 이리저리 살펴보+던 여자+가 말하+였+다.

여자 : 핸드백+에 중요하+<u>ㄴ 것</u>+이 많+아서 못 찾+<u>을까 보</u>+아 걱정하+였+는데 너무

고맙+구나.

그런데 음, 이상하+ㄴ 일+이+구나.

소년 : 뭐, 없어지+ㄴ 물건+이라도 있+으세요?

여자 : 그것(그거)+은 아니+고, 지갑 안+에 분명히 오만 원+짜리 지폐 한 장+이

들+<u>어 있</u>+었+는데 지금+은 만 원+짜리 다섯 장+이 들+<u>어 있</u>+네.

거참, 신기하+네.

소년 : 아, 그거+요.

저번+에 제+가 어떤 여자+분 지갑+을 찾+<u>아 주</u>+었+는데 그분+이 잔돈+이

없+다고 사례금+을 안 주+시+었+거든요.

북적거리+는 쇼핑몰+에서 한 여성+이 핸드백+을 <u>잃어버리</u>+었+다.
잃어버렸다

- **북적거리다 (动词)** : 많은 사람이 한곳에 모여 매우 어수선하고 시끄럽게 자꾸 떠들다.
  熙熙攘攘，人头攒动，一窝蜂
  很多人乱哄哄地聚集于一处，吵吵嚷嚷，喧闹不止。

- **-는 (语尾)** : 앞의 말이 관형어의 기능을 하게 만들고 사건이나 동작이 현재 일어남을 나타내는 어미.
  无对应词汇
  使前面的词具有定语功能，表示事件或动作现在正在发生。

- **쇼핑몰 (名词)** : 여러 가지 물건을 파는 상점들이 모여 있는 곳.
  商场，卖场，购物中心
  卖各种东西的商店聚集的地方。

- **에서 (助词)** : 앞말이 행동이 이루어지고 있는 장소임을 나타내는 조사.
  无对应词汇
  表示前面的内容为动作所进行的地点。

- **한 (冠形词)** : 여럿 중 하나인 어떤.
  一个
  多个中的一个。

- **여성 (名词)** : 어른이 되어 아이를 낳을 수 있는 여자.
  女性
  成年后可生育孩子的女子。

- **이 (助词)** : 어떤 상태나 상황의 대상이나 동작의 주체를 나타내는 조사.
  无对应词汇
  表示行为的主体或状态描述的对象。

- **핸드백 (名词)** : 여자들이 손에 들거나 한쪽 어깨에 메는 작은 가방.
  手提包，手包
  女士提在手里或背在肩膀一侧的包。

- **을 (助词)** : 동작이 직접적으로 영향을 미치는 대상을 나타내는 조사.
  无对应词汇
  表示动作直接涉及的对象。

- **잃어버리다 (动词)** : 가졌던 물건을 흘리거나 놓쳐서 더 이상 갖지 않게 되다.
  丢，丢失，遗失
  丢掉原本拥有的东西而不再拥有。

• -었- (语尾) : 사건이 과거에 일어났음을 나타내는 어미.
　　无对应词汇
　　语尾。表示过去。

• -다 (语尾) : 어떤 사건이나 사실, 상태를 서술함을 나타내는 종결 어미.
　　无对应词汇
　　(高卑) 表示陈述某个事件、事实或状态。

> 핸드백+을 줍(주우)+ㄴ 정직하+ㄴ 소년+은 그 여성+에게 가방+을 돌려주+었+다.
> 　　　　　 주운　　　 정직한　　　　　　　　　　　　　　돌려줬다

• **핸드백** (名词) : 여자들이 손에 들거나 한쪽 어깨에 메는 작은 가방.
　　手提包 , 手包
　　女士提在手里或背在肩膀一侧的包。

• 을 (助词) : 동작이 직접적으로 영향을 미치는 대상을 나타내는 조사.
　　无对应词汇
　　表示动作直接涉及的对象。

• **줍다** (动词) : 남이 잃어버린 물건을 집다.
　　捡 , 拾
　　把别人落掉的东西拿起来。

• -ㄴ (语尾) : 앞의 말이 관형어의 기능을 하게 만들고 사건이나 동작이 완료되어 그 상태가 유지되고 있음을 나타내는 어미.
　　无对应词汇
　　使前面的词具有定语功能 , 表示事件或动作完成后其状态一直持续。

• **정직하다** (形容词) : 마음에 거짓이나 꾸밈이 없고 바르고 곧다.
　　正直
　　内心没有虚假或伪装 , 非常耿直。

• -ㄴ (语尾) : 앞의 말이 관형어의 기능을 하게 만들고 현재의 상태를 나타내는 어미.
　　无对应词汇
　　使前面的词具有定语功能 , 表示现在的状态。

• **소년** (名词) : 아직 어른이 되지 않은 어린 남자아이.
　　少年 , 男孩
　　还没成年的小男孩。

• 은 (助词) : 문장 속에서 어떤 대상이 화제임을 나타내는 조사.
　　无对应词汇
　　表示某个对象是句中的话题。

- **그 (冠形词)** : 앞에서 이미 이야기한 대상을 가리킬 때 쓰는 말.
  那个
  指代前面已经讲过的对象。

- **여성 (名词)** : 어른이 되어 아이를 낳을 수 있는 여자.
  女性
  成年后可生育孩子的女子。

- **에게 (助词)** : 어떤 행동이 미치는 대상임을 나타내는 조사.
  无对应词汇
  表示某个动作所涉及的对象。

- **가방 (名词)** : 물건을 넣어 손에 들거나 어깨에 멜 수 있게 만든 것.
  包，背包，提包
  用来放入物品且可以手提或肩背的东西。

- **을 (助词)** : 동작이 직접적으로 영향을 미치는 대상을 나타내는 조사.
  无对应词汇
  表示动作直接涉及的对象。

- **돌려주다 (动词)** : 빌리거나 뺏거나 받은 것을 주인에게 도로 주거나 갚다.
  还给，归还，退还
  把借、抢或收到的财物还给原主。

- **-었- (语尾)** : 사건이 과거에 일어났음을 나타내는 어미.
  无对应词汇
  语尾。表示过去。

- **-다 (语尾)** : 어떤 사건이나 사실, 상태를 서술함을 나타내는 종결 어미.
  无对应词汇
  (高卑) 表示陈述某个事件、事实或状态。

건네받+은 핸드백 안+을 이리저리 살펴보+던 여자+가 <u>말하</u>+였+다.
말했다

- **건네받다 (动词)** : 다른 사람으로부터 어떤 것을 옮기어 받다.
  收到，接到
  从别人那儿拿到某物。

- **-은 (语尾)** : 앞의 말이 관형어의 기능을 하게 만들고 사건이나 동작이 완료되어 그 상태가 유지되고 있음을 나타내는 어미.
  无对应词汇
  使前面的词具有定语功能，表示事件或动作完成后其状态一直持续。

- **핸드백 (名词)** : 여자들이 손에 들거나 한쪽 어깨에 메는 작은 가방.

  手提包，手包

  女士提在手里或背在肩膀一侧的包。

- **안 (名词)** : 어떤 물체나 공간의 둘레에서 가운데로 향한 쪽. 또는 그러한 부분.

  里，里面

  从某物体或空间的周围向着中间的方向；或指那样的部分。

- **을 (助词)** : 동작이 직접적으로 영향을 미치는 대상을 나타내는 조사.

  无对应词汇

  表示动作直接涉及的对象。

- **이리저리 (副词)** : 방향을 정하지 않고 이쪽저쪽으로.

  到处，这儿那儿地

  不确定方向而往这边往那边地。

- **살펴보다 (动词)** : 무엇을 찾거나 알아보다.

  查看，细看

  寻找或探看某物。

- **-던 (语尾)** : 앞의 말이 관형어의 기능을 하게 만들고 사건이나 동작이 과거에 완료되지 않고 중단되었음을 나타내는 어미.

  无对应词汇

  使前面的词具有定语功能，表示事件或动作过去未完成而停止。

- **여자 (名词)** : 여성으로 태어난 사람.

  女子，女人

  作为女性出生的人。

- **가 (助词)** : 어떤 상태나 상황에 놓인 대상이나 동작의 주체를 나타내는 조사.

  无对应词汇

  表示行为的主体或状态描述的对象。

- **말하다 (动词)** : 어떤 사실이나 자신의 생각 또는 느낌을 말로 나타내다.

  说，讲

  用话语表达某种事实、自己的想法或感觉等。

- **-였- (语尾)** : 사건이 과거에 일어났음을 나타내는 어미.

  无对应词汇

  语尾。表示过去。

- **-다 (语尾)** : 어떤 사건이나 사실, 상태를 서술함을 나타내는 종결 어미.

  无对应词汇

  (高卑) 表示陈述某个事件、事实或状态。

여자 : 핸드백+에 중요하+[ㄴ 것]+이 많+아서 못 찾+[을까 보]+아 걱정하+였+는데
중요한 것이 　　　　　　　　찾을까 봐　　　걱정했는데

너무 고맙+구나.

- **핸드백 (名词)** : 여자들이 손에 들거나 한쪽 어깨에 메는 작은 가방.
  手提包 , 手包
  女士提在手里或背在肩膀一侧的包。

- **에 (助词)** : 앞말이 어떤 장소나 자리임을 나타내는 조사.
  无对应词汇
  表示某个处所或地点。

- **중요하다 (形容词)** : 귀중하고 꼭 필요하다.
  重要
  贵重且必不可缺。

- **-ㄴ 것 (表达)** : 명사가 아닌 것을 문장에서 명사처럼 쓰이게 하거나 '이다' 앞에 쓰일 수 있게 할 때 쓰는 표현.
  无对应词汇
  用于使非名词的词性在句中用作名词或使其可出现在"이다"前面。

- **이 (助词)** : 어떤 상태나 상황의 대상이나 동작의 주체를 나타내는 조사.
  无对应词汇
  表示行为的主体或状态描述的对象。

- **많다 (形容词)** : 수나 양, 정도 등이 일정한 기준을 넘다.
  多 , 丰富 , 强
  数、量、程度等超过一定标准。

- **-아서 (语尾)** : 이유나 근거를 나타내는 연결 어미.
  无对应词汇
  表示理由或根据。

- **못 (副词)** : 동사가 나타내는 동작을 할 수 없게.
  无对应词汇
  不会做动词所指的动作。

- **찾다 (动词)** : 무엇을 얻거나 누구를 만나려고 여기저기를 살피다. 또는 그것을 얻거나 그 사람을 만나다.
  寻 , 觅 , 访 , 寻找 , 查
  为了得到某物或为了见某人而四处查找；或指得到此物或见此人。

- -을까 보다 (表达) : 앞에 오는 말이 나타내는 상황이 될 것을 걱정하거나 두려워함을 나타내는 표현.
  无对应词汇
  表示担心或害怕出现前面所指的状况。

- -아 (语尾) : 앞에 오는 말이 뒤에 오는 말에 대한 원인이나 이유임을 나타내는 연결 어미.
  无对应词汇
  表示前句是后句的原因或理由。

- 걱정하다 (动词) : 좋지 않은 일이 있을까 봐 두려워하고 불안해하다.
  担心，忧虑，担忧
  害怕发生不好的事情而感到不安。

- -였- (语尾) : 어떤 사건이 과거에 완료되었거나 그 사건의 결과가 현재까지 지속되는 상황을 나타내는 어미.
  无对应词汇
  表示某一事件已结束或其结果保持到现在。

- -는데 (语尾) : 뒤의 말을 하기 위하여 그 대상과 관련이 있는 상황을 미리 말함을 나타내는 연결 어미.
  无对应词汇
  表示为了说后面的话而先说与其相关的状况。

- 너무 (副词) : 일정한 정도나 한계를 훨씬 넘어선 상태로.
  太
  已超过一定的程度或限度的状态。

- 고맙다 (形容词) : 남이 자신을 위해 무엇을 해주어서 마음이 흐뭇하고 보답하고 싶다.
  感谢，感激
  因别人为自己做了什么，内心感到很满足，并想给予回报。

- -구나 (语尾) : (아주낮춤으로) 새롭게 알게 된 사실에 어떤 느낌을 실어 말함을 나타내는 종결 어미.
  无对应词汇
  (高卑) 表示对刚知道的事实有感而发。

> 여자 : 그런데 음, 이상하+ㄴ 일+이+구나.
>   이상한

- 그런데 (副词) : 이야기를 앞의 내용과 관련시키면서 다른 방향으로 바꿀 때 쓰는 말.
  可是，可
  用于将话题与前面内容相连接的同时，又将话头转向其他方向。

· **음 (叹词)** : 믿지 못할 때 내는 소리.
　哦
　不相信时发出的声音。

· **이상하다 (形容词)** : 원래 알고 있던 것과 달리 별나거나 색다르다.
　奇怪，古怪
　和原本知道的东西不同，特别或独特。

· **-ㄴ (语尾)** : 앞의 말이 관형어의 기능을 하게 만들고 현재의 상태를 나타내는 어미.
　无对应词汇
　使前面的词具有定语功能，表示现在的状态。

· **일 (名词)** : 어떤 내용을 가진 상황이나 사실.
　事，事情
　带有某种内容的情况或事实。

· **이다 (助词)** : 주어가 지시하는 대상의 속성이나 부류를 지정하는 뜻을 나타내는 서술격 조사.
　无对应词汇
　表示指定主语所指示的属性或类型。

· **-구나 (语尾)** : (아주낮춤으로) 새롭게 알게 된 사실에 어떤 느낌을 실어 말함을 나타내는 종결 어미.
　无对应词汇
　(高卑) 表示对刚知道的事实有感而发。

소년 : 뭐, <u>없어지</u>+ㄴ 물건+이라도 있+으세요?
없어진

· **뭐 (叹词)** : 놀랐을 때 내는 소리.
　什么
　表示惊讶。

· **없어지다 (动词)** : 사람, 사물, 현상 등이 어떤 곳에 자리나 공간을 차지하고 존재하지 않게 되다.
　没有了，不见了
　人、事物、现象等不再在某处占据空间或存在。

· **-ㄴ (语尾)** : 앞의 말이 관형어의 기능을 하게 만들고 사건이나 동작이 완료되어 그 상태가 유지되고 있
　　　　　　　음을 나타내는 어미.
　无对应词汇
　使前面的词具有定语功能，表示事件或动作完成后其状态一直持续。

· **물건 (名词)** : 일정한 모양을 갖춘 어떤 물질.
　东西，物品，物件
　具有一定形状的某种物质。

· **이라도 (助词)** : 불확실한 사실에 대한 말하는 이의 의심이나 의문을 나타내는 조사.
　无对应词汇
　表示说话人对不确定事实的怀疑或疑问。

· **있다 (形容词)** : 무엇이 어떤 곳에 자리나 공간을 차지하고 존재하는 상태이다.
　在
　某物占有某处位置或空间。

· **-으세요 (语尾)** : (두루높임으로) 설명, 의문, 명령, 요청의 뜻을 나타내는 종결 어미.
　无对应词汇
　(普尊) 表示说明、疑问、命令、请求。

여자 : 그것(그거)+은 아니+고, 지갑 안+에 분명히 오만 원+짜리 지폐 한 장+이
　　　그건

　　　들+[어 있]+었+는데 지금+은 만 원+짜리 다섯 장+이 들+[어 있]+네.

· **그것 (代词)** : 앞에서 이미 이야기한 대상을 가리키는 말.
　那个
　指代前面已提到过的对象。

· **은 (助词)** : 문장 속에서 어떤 대상이 화제임을 나타내는 조사.
　无对应词汇
　表示某个对象是句中的话题。

· **아니다 (形容词)** : 어떤 사실이나 내용을 부정하는 뜻을 나타내는 말.
　不是，非
　表示否定某些事实或内容。

· **-고 (语尾)** : 두 가지 이상의 대등한 사실을 나열할 때 쓰는 연결 어미.
　无对应词汇
　表示罗列两个以上的对等的事实。

· **지갑 (名词)** : 돈, 카드, 명함 등을 넣어 가지고 다닐 수 있게 가죽이나 헝겊 등으로 만든 물건.
　钱包，钱夹，钱袋
　为便于携带钱、卡、名片等物品，用皮或布料制作的小包。

- 안 (名词) : 어떤 물체나 공간의 둘레에서 가운데로 향한 쪽. 또는 그러한 부분.
  里，里面
  从某物体或空间的周围向着中间的方向；或指那样的部分。

- 에 (助词) : 앞말이 어떤 장소나 자리임을 나타내는 조사.
  无对应词汇
  表示某个处所或地点。

- 분명히 (副词) : 어떤 사실이 틀림이 없이 확실하게.
  肯定地，分明地，明明白白地
  事实准确无误地。

- 오만 : 50,000

- 원 (名词) : 한국의 화폐 단위.
  韩元，韩币
  韩国货币单位。

- 짜리 (词缀) : '그만한 수나 양을 가진 것' 또는 '그만한 가치를 가진 것'의 뜻을 더하는 접미사.
  无对应词汇
  指"具有那些数或量的"或"具有那些价值的"。

- 지폐 (名词) : 종이로 만든 돈.
  纸币
  纸制货币。

- 한 (冠形词) : 하나의.
  一
  一个的。

- 장 (名词) : 종이나 유리와 같이 얇고 넓적한 물건을 세는 단위.
  张，枚，纸
  计算纸张、照片等薄而宽的东西的数量单位。

- 이 (助词) : 어떤 상태나 상황의 대상이나 동작의 주체를 나타내는 조사.
  无对应词汇
  表示行为的主体或状态描述的对象。

- 들다 (动词) : 안에 담기거나 그 일부를 이루다.
  包含，含有
  装在里面或组成一部分。

- -어 있다 (表达) : 앞의 말이 나타내는 상태가 계속됨을 나타내는 표현.
  无对应词汇
  表示前面所指的行动持续进行。

• -었- (语尾) : 어떤 사건이 과거에 완료되었거나 그 사건의 결과가 현재까지 지속되는 상황을 나타내는 어미.
  无对应词汇
  表示某一事件已结束或其结果保持到现在。

• -는데 (语尾) : 뒤의 말을 하기 위하여 그 대상과 관련이 있는 상황을 미리 말함을 나타내는 연결 어미.
  无对应词汇
  表示为了说后面的话而先说与其相关的状况。

• 지금 (名词) : 말을 하고 있는 바로 이때.
  现在
  指正在说话的此时。

• 은 (助词) : 문장 속에서 어떤 대상이 화제임을 나타내는 조사.
  无对应词汇
  表示某个对象是句中的话题。

• 만 : 10,000

• 원 (名词) : 한국의 화폐 단위.
  韩元，韩币
  韩国货币单位。

• 짜리 (词缀) : '그만한 수나 양을 가진 것' 또는 '그만한 가치를 가진 것'의 뜻을 더하는 접미사.
  无对应词汇
  指"具有那些数或量的"或"具有那些价值的"。

• 다섯 (冠形词) : 넷에 하나를 더한 수의.
  五
  四加一所得数的。

• 장 (名词) : 종이나 유리와 같이 얇고 넓적한 물건을 세는 단위.
  张，枚，纸
  计算纸张、照片等薄而宽的东西的数量单位。

• 이 (助词) : 어떤 상태나 상황의 대상이나 동작의 주체를 나타내는 조사.
  无对应词汇
  表示行为的主体或状态描述的对象。

• 들다 (动词) : 안에 담기거나 그 일부를 이루다.
  包含，含有
  装在里面或组成一部分。

- -어 있다 (表达) : 앞의 말이 나타내는 상태가 계속됨을 나타내는 표현.
  无对应词汇
  表示前面所指的行动持续进行。

- -네 (语尾) : (아주낮춤으로) 지금 깨달은 일에 대하여 말함을 나타내는 종결 어미.
  无对应词汇
  (高卑) 表示现在觉察到的事情。

여자 : 거참, 신기하+네.

- **거참 (叹词)** : 안타까움이나 아쉬움, 놀라움의 뜻을 나타낼 때 하는 말.
  真是 , 实在
  在表示惋惜、遗憾或惊讶时所说的话。

- **신기하다 (形容词)** : 믿을 수 없을 정도로 색다르고 이상하다.
  新奇
  奇特怪异得令人无法置信。

- -네 (语尾) : (아주낮춤으로) 지금 깨달은 일에 대하여 말함을 나타내는 종결 어미.
  无对应词汇
  (高卑) 表示现在觉察到的事情。

소년 : 아, 그거+요.

- **아 (叹词)** : 남에게 말을 걸거나 주의를 끌 때, 말에 앞서 내는 소리.
  喂
  要和别人搭话或引起注意时先发出的声音。

- **그거 (代词)** : 앞에서 이미 이야기한 대상을 가리키는 말.
  那个
  指代前面已提到过的对象。

- **요 (助词)** : 높임의 대상인 상대방에게 존대의 뜻을 나타내는 조사.
  无对应词汇
  对于尊敬的对象表示尊重。主要用在在名词、副词、连接词尾后。

> 소년 : 저번+에 제+가 어떤 여자+분 지갑+을 찾+[아 주]+었+는데 그분+이 잔돈+이
> 찾아 줬는데
>
> 없+다고 사례금+을 안 주+시+었+거든요.
> 주셨거든요

- **저번 (名词)** : 말하고 있는 때 이전의 지나간 차례나 때.
  那次
  说话时刻之前已经过去的顺序或时间。

- **에 (助词)** : 앞말이 시간이나 때임을 나타내는 조사.
  无对应词汇
  表示时间或时候。

- **제 (代词)** : 말하는 사람이 자신을 낮추어 가리키는 말인 '저'에 조사 '가'가 붙을 때의 형태.
  我
  说话人对自己的谦称"저"后加助词"가"的形态。

- **가 (助词)** : 어떤 상태나 상황에 놓인 대상이나 동작의 주체를 나타내는 조사.
  无对应词汇
  表示行为的主体或状态描述的对象。

- **어떤 (冠形词)** : 굳이 말할 필요가 없는 대상을 뚜렷하게 밝히지 않고 나타낼 때 쓰는 말.
  某个
  没有必要明确地指出是哪个对象时使用的话。

- **여자 (名词)** : 여성으로 태어난 사람.
  女子 , 女人
  作为女性出生的人。

- **분 (词缀)** : '높임'의 뜻을 더하는 접미사.
  无对应词汇
  指"尊敬"。

- **지갑 (名词)** : 돈, 카드, 명함 등을 넣어 가지고 다닐 수 있게 가죽이나 헝겊 등으로 만든 물건.
  钱包 , 钱夹 , 钱袋
  为便于携带钱、卡、名片等物品 , 用皮或布料制作的小包。

- **을 (助词)** : 동작이 직접적으로 영향을 미치는 대상을 나타내는 조사.
  无对应词汇
  表示动作直接涉及的对象。

- **찾다 (动词)** : 무엇을 얻거나 누구를 만나려고 여기저기를 살피다. 또는 그것을 얻거나 그 사람을 만나다.

  寻 , 觅 , 访 , 寻找 , 查

  为了得到某物或为了见某人而四处查找；或指得到此物或见此人。

- **-아 주다 (表达)** : 남을 위해 앞의 말이 나타내는 행동을 함을 나타내는 표현.

  给

  表示为别人做前面表达的行为。

- **-었- (语尾)** : 사건이 과거에 일어났음을 나타내는 어미.

  无对应词汇

  表示过去。

- **-는데 (语尾)** : 뒤의 말을 하기 위하여 그 대상과 관련이 있는 상황을 미리 말함을 나타내는 연결 어미.

  无对应词汇

  表示为了说后面的话而先说与其相关的状况。

- **그분 (代词)** : (아주 높이는 말로) 그 사람.

  那位

  (高尊)那个人。

- **이 (助词)** : 어떤 상태나 상황의 대상이나 동작의 주체를 나타내는 조사.

  无对应词汇

  表示行为的主体或状态描述的对象。

- **잔돈 (名词)** : 단위가 작은 돈.

  零钱

  面值小的钱。

- **이 (助词)** : 어떤 상태나 상황의 대상이나 동작의 주체를 나타내는 조사.

  无对应词汇

  表示行为的主体或状态描述的对象。

- **없다 (形容词)** : 사람, 사물, 현상 등이 어떤 곳에 자리나 공간을 차지하고 존재하지 않는 상태이다.

  不在

  人、事物、现象等不占据某处或空间。

- **-다고 (语尾)** : 어떤 행위의 목적, 의도를 나타내거나 어떤 상황의 이유, 원인을 나타내는 연결 어미.

  无对应词汇

  表示某种行为的目的、意图或某种状况的理由、原因。

- **사례금 (名词)** : 고마운 뜻을 나타내려고 주는 돈.

  酬金 , 酬劳

  为表示谢意而给的钱。

- **을 (助词)** : 동작이 직접적으로 영향을 미치는 대상을 나타내는 조사.
  无对应词汇
  表示动作直接涉及的对象。

- **안 (副词)** : 부정이나 반대의 뜻을 나타내는 말.
  不
  表示否定或反对。

- **주다 (动词)** : 물건 등을 남에게 건네어 가지거나 쓰게 하다.
  给予，给
  把东西等递给别人，让别人拥有或使用。

- **-시- (语尾)** : 어떤 동작이나 상태의 주체를 높이는 뜻을 나타내는 어미.
  无对应词汇
  表示对某个动作或状态主体的尊敬。

- **-었- (语尾)** : 사건이 과거에 일어났음을 나타내는 어미.
  无对应词汇
  表示过去。

- **-거든요 (表达)** : (두루높임으로) 앞의 내용에 대해 말하는 사람이 생각한 이유나 원인, 근거를 나타내는 표현.
  无对应词汇
  (普尊) 表示说话人就前面的内容表达理由、原因或根据。

< 11 단원(単元) >

제목 : 새에 대한 논문을 쓰고 계시나 보죠?

● 본문 (原文)

강의 준비를 하기 위해 교수님 한 분이 컴퓨터를 켜고 있었다.

그런데 컴퓨터가 바이러스에 걸렸는지 작동되지 않아 수리 기사를 부르게 되었다.

수리공이 컴퓨터를 고치다가 저장된 파일을 보니 독수리, 참새, 앵무새, 까치, 비둘기, 제비 등 모두 새

이름으로 되어 있었다.

수리 기사는 궁금증을 참다못해 교수님에게 물었다.

수리 기사 : 교수님, 파일 이름을 모두 새 이름으로 지으셨네요.

　　　　　 요즘 새에 대한 논문을 쓰고 계시나 보죠?

교수님이 울상을 지으면서 말했다.

교수님 : 아니에요.

　　　실은 그것 때문에 짜증이 나서 미치겠어요.

　　　파일 저장할 때마다 '새 이름으로 저장'이라고 나오는데 이제 생각나는

　　　새 이름도 없는데.

● 발음 (发音)

강의 준비를 하기 위해 교수님 한 분이 컴퓨터를 켜고 있었다.
강의 준비를 하기 위해 교수님 한 부니 컴퓨터를 켜고 이썯따.
gangui junbireul hagi wihae gyosunim han buni keompyuteoreul kyeogo isseotda.

그런데 컴퓨터가 바이러스에 걸렸는지 작동되지 않아 수리 기사를 부르게 되었다.
그런데 컴퓨터가 바이러스에 걸련는지 작똥되지 아나 수리 기사를 부르게 되얻따.
geureonde keompyuteoga baireoseue geollyeonneunji jakdongdoeji ana suri gisareul bureuge doeeotda.

수리공이 컴퓨터를 고치다가 저장된 파일을 보니 독수리, 참새, 앵무새, 까치, 비둘기, 제비 등 모두 새
수리공이 컴퓨터를 고치다가 저장된 파이를 보니 독쑤리, 참새, 앵무새, 까치, 비둘기, 제비 등 모두 새
surigongi keompyuteoreul gochidaga jeojangdoen paireul boni doksuri, chamsae, aengmusae, kkachi, bidulgi, jebi deung modu sae

이름으로 되어 있었다.
이르므로 되어 이썯따.
ireumeuro doeeo isseotda.

수리 기사는 궁금증을 참다못해 교수님에게 물었다.
수리 기사는 궁금쯩을 참따모태 교수니메게 무럳따.
suri gisaneun gunggeumjeungeul chamdamotae gyosunimege mureotda.

수리 기사 : 교수님, 파일 이름을 모두 새 이름으로 지으셨네요.
수리 기사 : 교수님, 파일 이르믈 모두 새 이르므로 지으션네요.
suri gisa : gyosunim, pail ireumeul modu sae ireumeuro jieusyeonneyo.

요즘 새에 대한 논문을 쓰고 계시나 보죠?
요즘 새에 대한 논무늘 쓰고 게시나 보죠?
yojeum saee daehan nonmuneul sseugo gyesina(gesina) bojyo?

교수님이 울상을 지으면서 말했다.
교수니미 울쌍을 지으면서 말핻따.
gyosunimi ulsangeul jieumyeonseo malhaetda.

교수님 : 아니에요.
교수님 : 아니에요.
gyosunim : anieyo.

실은 그것 때문에 짜증이 나서 미치겠어요.

시른 그걷 때무네 짜증이 나서 미치게써요.

sireun geugeot ttaemune jjajeungi naseo michigesseoyo.

파일 저장할 때마다 '새 이름으로 저장'이라고 나오는데 이제 생각나는

파일 저장할 때마다 '새 이르므로 저장'이라고 나오는데 이제 생강나는

pail jeojanghal ttaemada 'sae ireumeuro jeojang'irago naoneunde ije saenggangnaneun

새 이름도 없는데.

새 이름도 엄는데.

sae ireumdo eomneunde.

● 어휘 (词汇) / 문법 (语法)

강의 준비+를 하+<u>기 위해서</u> 교수+님 한 분+이 컴퓨터+를 켜+<u>고 있</u>+었+다.

그런데 컴퓨터+가 바이러스+에 걸리+었+는지 작동되+<u>지 않</u>+아 수리 기사+를 부르+<u>게 되</u>+었+다.

수리공+이 컴퓨터+를 고치+다가 저장되+ㄴ 파일+을 보+니 독수리, 참새, 앵무새, 까치, 비둘기, 제비 등

모두 새 이름+으로 되+<u>어 있</u>+었+다.

수리 기사+는 궁금증+을 참다못하+여 교수+님+에게 묻(물)+었+다.

수리 기사 : 교수+님, 파일 이름+을 모두 새 이름+으로 짓(지)+으시+었+네요.

　　　　　　요즘 새+<u>에 대한</u> 논문+을 쓰+<u>고 계시</u>+<u>나 보</u>+지요?

교수+님+이 울상+을 짓(지)+으면서 말하+였+다.

교수님 : 아니+에요.

　　　　실은 그것 때문+에 짜증+이 나+(아)서 미치+겠+어요.

　　　　파일 저장하+<u>ㄹ 때</u>+마다 '새 이름+으로 저장'+이라고 나오+는데

　　　　이제 생각나+는 새 이름+도 없+는데.

강의 준비+를 하+[기 위해서] 교수+님 한 분+이 컴퓨터+를 켜+[고 있]+었+다.

- **강의 (名词)** : 대학이나 학원, 기관 등에서 지식이나 기술 등을 체계적으로 가르침.
  讲课，授课，讲授
  在大学或培训班、机关等场所系统地教授知识或技术等。

- **준비 (名词)** : 미리 마련하여 갖춤.
  准备
  事先筹备。

- **를 (助词)** : 동작이 직접적으로 영향을 미치는 대상을 나타내는 조사.
  无对应词汇
  表示动作直接涉及的对象。

- **하다 (动词)** : 어떤 행동이나 동작, 활동 등을 행하다.
  做，干
  进行某种行动、动作或活动。

- **-기 위해서 (表达)** : 어떤 일을 하는 목적인 의도를 나타내는 표현.
  为了
  表示做某事的目的或意图。

- **교수 (名词)** : 대학에서 학문을 연구하고 가르치는 일을 하는 사람. 또는 그 직위.
  教授
  在大学里研究学问并讲授课程的人；或指其职位。

- **님 (词缀)** : '높임'의 뜻을 더하는 접미사.
  无对应词汇
  后缀。指"敬称"。

- **한 (冠形词)** : 하나의.
  一
  一个的。

- **분 (名词)** : 사람을 높여서 세는 단위.
  位
  人数计算单位的尊称。

- **이 (助词)** : 어떤 상태나 상황의 대상이나 동작의 주체를 나타내는 조사.
  无对应词汇
  表示行为的主体或状态描述的对象。

- **컴퓨터 (名词)** : 전자 회로를 이용하여 문서, 사진, 영상 등의 대량의 데이터를 빠르고 정확하게 처리하는 기계.

  电脑

  利用电路线快速、准确地处理文件、照片、影像等大量数据的机器。

- **를 (助词)** : 동작이 직접적으로 영향을 미치는 대상을 나타내는 조사.

  无对应词汇

  表示动作直接涉及的对象。

- **켜다 (动词)** : 전기 제품 등을 작동하게 만들다.

  打开，发动

  让电器等运转。

- **-고 있다 (表达)** : 앞의 말이 나타내는 행동이 계속 진행됨을 나타내는 표현.

  正，在，正在

  表示持续进行前一句所指的行为。

- **-었- (语尾)** : 사건이 과거에 일어났음을 나타내는 어미.

  无对应词汇

  表示事件发生在过去。

- **-다 (语尾)** : 어떤 사건이나 사실, 상태를 서술함을 나타내는 종결 어미.

  无对应词汇

  表示陈述某个事件、事实或状态。

그런데 컴퓨터+가 바이러스+에 <u>걸리+었+는지</u> 작동되+[지 않]+아 수리 기사+를
걸렸는지

부르+[게 되]+었+다.

- **그런데 (副词)** : 이야기를 앞의 내용과 관련시키면서 다른 방향으로 바꿀 때 쓰는 말.

  可是，可

  用于将话题与前面内容相连接的同时，又将话头转向其他方向。

- **컴퓨터 (名词)** : 전자 회로를 이용하여 문서, 사진, 영상 등의 대량의 데이터를 빠르고 정확하게 처리하는 기계.

  电脑

  利用电路线快速、准确地处理文件、照片、影像等大量数据的机器。

- **가 (助词)** : 어떤 상태나 상황에 놓인 대상이나 동작의 주체를 나타내는 조사.

  无对应词汇

  表示行为的主体或状态描述的对象。

- **바이러스 (名词)** : 컴퓨터를 비정상적으로 작용하게 만드는 프로그램.
  病毒 , 电脑病毒
  导致电脑不能正常工作的程序。

- **에 (助词)** : 앞말이 무엇의 조건, 환경, 상태 등임을 나타내는 조사.
  无对应词汇
  表示某事的条件、环境、状态等。

- **걸리다 (动词)** : 어떤 상태에 빠지게 되다.
  被耍 , 被打 , 被挂
  处于某种状态。

- **-었- (语尾)** : 사건이 과거에 일어났음을 나타내는 어미.
  无对应词汇
  表示事件发生在过去。

- **-는지 (语尾)** : 뒤에 오는 말의 내용에 대한 막연한 이유나 판단을 나타내는 연결 어미.
  无对应词汇
  表示模糊的原因或判断。

- **작동되다 (动词)** : 기계 등이 움직여 일하다.
  运转 , 启动
  机器等开动工作。

- **-지 않다 (表达)** : 앞의 말이 나타내는 행위나 상태를 부정하는 뜻을 나타내는 표현.
  无对应词汇
  表示否定前面所指的行为或状态。

- **-아 (语尾)** : 앞에 오는 말이 뒤에 오는 말에 대한 원인이나 이유임을 나타내는 연결 어미.
  无对应词汇
  表示前句是后句的原因或理由。

- **수리 (名词)** : 고장 난 것을 손보아 고침.
  修理 , 维修
  对损坏了的东西进行修补恢复的过程。

- **기사 (名词)** : 국가나 단체가 인정한 기술 자격증을 가진 기술자.
  技师 , 工程师
  持有国家或团体认可的技术资格证的技术人员。

- **를 (助词)** : 동작이 직접적으로 영향을 미치는 대상을 나타내는 조사.
  无对应词汇
  表示动作直接涉及的对象。

- **부르다 (动词)** : 부탁하여 오게 하다.
  请 , 叫
  请求对方过来。

- **-게 되다 (表达)** : 앞의 말이 나타내는 상태나 상황이 됨을 나타내는 표현.
  无对应词汇
  表示成为前面内容所表达的状态或状况。

- **-었- (语尾)** : 사건이 과거에 일어났음을 나타내는 어미.
  无对应词汇
  表示事件发生在过去。

- **-다 (语尾)** : 어떤 사건이나 사실, 상태를 서술함을 나타내는 종결 어미.
  无对应词汇
  表示陈述某个事件、事实或状态。

수리공+이 컴퓨터+를 고치+다가 <u>저장되</u>+ㄴ 파일+을 보+니 독수리, 참새, 앵무새, 까치, 비둘기, 제비
저장된

등 모두 새 이름+으로 되+[어 있]+었+다.

- **수리공 (名词)** : 고장 난 것을 고치는 일을 하는 사람.
  修理工 , 维修工
  对损坏了的东西进行修复工作的人。

- **이 (助词)** : 어떤 상태나 상황의 대상이나 동작의 주체를 나타내는 조사.
  无对应词汇
  表示行为的主体或状态描述的对象。

- **컴퓨터 (名词)** : 전자 회로를 이용하여 문서, 사진, 영상 등의 대량의 데이터를 빠르고 정확하게 처리하
  는 기계.
  电脑
  利用电路线快速、准确地处理文件、照片、影像等大量数据的机器。

- **를 (助词)** : 동작이 직접적으로 영향을 미치는 대상을 나타내는 조사.
  无对应词汇
  表示动作直接涉及的对象。

- **고치다 (动词)** : 고장이 나거나 못 쓰게 된 것을 손질하여 쓸 수 있게 하다.
  修补 , 维修
  修理出故障或不能用的东西 , 使其可重新使用。

- **-다가 (语尾)** : 어떤 행동이 진행되는 중에 다른 행동이 나타남을 나타내는 연결 어미.

  无对应词汇

  表示某个动作正在进行的时候出现另一个动作。

- **저장되다 (动词)** : 물건이나 재화 등이 모아져서 보관되다.

  被储藏，被保存，被储存，被贮藏

  物品或财物等被聚拢保管。

- **-ㄴ (语尾)** : 앞의 말이 관형어의 기능을 하게 만들고 사건이나 동작이 완료되어 그 상태가 유지되고 있음을 나타내는 어미.

  无对应词汇

  使前面的词具有定语功能，表示事件或动作完成后其状态一直持续。

- **파일 (名词)** : 컴퓨터의 기억 장치에 일정한 단위로 저장된 정보의 묶음.

  文件

  以一定的单位储存在电脑存储器里的信息。

- **을 (助词)** : 동작이 직접적으로 영향을 미치는 대상을 나타내는 조사.

  无对应词汇

  表示动作直接涉及的对象。

- **보다 (动词)** : 대상의 내용이나 상태를 알기 위하여 살피다.

  照，看

  为了了解某对象的内容或状态而进行观察。

- **-니 (语尾)** : 앞에서 이야기한 내용과 관련된 다른 사실을 이어서 설명할 때 쓰는 연결 어미.

  无对应词汇

  表示继续说明与前句有关的其他事实。

- **독수리 (名词)** : 갈고리처럼 굽은 날카로운 부리와 발톱을 가지고 있으며 빛깔이 검은 큰 새.

  秃鹫

  一种颜色黝黑的大鸟。有着像钩子一样弯曲又尖锐的嘴巴和指甲。

- **참새 (名词)** : 주로 사람이 사는 곳 근처에 살며, 몸은 갈색이고 배는 회백색인 작은 새.

  麻雀

  主要生活在人类住所附近的一种小鸟，身体呈褐色，腹部呈灰白色。

- **앵무새 (名词)** : 사람의 말을 잘 흉내 내며 여러 빛깔을 가진 새.

  鹦鹉

  擅长模仿人说话的彩色的鸟。

- **까치 (名词)** : 머리에서 등까지는 검고 윤이 나며 어깨와 배는 흰, 사람의 집 근처에 사는 새.

  喜鹊

  一种栖息在人类房屋附近的鸟类，从头到背显油亮的黑色，翼肩、腹面呈白色。

- **비둘기 (名词)** : 공원이나 길가 등에서 흔히 볼 수 있는, 다리가 짧고 날개가 큰 회색 혹은 하얀색의 새.
  鸽子
  公园或路边等处经常可见的，腿较短，翅膀较大的灰色或白色鸟类。

- **제비 (名词)** : 등은 검고 배는 희며 매우 빠르게 날고, 봄에 한국에 날아왔다가 가을에 남쪽으로 날아가는 작은 여름 철새.
  燕子
  一种飞行速度极快的小型夏季候鸟，背部为黑色，肚子是白色，春天飞来韩国，冬天飞向南方。

- **등 (名词)** : 앞에서 말한 것 외에도 같은 종류의 것이 더 있음을 나타내는 말.
  等，等等
  表示前面所说之外还有一些同类的东西。

- **모두 (副词)** : 빠짐없이 다.
  都，全
  一个不漏，全都。

- **새 (名词)** : 몸에 깃털과 날개가 있고 날 수 있으며 다리가 둘인 동물.
  鸟
  身上长有羽毛和翅膀、能飞翔的两足动物。

- **이름 (名词)** : 다른 것과 구별하기 위해 동물, 사물, 현상 등에 붙여서 부르는 말.
  名字，名称
  为了区别于他物，给动物、事物、现象等而赋予的称号。

- **으로 (助词)** : 어떤 일의 방법이나 방식을 나타내는 조사.
  无对应词汇
  表示某事的方法或方式。

- **되다 (动词)** : 어떤 형태나 구조로 이루어지다.
  分为，组成
  以某个形态或结构组合而成。

- **-어 있다 (表达)** : 앞의 말이 나타내는 상태가 계속됨을 나타내는 표현.
  无对应词汇
  表示前面所指的行动持续进行。

- **-었- (语尾)** : 사건이 과거에 일어났음을 나타내는 어미.
  无对应词汇
  表示事件发生在过去。

- **-다 (语尾)** : 어떤 사건이나 사실, 상태를 서술함을 나타내는 종결 어미.
  无对应词汇
  表示陈述某个事件、事实或状态。

수리 기사+는 궁금증+을 참다못하+여 교수+님+에게 묻(물)+었+다.
　　　　　　　　　　참다못해　　　　　　　　물었다

- **수리 (名词)** : 고장 난 것을 손보아 고침.
  修理，维修
  对损坏了的东西进行修补恢复的过程。

- **기사 (名词)** : 국가나 단체가 인정한 기술 자격증을 가진 기술자.
  技师，工程师
  持有国家或团体认可的技术资格证的技术人员。

- **는 (助词)** : 문장 속에서 어떤 대상이 화제임을 나타내는 조사.
  无对应词汇
  表示文中某个对象成为话题。

- **궁금증 (名词)** : 몹시 궁금한 마음.
  好奇心，疑惑，悬念
  非常想知道的心情。

- **을 (助词)** : 동작이 직접적으로 영향을 미치는 대상을 나타내는 조사.
  无对应词汇
  表示动作直接涉及的对象。

- **참다못하다 (动词)** : 참을 수 있는 만큼 참다가 더 이상 참지 못하다.
  忍无可忍
  已经忍受到极限，再也忍不住了。

- **-여 (语尾)** : 앞의 말이 뒤의 말보다 먼저 일어났거나 뒤의 말에 대한 방법이나 수단이 됨을 나타내는
  　　　　　　　연결 어미.
  无对应词汇
  表示前句先于后句发生，或表示前句是后句的方法或手段。

- **교수 (名词)** : 대학에서 학문을 연구하고 가르치는 일을 하는 사람. 또는 그 직위.
  教授
  在大学里研究学问并讲授课程的人；或指其职位。

- **님 (词缀)** : '높임'의 뜻을 더하는 접미사.
  无对应词汇
  后缀。指"敬称"。

- **에게 (助词)** : 어떤 행동이 미치는 대상임을 나타내는 조사.
  无对应词汇
  表示某个动作所涉及的对象。

- **묻다 (动词)** : 대답이나 설명을 요구하며 말하다.
  问
  要求回答或说明。

- **-었- (语尾)** : 사건이 과거에 일어났음을 나타내는 어미.
  无对应词汇
  表示事件发生在过去。

- **-다 (语尾)** : 어떤 사건이나 사실, 상태를 서술함을 나타내는 종결 어미.
  无对应词汇
  表示陈述某个事件、事实或状态。

수리 기사 : 교수+님, 파일 이름+을 모두 새 이름+으로 <u>짓(지)+으시</u>+었+네요.
지으셨네요

- **교수 (名词)** : 대학에서 학문을 연구하고 가르치는 일을 하는 사람. 또는 그 직위.
  教授
  在大学里研究学问并讲授课程的人；或指其职位。

- **님 (词缀)** : '높임'의 뜻을 더하는 접미사.
  无对应词汇
  指"敬称"。

- **파일 (名词)** : 컴퓨터의 기억 장치에 일정한 단위로 저장된 정보의 묶음.
  文件
  以一定的单位储存在电脑存储器里的信息。

- **이름 (名词)** : 다른 것과 구별하기 위해 동물, 사물, 현상 등에 붙여서 부르는 말.
  名字，名称
  为了区别于他物，给动物、事物、现象等而赋予的称号。

- **을 (助词)** : 동작이 직접적으로 영향을 미치는 대상을 나타내는 조사.
  无对应词汇
  表示动作直接涉及的对象。

- **모두 (副词)** : 빠짐없이 다.
  都，全
  一个不漏，全都。

- **새 (名词)** : 몸에 깃털과 날개가 있고 날 수 있으며 다리가 둘인 동물.
  鸟
  身上长有羽毛和翅膀、能飞翔的两足动物。

- 이름 (名词) : 다른 것과 구별하기 위해 동물, 사물, 현상 등에 붙여서 부르는 말.
  名字, 名称
  为了区别于他物, 给动物、事物、现象等而赋予的称号。

- 으로 (助词) : 어떤 일의 방법이나 방식을 나타내는 조사.
  无对应词汇
  表示某事的方法或方式。

- 짓다 (动词) : 이름 등을 정하다.
  取, 起
  定名字。

- -으시- (语尾) : 어떤 동작이나 상태의 주체를 높이는 뜻을 나타내는 어미.
  无对应词汇
  表示对某个动作或状态主体的尊敬。

- -었- (语尾) : 어떤 사건이 과거에 완료되었거나 그 사건의 결과가 현재까지 지속되는 상황을 나타내는
  어미.
  无对应词汇
  表示某一事件已结束或其结果保持到现在。

- -네요 (表达) : (두루높임으로) 말하는 사람이 직접 경험하여 새롭게 알게 된 사실에 대해 감탄함을 나타
  낼 때 쓰는 표현.
  无对应词汇
  (普尊) 表示说话人感叹亲身经历所得知的新事实。

> **수리 기사** : 요즘 새+[에 대한] 논문+을 쓰+[고 계시]+[나 보]+지요?
> **쓰고 계시나 보죠**

- 요즘 (名词) : 아주 가까운 과거부터 지금까지의 사이.
  最近, 近来, 这阵子
  从非常近的过去到现在之间。

- 새 (名词) : 몸에 깃털과 날개가 있고 날 수 있으며 다리가 둘인 동물.
  鸟
  身上长有羽毛和翅膀、能飞翔的两足动物。

- 에 대한 (表达) : 뒤에 오는 명사를 수식하며 앞에 오는 명사를 뒤에 오는 명사의 대상으로 함을 나타내
  는 표현.
  跟……有关的, 关于……的
  用来修饰后面名词, 将前面名词当作后面名词的对象。

- **논문 (名词)** : 어떠한 주제에 대한 학술적인 연구 결과를 일정한 형식에 맞추어 체계적으로 쓴 글.

  论文

  将某个主题的学术研究结果以一定的格式系统地撰写出来的文章。

- **을 (助词)** : 동작이 직접적으로 영향을 미치는 대상을 나타내는 조사.

  无对应词汇

  表示动作直接涉及的对象。

- **쓰다 (动词)** : 머릿속의 생각이나 느낌 등을 종이 등에 글로 적어 나타내다.

  写，创作

  将头脑中的想法或感觉等用文字记在纸上而使其现出来。

- **-고 계시다 (表达)** : (높임말로) 앞의 말이 나타내는 행동이 계속 진행됨을 나타내는 표현.

  无对应词汇

  (尊称) 表示前面表达的行动持续进行。

- **-나 보다 (表达)** : 앞의 말이 나타내는 사실을 추측함을 나타내는 표현.

  无对应词汇

  表示推测前句所指的事实。

- **-지요 (语尾)** : (두루높임으로) 말하는 사람이 듣는 사람에게 친근함을 나타내며 물을 때 쓰는 종결 어미.

  无对应词汇

  (普尊) 表示说话人亲切询问听话人。

교수+님+이 울상+을 <u>짓(지)</u>+으면서 말하+였+다.
지으면서   말했다

- **교수 (名词)** : 대학에서 학문을 연구하고 가르치는 일을 하는 사람. 또는 그 직위.

  教授

  在大学里研究学问并讲授课程的人；或指其职位。

- **님 (词缀)** : '높임'의 뜻을 더하는 접미사.

  无对应词汇

  后缀。指"敬称"。

- **이 (助词)** : 어떤 상태나 상황의 대상이나 동작의 주체를 나타내는 조사.

  无对应词汇

  表示行为的主体或状态描述的对象。

- **울상 (名词)** : 울려고 하는 얼굴 표정.

  哭相

  想哭的脸部表情。

- 을 (助词) : 동작이 직접적으로 영향을 미치는 대상을 나타내는 조사.
  无对应词汇
  表示动作直接涉及的对象。

- 짓다 (动词) : 어떤 표정이나 태도 등을 얼굴이나 몸에 나타내다.
  露出，做出
  脸上或肢体上表达出某种表情或态度。

- -으면서 (语尾) : 두 가지 이상의 동작이나 상태가 함께 일어남을 나타내는 연결 어미.
  无对应词汇
  表示同时发生两个以上的动作或状态。

- 말하다 (动词) : 어떤 사실이나 자신의 생각 또는 느낌을 말로 나타내다.
  说，讲
  用话语表达某种事实、自己的想法或感觉等。

- -였- (语尾) : 사건이 과거에 일어났음을 나타내는 어미.
  无对应词汇
  表示事件发生在过去。

- -다 (语尾) : 어떤 사건이나 사실, 상태를 서술함을 나타내는 종결 어미.
  无对应词汇
  表示陈述某个事件、事实或状态。

교수님 : 아니+에요.

실은 그것 때문+에 짜증+이 나+(아)서 미치+겠+어요.
나서

- 아니다 (形容词) : 어떤 사실이나 내용을 부정하는 뜻을 나타내는 말.
  不是，非
  表示否定某些事实或内容。

- -에요 (语尾) : (두루높임으로) 어떤 사실을 서술하거나 질문함을 나타내는 종결 어미.
  无对应词汇
  (普尊) 表示叙述或询问某个事实。

- 실은 (副词) : 사실을 말하자면. 실제로는.
  其实
  说事实的话，实际上。

· **그것 (代词)** : 앞에서 이미 이야기한 대상을 가리키는 말.
  那个
  指代前面已提到过的对象。

· **때문 (名词)** : 어떤 일의 원인이나 이유.
  因为 , 由于
  表示原因或理由。

· **에 (助词)** : 앞말이 어떤 일의 원인임을 나타내는 조사.
  无对应词汇
  表示某事的原因。

· **짜증 (名词)** : 마음에 들지 않아서 화를 내거나 싫은 느낌을 겉으로 드러내는 일. 또는 그런 성미.
  心烦 , 厌烦 , 闹心
  由于不满意而发火或把厌恶之情表露于外 ; 或指那样的性格。

· **이 (助词)** : 어떤 상태나 상황의 대상이나 동작의 주체를 나타내는 조사.
  无对应词汇
  表示行为的主体或状态描述的对象。

· **나다 (动词)** : 어떤 감정이나 느낌이 생기다.
  生 , 产生
  出现某种情感或感觉。

· **-아서 (语尾)** : 이유나 근거를 나타내는 연결 어미.
  无对应词汇
  表示理由或根据。

· **미치다 (动词)** : 어떤 상태가 너무 심해서 정신이 없어질 정도로 괴로워하다.
  疯
  由于某个状态非常严重 , 像精神将要跨掉一样感到痛苦。

· **-겠- (语尾)** : 완곡하게 말하는 태도를 나타내는 어미.
  无对应词汇
  表示婉转的态度。

· **-어요 (语尾)** : (두루높임으로) 어떤 사실을 서술하거나 질문, 명령, 권유함을 나타내는 종결 어미.
  无对应词汇
  (普尊) 表示叙述某个事实 , 或提问、命令、劝说。

> 교수님 : 파일 저장하+[ㄹ 때]+마다 '새 이름+으로 저장'+이라고 나오+는데
> 　　　　　　　　　　저장할 때
>
> 　　　　이제 생각나+는 새 이름+도 없+는데.

- **파일 (名词)** : 컴퓨터의 기억 장치에 일정한 단위로 저장된 정보의 묶음.
  文件
  以一定的单位储存在电脑存储器里的信息。

- **저장하다 (动词)** : 물건이나 재화 등을 모아서 보관하다.
  储藏, 保存, 储存, 贮藏
  收集保管物品或财物等。

- **-ㄹ 때 (表达)** : 어떤 행동이나 상황이 일어나는 동안이나 그 시기 또는 그러한 일이 일어난 경우를 나타내는 표현.
  无对应词汇
  表示某种行为或状况发生的期间、时期或发生此类事情的情况。

- **마다 (助词)** : 하나하나 빠짐없이 모두의 뜻을 나타내는 조사.
  每, 各
  表示一个不漏地全部都。

- **새 (冠形词)** : 생기거나 만든 지 얼마 되지 않은.
  新的
  出现或被制作没多久的。

- **이름 (名词)** : 다른 것과 구별하기 위해 동물, 사물, 현상 등에 붙여서 부르는 말.
  名字, 名称
  为了区别于他物, 给动物、事物、现象等而赋予的称号。

- **으로 (助词)** : 어떤 일의 방법이나 방식을 나타내는 조사.
  无对应词汇
  表示某事的方法或方式。

- **저장 (名词)** : 물건이나 재화 등을 모아서 보관함.
  储藏, 保存
  收集保管物品或财物等。

- **이라고 (助词)** : 앞의 말이 원래 말해진 그대로 인용됨을 나타내는 조사.
  无对应词汇
  表示直接引用原话。

· **나오다 (动词)** : 책, 신문, 방송 등에 글이나 그림 등이 실리거나 어떤 내용이 나타나다.

　被刊登 , 被播放 , 被记载

　在书籍、报纸、广播电视等上登载文章、画作或出现某种内容。

· **-는데 (语尾)** : 뒤의 말을 하기 위하여 그 대상과 관련이 있는 상황을 미리 말함을 나타내는 연결 어미.

　无对应词汇

　表示为了说后面的话而先说与其相关的状况。

· **이제 (副词)** : 말하고 있는 바로 이때에.

　现在

　说话的当时。

· **생각나다 (动词)** : 새로운 생각이 머릿속에 떠오르다.

　想起 , 想出 , 想到

　新的想法在脑海中浮现。

· **-는 (语尾)** : 앞의 말이 관형어의 기능을 하게 만들고 사건이나 동작이 현재 일어남을 나타내는 어미.

　无对应词汇

　使前面的词具有定语功能 , 表示事件或动作现在正在发生。

· **새 (名词)** : 몸에 깃털과 날개가 있고 날 수 있으며 다리가 둘인 동물.

　鸟

　身上长有羽毛和翅膀、能飞翔的两足动物。

· **이름 (名词)** : 다른 것과 구별하기 위해 동물, 사물, 현상 등에 붙여서 부르는 말.

　名字 , 名称

　为了区别于他物 , 给动物、事物、现象等而赋予的称号。

· **도 (助词)** : 이미 있는 어떤 것에 다른 것을 더하거나 포함함을 나타내는 조사.

　无对应词汇

　表示添加或包括。

· **없다 (形容词)** : 어떤 물건을 가지고 있지 않거나 자격이나 능력 등을 갖추지 않은 상태이다.

　没有

　不具有某物 , 或不具备资格、能力。

· **-는데 (语尾)** : (두루낮춤으로) 듣는 사람의 반응을 기대하며 어떤 일에 대해 감탄함을 나타내는 종결 어미.

　无对应词汇

　(普卑) 表示感叹 , 同时期待听话人的反应。

< 12 단원(単元) >

제목 : 이 늦은 시간에 여기서 뭐 하고 계세요?

● 본문 (原文)

늦은 밤 담력 훈련에 참가한 두 여자가 마지막 코스인 공동묘지를 지나가고 있었다.

그녀들은 무서웠지만 애써 태연한 모습으로 걸어가고 있었는데 갑자기 '톡탁톡탁' 하는 소리가 들려오기 시작했다.

깜짝 놀란 두 여자는 공포에 질려 가까스로 천천히 발걸음을 내딛고 있었다.

그때 눈앞에 망치를 들고 정으로 묘비를 쪼고 있는 노인의 모습이 희미하게 보였다.

순간 두 여자는 안도의 한숨을 내쉬며 말했다.

여자 1 : 할아버지, 귀신인 줄 알고 깜짝 놀랐잖아요.

　　　　그런데 이 늦은 시간에 여기서 뭐 하고 계세요?

여자 2 : 내일 밝을 때 하시는 게 좋을 것 같아요.

　　　　지금은 어두워서 위험하세요.

할아버지 : 음, 오늘 안에 빨리 끝내야 돼.

여자 1 : 그런데 묘비에 무슨 문제라도 있나요?

할아버지 : 글쎄, 어떤 멍청한 녀석들이 묘비에 내 이름을 잘못 써 놨잖아.

● 발음 (发音)

늦은 밤 담력 훈련에 참가한 두 여자가 마지막 코스인 공동묘지를 지나가고 있었다.
느즌 밤 담녁 훌려네 참가한 두 여자가 마지막 코스인 공동묘지를 지나가고 이썯따.
neujeun bam damnyeok hullyeone chamgahan du yeojaga majimak koseuin gongdongmyojireul jinagago isseotda.

그녀들은 무서웠지만 애써 태연한 모습으로 걸어가고 있었는데 갑자기 '톡탁톡탁' 하는 소리가 들려오기
그녀드른 무서월찌만 애써 태연한 모스브로 거러가고 이썬는데 갑짜기 '톡탁톡탁' 하는 소리가 들려오기
geunyeodeureun museowotjiman aesseo taeyeonhan moseubeuro georeogago isseonneunde gapjagi 'toktaktoktak' haneun soriga deullyeoogi

시작했다.
시자캗따.
sijakaetda.

깜짝 놀란 두 여자는 공포에 질려 가까스로 천천히 발걸음을 내딛고 있었다.
깜짝 놀란 두 여자는 공포에 질려 가까스로 천천히 발꺼르믈 내딛꼬 이썯따.
kkamjjak nollan du yeojaneun gongpoe jillyeo gakkaseuro cheoncheonhi balgeoreumeul naeditgo isseotda.

그때 눈앞에 망치를 들고 정으로 묘비를 쪼고 있는 노인의 모습이 희미하게 보였다.
그때 누나페 망치를 들고 정으로 묘비를 쪼고 인는 노이네 모스비 히미하게 보엳따.
geuttae nunape mangchireul deulgo jeongeuro myobireul jjogo inneun noinui(noine) moseubi huimihage(himihage) boyeotda.

순간 두 여자는 안도의 한숨을 내쉬며 말했다.
순간 두 여자는 안도에 한수믈 내쉬며 말핻따.
sungan du yeojaneun andoui(andoe) hansumeul naeswimyeo malhaetda.

여자 1 : 할아버지, 귀신인 줄 알고 깜짝 놀랐잖아요.
여자 1 : 하라버지, 귀시닌 줄 알고 깜짝 놀랃짜나요.
yeoja 1 : harabeoji, gwisinin jul algo kkamjjak nollatjanayo.

그런데 이 늦은 시간에 여기서 뭐 하고 계세요?
그런데 이 느즌 시가네 여기서 뭐 하고 게세요?
geureonde i neujeun sigane yeogiseo mwo hago gyeseyo(geseyo)?

여자 2 : 내일 밝을 때 하시는 게 좋을 것 같아요.

여자 2 : 내일 발글 때 하시는 게 조을 껏 가타요.

yeoja 2 : naeil balgeul ttae hasineun ge joeul geot gatayo.

지금은 어두워서 위험하세요.

지그믄 어두워서 위험하세요.

jigeumeun eoduwoseo wiheomhaseyo.

할아버지 : 음, 오늘 안에 빨리 끝내야 돼.

하라버지 : 음, 오늘 아네 빨리 끈내에 돼.

harabeoji : eum, oneul ane ppalli kkeunnaeya dwae.

여자 1 : 그런데 묘비에 무슨 문제라도 있나요?

여자 1 : 그런데 묘비에 무슨 문제라도 인나요?

yeoja 1 : geureonde myobie museun munjerado innayo?

할아버지 : 글쎄, 어떤 멍청한 녀석들이 묘비에 내 이름을 잘못 써 놨잖아.

하라버지 : 글쎄, 어떤 멍청한 녀석드리 묘비에 내 이르믈 잘몯 써 낟짜나.

harabeoji : geulsse, eotteon meongcheonghan nyeoseokdeuri myobie nae ireumeul jalmot sseo nwatjana.

● 어휘 (词汇) / 문법 (语法)

늦+은 밤 담력 훈련+에 참가하+ㄴ 두 여자+가 마지막 코스+이+ㄴ 공동묘지+를 지나가+<u>고 있</u>+었+다.

그녀+들+은 무섭(무서우)+었+지만 애쓰(애쓰)+어 태연하+ㄴ 모습+으로 걸어가+<u>고 있</u>+었+는데 갑자기

'톡탁톡탁' 하+는 소리+가 들려오+기 시작하+였+다.

깜짝 놀라+ㄴ 두 여자+는 공포+에 질리+어 가까스로 천천히 발걸음+을 내딛+<u>고 있</u>+었+다.

그때 눈앞+에 망치+를 들+고 정+으로 묘비+를 쪼+<u>고 있</u>+는 노인+의 모습+이 희미하+게 보이+었+다.

순간 두 여자+는 안도+의 한숨+을 내쉬+며 말하+였+다.

여자 1 : 할아버지, 귀신+이+<u>ㄴ 줄 알</u>+고 깜짝 놀라+았+잖아요.

　　　　　그런데 이 늦+은 시간+에 여기+서 뭐 하+<u>고 계시</u>+어요?

여자 2 : 내일 밝+<u>을 때</u> 하+시+<u>는 것(거)</u>+이 좋+<u>을 것 같</u>+아요.

　　　　　지금+은 어둡(어두우)+어서 위험하+세요.

할아버지 : 음, 오늘 안+에 빨리 끝내+<u>(어)야 되</u>+어.

여자 1 : 그런데 묘비+에 무슨 문제+라도 있+나요?

할아버지 : 글쎄, 어떤 멍청하+ㄴ 녀석+들+이 묘비+에 나+의 이름+을 잘못

　　　　　쓰(쓰)+<u>어</u> 놓+았+잖아.

늦+은 밤 담력 훈련+에 참가하+ㄴ 두 여자+가 마지막 코스+이+ㄴ 공동묘지+를 지나가+[고 있]+었+다.
참가한　　　　　　　코스인

- **늦다 (形容词)** : 적당한 때를 지나 있다. 또는 시기가 한창인 때를 지나 있다.
  缓慢 , 晚
  过了合适的时候；或错过了最佳时机。

- **-은 (语尾)** : 앞의 말이 관형어의 기능을 하게 만들고 현재의 상태를 나타내는 어미.
  无对应词汇
  使前面的词具有定语功能 , 表示现在的状态。

- **밤 (名词)** : 해가 진 후부터 다음 날 해가 뜨기 전까지의 어두운 동안.
  夜 , 夜间
  日落到第二天日出前的黑暗时段。

- **담력 (名词)** : 겁이 없고 용감한 기운.
  胆 , 胆量
  不害怕且勇敢的精神。

- **훈련 (名词)** : 가르쳐서 익히게 함.
  训练
  教授并使其熟练。

- **에 (助词)** : 앞말이 목적지이거나 어떤 행위의 진행 방향임을 나타내는 조사.
  无对应词汇
  表示目的地或某行为进行的方向。

- **참가하다 (动词)** : 모임이나 단체, 경기, 행사 등의 자리에 가서 함께하다.
  参加 , 参与
  去聚会、团体、比赛或活动等场合共同进行。

- **-ㄴ (语尾)** : 앞의 말이 관형어의 기능을 하게 만들고 사건이나 동작이 과거에 일어났음을 나타내는 어미.
  无对应词汇
  使前面的词具有定语功能 , 表示事件或动作过去已经发生。

- **두 (冠形词)** : 둘의.
  两
  两个的。

- **여자 (名词)** : 여성으로 태어난 사람.
  女子 , 女人
  作为女性出生的人。

• **가 (助词)** : 어떤 상태나 상황에 놓인 대상이나 동작의 주체를 나타내는 조사.
　无对应词汇
　表示行为的主体或状态描述的对象。

• **마지막 (名词)** : 시간이나 순서의 맨 끝.
　最后，最终，末了
　在时间上或次序上的末尾。

• **코스 (名词)** : 어떤 목적에 따라 정해진 길.
　路线
　根据某种目标制定的路。

• **이다 (助词)** : 주어가 지시하는 대상의 속성이나 부류를 지정하는 뜻을 나타내는 서술격 조사.
　无对应词汇
　表示指定主语所指示的属性或类型。

• **-ㄴ (语尾)** : 앞의 말이 관형어의 기능을 하게 만들고 현재의 상태를 나타내는 어미.
　无对应词汇
　使前面的词具有定语功能，表示现在的状态。

• **공동묘지 (名词)** : 한 지역에 여러 사람의 무덤이 있어 공동으로 관리하는 무덤.
　公墓
　在某地区提供给众人的墓地，共同负责管理。

• **를 (助词)** : 동작의 도착지나 동작이 이루어지는 장소를 나타내는 조사.
　无对应词汇
　表示动作的终点或动作进行的地点。

• **지나가다 (动词)** : 어떤 곳을 통과하여 가다.
　通过，路过
　经过某个地方。

• **-고 있다 (表达)** : 앞의 말이 나타내는 행동이 계속 진행됨을 나타내는 표현.
　正，在，正在
　表示持续进行前一句所指的行为。

• **-었- (语尾)** : 사건이 과거에 일어났음을 나타내는 어미.
　无对应词汇
　表示事件发生在过去。

• **-다 (语尾)** : 어떤 사건이나 사실, 상태를 서술함을 나타내는 종결 어미.
　无对应词汇
　表示陈述某个事件、事实或状态。

그녀+들+은 <u>무섭(무서우)</u>+었+지만 <u>애쓰(애쓰)</u>+어 <u>태연하</u>+ㄴ 모습+으로 걸어가+[고 있]+었+는데
무서웠지만 **애써** **태연한**

갑자기 '톡탁톡탁' 하+는 소리+가 들려오+기 <u>시작하</u>+였+다.
시작했다

- **그녀 (代词)** : 앞에서 이미 이야기한 여자를 가리키는 말.
  她
  指代前面已经讲过的女人。

- **들 (词缀)** : '복수'의 뜻을 더하는 접미사.
  无对应词汇
  指"复数"。

- **은 (助词)** : 문장 속에서 어떤 대상이 화제임을 나타내는 조사.
  无对应词汇
  表示某个对象是句中的话题。

- **무섭다 (形容词)** : 어떤 대상이 꺼려지거나 무슨 일이 일어날까 두렵다.
  怕 , 害怕 , 可怕 , 恐惧
  忌讳某个对象或担心出什么事。

- **-었- (语尾)** : 사건이 과거에 일어났음을 나타내는 어미.
  无对应词汇
  表示事件发生在过去。

- **-지만 (语尾)** : 앞에 오는 말을 인정하면서 그와 반대되거나 다른 사실을 덧붙일 때 쓰는 연결 어미.
  无对应词汇
  表示承认前面的话 , 同时添加与此相反或不同的事实。

- **애쓰다 (动词)** : 무엇을 이루기 위해 힘을 들이다.
  努力 , 费心 , 花费力气
  为达到某个目标而用心用力。

- **-어 (语尾)** : 앞의 말이 뒤의 말보다 먼저 일어났거나 뒤의 말에 대한 방법이나 수단이 됨을 나타내는 연결 어미.
  无对应词汇
  表示前句先于后句发生 , 或表示前句是后句的方法或手段。

- **태연하다 (形容词)** : 당연히 머뭇거리거나 두려워할 상황에서 태도나 얼굴빛이 아무렇지도 않다.
  泰然自若 , 坦然 , 镇定
  在理应犹豫或害怕的情况下 , 态度或表情表现得若无其事。

• -ㄴ (语尾) : 앞의 말이 관형어의 기능을 하게 만들고 현재의 상태를 나타내는 어미.
无对应词汇
使前面的词具有定语功能，表示现在的状态。

• **모습** (名词) : 겉으로 드러난 상태나 모양.
样子，景象，状况
表露于外的状态或形貌。

• **으로** (助词) : 어떤 일의 방법이나 방식을 나타내는 조사.
无对应词汇
表示某事的方法或方式。

• **걸어가다** (动词) : 목적지를 향하여 다리를 움직여 나아가다.
走去，走过去
朝目的地徒步前行。

• -고 있다 (表达) : 앞의 말이 나타내는 행동이 계속 진행됨을 나타내는 표현.
正，在，正在
表示持续进行前一句所指的行为。

• -었- (语尾) : 사건이 과거에 일어났음을 나타내는 어미.
无对应词汇
表示事件发生在过去。

• -는데 (语尾) : 뒤의 말을 하기 위하여 그 대상과 관련이 있는 상황을 미리 말함을 나타내는 연결 어미.
无对应词汇
表示为了说后面的话而先说与其相关的状况。

• **갑자기** (副词) : 미처 생각할 틈도 없이 빨리.
突然，忽然，猛地，一下子
来不及想，很快地。

• **톡탁톡탁** (副词) : 단단한 물건을 계속해서 가볍게 두드리는 소리.
咔嗒咔嗒
连续轻击硬物的声音。

• **하다** (动词) : 그런 소리가 나다. 또는 그런 소리를 내다.
无对应词汇
响起那样的声音；或发出那样的声音。

• -는 (语尾) : 앞의 말이 관형어의 기능을 하게 만들고 사건이나 동작이 현재 일어남을 나타내는 어미.
无对应词汇
使前面的词具有定语功能，表示事件或动作现在正在发生。

- **소리 (名词)** : 물체가 진동하여 생긴 음파가 귀에 들리는 것.
  声音，声，音，动静
  物体震动发出的音波传入耳朵中产生的响声。

- **가 (助词)** : 어떤 상태나 상황에 놓인 대상이나 동작의 주체를 나타내는 조사.
  无对应词汇
  表示行为的主体或状态描述的对象。

- **들려오다 (动词)** : 어떤 소리나 소식 등이 들리다.
  传来
  某种声音或某个消息等被听见。

- **-기 (语尾)** : 앞의 말이 명사의 기능을 하게 하는 어미.
  无对应词汇
  使前面的词语具有名词功能。

- **시작하다 (动词)** : 어떤 일이나 행동의 처음 단계를 이루거나 이루게 하다.
  开始
  完成某件事或行为的第一阶段。

- **-였- (语尾)** : 사건이 과거에 일어났음을 나타내는 어미.
  无对应词汇
  表示事件发生在过去。

- **-다 (语尾)** : 어떤 사건이나 사실, 상태를 서술함을 나타내는 종결 어미.
  无对应词汇
  表示陈述某个事件、事实或状态。

깜짝 놀라+ㄴ 두 여자+는 공포+에 질리+어 가까스로 천천히 발걸음+을 내딛+[고 있]+었+다.
놀란   질려

- **깜짝 (副词)** : 갑자기 놀라는 모양.
  一惊
  突然间受惊的样子。

- **놀라다 (动词)** : 뜻밖의 일을 당하거나 무서워서 순간적으로 긴장하거나 가슴이 뛰다.
  惊吓，吃惊
  因遭到意外或害怕而在刹那间感到紧张或心跳加速。

- **-ㄴ (语尾)** : 앞의 말이 관형어의 기능을 하게 만들고 사건이나 동작이 과거에 일어났음을 나타내는 어미.
  无对应词汇
  使前面的词具有定语功能，表示事件或动作过去已经发生。

· **두 (冠形词)** : 둘의.
　两
　两个的。

· **여자 (名词)** : 여성으로 태어난 사람.
　女子，女人
　作为女性出生的人。

· **는 (助词)** : 문장 속에서 어떤 대상이 화제임을 나타내는 조사.
　无对应词汇
　表示某个对象是句中的话题。

· **공포 (名词)** : 두렵고 무서움.
　恐怖
　恐惧害怕。

· **에 (助词)** : 앞말이 어떤 일의 원인임을 나타내는 조사.
　无对应词汇
　表示某事的原因。

· **질리다 (动词)** : 몹시 놀라거나 무서워서 얼굴빛이 변하다.
　失色
　因为非常惊吓恐惧而变脸色。

· **-어 (语尾)** : 앞에 오는 말이 뒤에 오는 말에 대한 원인이나 이유임을 나타내는 연결 어미.
　无对应词汇
　表示前句是后句的原因或理由。

· **가까스로 (副词)** : 매우 어렵게 힘을 들여.
　好不容易
　非常困难、费力地。

· **천천히 (副词)** : 움직임이나 태도가 느리게.
　慢慢地，缓慢地
　动作或态度缓缓地。

· **발걸음 (名词)** : 발을 옮겨 걷는 동작.
　脚步，步伐
　移动双脚走路的动作。

· **을 (助词)** : 동작이 직접적으로 영향을 미치는 대상을 나타내는 조사.
　无对应词汇
　表示动作直接涉及的对象。

· **내딛다 (动词)** : 서 있다가 앞쪽으로 발을 옮기다.
  迈步
  站着的状态下向前移步。

· **-고 있다 (表达)** : 앞의 말이 나타내는 행동이 계속 진행됨을 나타내는 표현.
  正 , 在 , 正在
  表示持续进行前一句所指的行为。

· **-었- (语尾)** : 사건이 과거에 일어났음을 나타내는 어미.
  无对应词汇
  表示事件发生在过去。

· **-다 (语尾)** : 어떤 사건이나 사실, 상태를 서술함을 나타내는 종결 어미.
  无对应词汇
  表示陈述某个事件、事实或状态。

그때 눈앞+에 망치+를 들+고 정+으로 묘비+를 쪼+[고 있]+는 노인+의 모습+이 희미하+게 <u>보이+었+다</u>.
　　　　　　　　　　　　　　　　　　　　　　　　　　　　　　　　　　　　　　　보였다

· **그때 (名词)** : 앞에서 이야기한 어떤 때.
  那时 , 那时候
  前面所说的某一时间。

· **눈앞 (名词)** : 눈에 바로 보이는 곳.
  眼前 , 跟前
  眼睛马上可见的地方。

· **에 (助词)** : 앞말이 어떤 장소나 자리임을 나타내는 조사.
  无对应词汇
  表示某个处所或地点。

· **망치 (名词)** : 쇠뭉치에 손잡이를 달아 단단한 물건을 두드리거나 못을 박는 데 쓰는 연장.
  锤子 , 锤头 , 榔头
  在铁块上装上把手 , 敲打硬物或钉钉子时用的工具。

· **를 (助词)** : 동작이 직접적으로 영향을 미치는 대상을 나타내는 조사.
  无对应词汇
  表示动作直接涉及的对象。

· **들다 (动词)** : 손에 가지다.
  带 , 提 , 拎
  手里拿着。

- -고 (语尾)：앞의 말이 나타내는 행동이나 그 결과가 뒤에 오는 행동이 일어나는 동안에 그대로 지속됨을 나타내는 연결 어미.

  无对应词汇

  表示前面的动作或其结果在后面动作进行的过程中一直持续。

- 정 (名词)：돌에 구멍을 뚫거나 돌을 쪼아서 다듬는 데 쓰는 쇠로 만든 연장.

  钉

  用来在石头上钻孔或打磨的铁质工具。

- 으로 (助词)：어떤 일의 수단이나 도구를 나타내는 조사.

  无对应词汇

  表示某事的手段或工具。

- 묘비 (名词)：죽은 사람의 이름, 출생일, 사망일, 행적, 신분 등을 새겨서 무덤 앞에 세우는 비석.

  墓碑

  立在死者坟墓前的石碑，上面刻有逝者的姓名、生卒日、生平事略、身份等内容。

- 를 (助词)：동작이 직접적으로 영향을 미치는 대상을 나타내는 조사.

  无对应词汇

  表示动作直接涉及的对象。

- 쪼다 (动词)：뾰족한 끝으로 쳐서 찍다.

  啄

  用尖锐的末端敲击。

- -고 있다 (表达)：앞의 말이 나타내는 행동이 계속 진행됨을 나타내는 표현.

  正，在，正在

  表示持续进行前一句所指的行为。

- -는 (语尾)：앞의 말이 관형어의 기능을 하게 만들고 사건이나 동작이 현재 일어남을 나타내는 어미.

  无对应词汇

  使前面的词具有定语功能，表示事件或动作现在正在发生。

- 노인 (名词)：나이가 들어 늙은 사람.

  老人，老年人

  上岁数而年迈的人。

- 의 (助词)：앞의 말이 뒤의 말에 대하여 소유, 소속, 소재, 관계, 기원, 주체의 관계를 가짐을 나타내는 조사.

  的

  表示所有、所属、所在、关系、来源、主体等关系。

- 모습 (名词)：사람이나 사물의 생김새.

  样子，模样

  人或事物的长相。

- 이 (助词) : 어떤 상태나 상황의 대상이나 동작의 주체를 나타내는 조사.

  无对应词汇

  表示行为的主体或状态描述的对象。

- 희미하다 (形容词) : 분명하지 못하고 흐릿하다.

  渺茫，渺然，模糊，朦胧

  不分明，模模糊糊。

- -게 (语尾) : 앞의 말이 뒤에서 가리키는 일의 목적이나 결과, 방식, 정도 등이 됨을 나타내는 연결 어미.

  无对应词汇

  表示前面的内容为后面所指事情的目的、结果、方式或程度等。

- 보이다 (动词) : 눈으로 대상의 존재나 겉모습을 알게 되다.

  让看见

  用眼睛看而得知对象的存在或样子。

- -었- (语尾) : 사건이 과거에 일어났음을 나타내는 어미.

  无对应词汇

  表示事件发生在过去。

- -다 (语尾) : 어떤 사건이나 사실, 상태를 서술함을 나타내는 종결 어미.

  无对应词汇

  表示陈述某个事件、事实或状态。

순간 두 여자+는 안도+의 한숨+을 내쉬+며 말하+였+다.
말했다

- 순간 (名词) : 어떤 일이 일어나거나 어떤 행동이 이루어지는 바로 그때.

  顿时

  某事发生或某行动实现的当时。

- 두 (冠形词) : 둘의.

  两

  两个的。

- 여자 (名词) : 여성으로 태어난 사람.

  女子，女人

  作为女性出生的人。

- 는 (助词) : 문장 속에서 어떤 대상이 화제임을 나타내는 조사.

  无对应词汇

  表示某个对象是句中的话题。

- **안도 (名词)** : 어떤 일이 잘되어 마음을 놓음.
  安心
  某事成功后放下心。

- **의 (助词)** : 앞의 말이 뒤의 말에 대하여 속성이나 수량을 한정하거나 같은 자격임을 나타내는 조사.
  无对应词汇
  表示限定属性或数量，或相同资格。

- **한숨 (名词)** : 걱정이 있을 때나 긴장했다가 마음을 놓을 때 길게 몰아서 내쉬는 숨.
  叹气
  在忧愁或放松紧张的时候，呼出长气。

- **을 (助词)** : 동작이 직접적으로 영향을 미치는 대상을 나타내는 조사.
  无对应词汇
  表示动作直接涉及的对象。

- **내쉬다 (动词)** : 숨을 몸 밖으로 내보내다.
  呼气，吐出
  把呼吸的气息排出体外。

- **-며 (语尾)** : 두 가지 이상의 동작이나 상태가 함께 일어남을 나타내는 연결 어미.
  无对应词汇
  表示同时发生两个以上的动作或状态。

- **말하다 (动词)** : 어떤 사실이나 자신의 생각 또는 느낌을 말로 나타내다.
  说，讲
  用话语表达某种事实、自己的想法或感觉等。

- **-였- (语尾)** : 사건이 과거에 일어났음을 나타내는 어미.
  无对应词汇
  表示事件发生在过去。

- **-다 (语尾)** : 어떤 사건이나 사실, 상태를 서술함을 나타내는 종결 어미.
  无对应词汇
  表示陈述某个事件、事实或状态。

여자 1 : 할아버지, <u>귀신+이+[ㄴ 줄]</u> 알+고 깜짝 <u>놀라+았+잖아요</u>.
귀신인 줄   놀랐잖아요

- **할아버지 (名词)** : (친근하게 이르는 말로) 늙은 남자를 이르거나 부르는 말.
  爷爷
  (亲近) 用于指称或称呼年老的男性。

• **귀신 (名词)** : 사람이 죽은 뒤에 남는다고 하는 영혼.
　鬼，鬼魂
　人死后留下的灵魂。

• **이다 (助词)** : 주어가 지시하는 대상의 속성이나 부류를 지정하는 뜻을 나타내는 서술격 조사.
　无对应词汇
　表示指定主语所指示的属性或类型。

• **-ㄴ 줄 (表达)** : 어떤 사실이나 상태에 대해 알고 있거나 모르고 있음을 나타내는 표현.
　无对应词汇
　表示知道或不知道某个事实或状态。

• **알다 (动词)** : 교육이나 경험, 생각 등을 통해 사물이나 상황에 대한 정보 또는 지식을 갖추다.
　知道，明白
　通过教育、经验、思考等来，具备与事物或情况相关的信息或知识。

• **-고 (语尾)** : 앞의 말과 뒤의 말이 차례대로 일어남을 나타내는 연결 어미.
　无对应词汇
　表示前后两件事依次发生。

• **깜짝 (副词)** : 갑자기 놀라는 모양.
　一惊
　突然间受惊的样子。

• **놀라다 (动词)** : 뜻밖의 일을 당하거나 무서워서 순간적으로 긴장하거나 가슴이 뛰다.
　惊吓，吃惊
　因遭到意外或害怕而在刹那间感到紧张或心跳加速。

• **-았- (语尾)** : 어떤 사건이 과거에 완료되었거나 그 사건의 결과가 현재까지 지속되는 상황을 나타내는 어미.
　无对应词汇
　表示某一事件已结束或其结果保持到现在。

• **-잖아요 (表达)** : (두루높임으로) 어떤 상황에 대해 말하는 사람이 상대방에게 확인하거나 정정해 주듯이 말함을 나타내는 표현.
　无对应词汇
　(普尊) 表示说话人向对方以确认或更正的语气说出某种情况。

여자 1 : 그런데 이 늦+은 시간+에 여기+서 뭐 하+[고 계시]+어요?
하고 계세요

- **그런데 (副词)** : 이야기를 앞의 내용과 관련시키면서 다른 방향으로 바꿀 때 쓰는 말.
  可是，可
  用于将话题与前面内容相连接的同时，又将话头转向其他方向。

- **이 (冠形词)** : 말하는 사람에게 가까이 있거나 말하는 사람이 생각하고 있는 대상을 가리킬 때 쓰는 말.
  这，这个
  用于指示与话者离得近的物品，或用于指示话者所想的对象。

- **늦다 (形容词)** : 적당한 때를 지나 있다. 또는 시기가 한창인 때를 지나 있다.
  缓慢，晚
  过了合适的时候；或错过了最佳时机。

- **-은 (语尾)** : 앞의 말이 관형어의 기능을 하게 만들고 현재의 상태를 나타내는 어미.
  无对应词汇
  使前面的词具有定语功能，表示现在的状态。

- **시간 (名词)** : 어떤 일을 하도록 정해진 때. 또는 하루 중의 어느 한 때.
  时间
  为了做某事而定下的时刻；或指一天中的某个时刻。

- **에 (助词)** : 앞말이 시간이나 때임을 나타내는 조사.
  无对应词汇
  表示时间或时候。

- **여기 (代词)** : 말하는 사람에게 가까운 곳을 가리키는 말.
  这里，这儿
  指代与说话人较近的地方。

- **서 (助词)** : 앞말이 행동이 이루어지고 있는 장소임을 나타내는 조사.
  无对应词汇
  表示前面的内容为动作进行的地点。

- **뭐 (代词)** : 모르는 사실이나 사물을 가리키는 말.
  什么
  指代不知道的事实或事物。

- **하다 (动词)** : 어떤 행동이나 동작, 활동 등을 행하다.
  做，干
  进行某种行动、动作或活动。

- -고 계시다 (表达) : (높임말로) 앞의 말이 나타내는 행동이 계속 진행됨을 나타내는 표현.
  无对应词汇
  (尊称) 表示前面表达的行动持续进行。

- -어요 (语尾) : (두루높임으로) 어떤 사실을 서술하거나 질문, 명령, 권유함을 나타내는 종결 어미.
  无对应词汇
  (普尊) 表示叙述某个事实，或提问、命令、劝说。

> **여자 2 : 내일 밝+[을 때] 하+시+[는 것(거)]+이 좋+[을 것 같]+아요.**
> **하시는 게**

- 내일 (副词) : 오늘의 다음 날에.
  明天
  今天的第二天。

- 밝다 (形容词) : 빛을 많이 받아 어떤 장소가 환하다.
  明亮
  某个场所光线充足而十分亮堂。

- -을 때 (表达) : 어떤 행동이나 상황이 일어나는 동안이나 그 시기 또는 그러한 일이 일어난 경우를 나타내는 표현.
  无对应词汇
  表示某种行动或状况发生的期间、时期或情况。

- 하다 (动词) : 어떤 행동이나 동작, 활동 등을 행하다.
  做，干
  进行某种行动、动作或活动。

- -시- (语尾) : 어떤 동작이나 상태의 주체를 높이는 뜻을 나타내는 어미.
  无对应词汇
  表示对某个动作或状态主体的尊敬。

- -는 것(거) (表达) : 명사가 아닌 것을 문장에서 명사처럼 쓰이게 하거나 '이다' 앞에 쓰일 수 있게 할 때 쓰는 표현.
  无对应词汇
  用于使非名词在句中用作名词或使其可出现在"이다"前面。

- 이 (助词) : 어떤 상태나 상황의 대상이나 동작의 주체를 나타내는 조사.
  无对应词汇
  表示行为的主体或状态描述的对象。

- **좋다 (形容词)** : 어떤 일을 하기가 쉽거나 편하다.

  方便 , 好

  某事做起来很容易或很便利。

- **-을 것 같다 (表达)** : 추측을 나타내는 표현.

  无对应词汇

  表示推测。

- **-아요 (语尾)** : (두루높임으로) 어떤 사실을 서술하거나 질문, 명령, 권유함을 나타내는 종결 어미.

  无对应词汇

  (普尊) 表示叙述某个事实 , 或提问、命令、劝说。

여자 2 : 지금+은 <u>어둡(어두우)+어서</u> 위험하+세요.
어두워서

- **지금 (名词)** : 말을 하고 있는 바로 이때.

  现在

  指正在说话的此时。

- **은 (助词)** : 문장 속에서 어떤 대상이 화제임을 나타내는 조사.

  无对应词汇

  表示某个对象是句中的话题。

- **어둡다 (形容词)** : 빛이 없거나 약해서 밝지 않다.

  暗 , 黑暗

  没有光或光线很弱而不亮。

- **-어서 (语尾)** : 이유나 근거를 나타내는 연결 어미.

  无对应词汇

  表示理由或根据。

- **위험하다 (形容词)** : 해를 입거나 다칠 가능성이 있어 안전하지 못하다.

  危险

  有可能受到损害或伤害而不安全。

- **-세요 (语尾)** : (두루높임으로) 설명, 의문, 명령, 요청의 뜻을 나타내는 종결 어미.

  无对应词汇

  (普尊) 表示说明、疑问、命令、请求。

> **할아버지 : 음, 오늘 안+에 빨리 끝내+[(어)야 되]+어.**
> **끝내야 돼**

- **음 (叹词)** : 마음에 들지 않거나 걱정스러울 때 하는 소리.
  嘿
  不满意或担心时发出的声音。

- **오늘 (名词)** : 지금 지나가고 있는 이날.
  今天 , 今日
  现在正在度过的这一天。

- **안 (名词)** : 일정한 기준이나 한계를 넘지 않은 정도.
  内 , 以内
  不超过一定的基准或界限的程度。

- **에 (助词)** : 앞말이 시간이나 때임을 나타내는 조사.
  无对应词汇
  表示时间或时候。

- **빨리 (副词)** : 걸리는 시간이 짧게.
  快 , 赶快
  花费的时间不长地。

- **끝내다 (动词)** : 일을 마지막까지 이루다.
  结束 , 完成
  做完事情。

- **-어야 되다 (表达)** : 반드시 그럴 필요나 의무가 있음을 나타내는 표현.
  无对应词汇
  表示有必要或义务一定要如此。

- **-어 (语尾)** : (두루낮춤으로) 어떤 사실을 서술하거나 물음, 명령, 권유를 나타내는 종결 어미.
  无对应词汇
  (普卑) 表示陈述某种事实、询问、命令或劝说。

> **여자 1 : 그런데 묘비+에 무슨 문제+라도 있+나요?**

- **그런데 (副词)** : 이야기를 앞의 내용과 관련시키면서 다른 방향으로 바꿀 때 쓰는 말.
  可是 , 可
  用于将话题与前面内容相连接的同时 , 又将话头转向其他方向。

- **묘비 (名词)** : 죽은 사람의 이름, 출생일, 사망일, 행적, 신분 등을 새겨서 무덤 앞에 세우는 비석.
  墓碑
  立在死者坟墓前的石碑，上面刻有逝者的姓名、生卒日、生平事略、身份等内容。

- **에 (助词)** : 앞말이 어떤 장소나 자리임을 나타내는 조사.
  无对应词汇
  表示某个处所或地点。

- **무슨 (冠形词)** : 확실하지 않거나 잘 모르는 일, 대상, 물건 등을 물을 때 쓰는 말.
  什么
  用于询问不确定或不知道的事情、对象、东西等。

- **문제 (名词)** : 난처하거나 해결하기 어려운 일.
  难题，问题
  为难或难以解决的事情。

- **라도 (助词)** : 불확실한 사실에 대한 말하는 이의 의심이나 의문을 나타내는 조사.
  无对应词汇
  表示说话人对不确定事实的怀疑或疑问。

- **있다 (形容词)** : 어떤 사람에게 무슨 일이 생긴 상태이다.
  有，起
  在某人身上发生某件事情。

- **-나요 (表达)** : (두루높임으로) 앞의 내용에 대해 상대방에게 물어볼 때 쓰는 표현.
  无对应词汇
  (普尊) 表示向对方询问前面所指的内容。

할아버지 : 글쎄, 어떤 <u>멍청하+ㄴ</u> 녀석+들+이 묘비+에 <u>나+의</u> 이름+을 잘못
　　　　　　　　　멍청한　　　　　　　　　　　　**내**

　　　<u>쓰(쓰)+[어 놓]+았+잖아</u>.
　　　　　써 났잖아

- **글쎄 (叹词)** : 말하는 이가 자신의 뜻이나 주장을 다시 강조하거나 고집할 때 쓰는 말.
  是啊，那当然
  用于说话人再次强调、坚持自己所说的话或主张。

- **어떤 (冠形词)** : 굳이 말할 필요가 없는 대상을 뚜렷하게 밝히지 않고 나타낼 때 쓰는 말.
  某个
  没有必要明确地指出是哪个对象时使用的话。

- **멍청하다 (形容词)** : 일을 제대로 판단하지 못할 정도로 어리석다.
  呆 , 傻 , 笨
  愚蠢得不能进行正确判断。

- **-ㄴ (语尾)** : 앞의 말이 관형어의 기능을 하게 만들고 현재의 상태를 나타내는 어미.
  无对应词汇
  使前面的词具有定语功能，表示现在的状态。

- **녀석 (名词)** : (낮추는 말로) 남자.
  家伙
  (谦词) 男人。

- **들 (词缀)** : '복수'의 뜻을 더하는 접미사.
  无对应词汇
  指"复数"。

- **이 (助词)** : 어떤 상태나 상황의 대상이나 동작의 주체를 나타내는 조사.
  无对应词汇
  表示行为的主体或状态描述的对象。

- **묘비 (名词)** : 죽은 사람의 이름, 출생일, 사망일, 행적, 신분 등을 새겨서 무덤 앞에 세우는 비석.
  墓碑
  立在死者坟墓前的石碑，上面刻有逝者的姓名、生卒日、生平事略、身份等内容。

- **에 (助词)** : 앞말이 어떤 장소나 자리임을 나타내는 조사.
  无对应词汇
  表示某个处所或地点。

- **나 (代词)** : 말하는 사람이 친구나 아랫사람에게 자기를 가리키는 말.
  我
  说话人在朋友或晚辈面前用来指称自己。

- **의 (助词)** : 앞의 말이 뒤의 말에 대하여 소유, 소속, 소재, 관계, 기원, 주체의 관계를 가짐을 나타내는 조사.
  的
  表示所有、所属、所在、关系、来源、主体等关系。

- **이름 (名词)** : 사람의 성과 그 뒤에 붙는 그 사람만을 부르는 말.
  姓名
  人的姓氏及附加在其后面的，只称呼其人的称号。

- **을 (助词)** : 동작이 직접적으로 영향을 미치는 대상을 나타내는 조사.
  无对应词汇
  表示动作直接涉及的对象。

・**잘못 (副词)** : 바르지 않게 또는 틀리게.

　错

　不正或错误地。

・**쓰다 (动词)** : 연필이나 펜 등의 필기도구로 종이 등에 획을 그어서 일정한 글자를 적다.

　写

　用铅笔或其它笔等书写工具在纸张等上划线而书写一定的字。

・**-어 놓다 (表达)** : 앞의 말이 나타내는 행동을 끝내고 그 결과를 유지함을 나타내는 표현.

　无对应词汇

　表示做完前面所指的行动后，维持其结果。

・**-았- (语尾)** : 어떤 사건이 과거에 완료되었거나 그 사건의 결과가 현재까지 지속되는 상황을 나타내는 어미.

　无对应词汇

　表示某一事件已结束或其结果保持到现在。

・**-잖아 (表达)** : (두루낮춤으로) 어떤 상황에 대해 말하는 사람이 상대방에게 확인하거나 정정해 주듯이 말함을 나타내는 표현.

　无对应词汇

　(普卑) 表示说话人向对方以确认或更正的语气说出某种情况。

< 13 단원(单元) >

제목 : 엄마는 왜 흰머리가 있어?

● 본문 (原文)

어느 날 설거지를 하고 있는 엄마에게 어린 딸이 머리를 갸우뚱거리며 질문을 했다.

딸 : 엄마 머리 앞쪽에 하얀색 머리카락이 있어.

엄마 : 이제 엄마도 흰머리가 점점 많이 생기네.

딸 : 나는 흰머리가 없는데 엄마는 왜 흰머리가 있어?

　　 흰머리가 왜 생기는지 궁금해.

엄마 : 우리 딸이 엄마 말을 안 들어서 엄마가 속이 상하거나 슬퍼지면 흰머리가

　　　 한 개씩 생기더라고.

　　　 그러니까 앞으로 엄마가 하는 말 잘 들어야 돼.

딸은 잠시 동안 생각을 하다가 엄마에게 다시 물었다.

딸 : 엄마, 외할머니 머리는 전부 하얀색인데?

● 발음 (发音)

어느 날 설거지를 하고 있는 엄마에게 어린 딸이 머리를 갸우뚱거리며 질문을 했다.
어느 날 설거지를 하고 인는 엄마에게 어린 따리 머리를 갸우뚱거리며 질무늘 핻따.
eoneu nal seolgeojireul hago inneun eommaege eorin ttari meorireul gyauttunggeorimyeo jilmuneul haetda.

딸 : 엄마 머리 앞쪽에 하얀색 머리카락이 있어.
딸 : 엄마 머리 압쪼게 하얀색 머리카라기 이써.
ttal : eomma meori apjjoge hayansaek meorikaragi isseo.

엄마 : 이제 엄마도 흰머리가 점점 많이 생기네.
엄마 : 이제 엄마도 힌머리가 점점 마니 생기네.
eomma : ije eommado hinmeoriga jeomjeom mani saenggine.

딸 : 나는 흰머리가 없는데 엄마는 왜 흰머리가 있어?
딸 : 나는 힌머리가 엄는데 엄마는 왜 힌머리가 이써?
ttal : naneun hinmeoriga eomneunde eommaneun wae hinmeoriga isseo?

    흰머리가 왜 생기는지 궁금해.
    힌머리가 왜 생기는지 궁금해.
    hinmeoriga wae saenggineunji gunggeumhae.

엄마 : 우리 딸이 엄마 말을 안 들어서 엄마가 속이 상하거나 슬퍼지면 흰머리가
엄마 : 우리 따리 엄마 마를 안 드러서 엄마가 소기 상하거나 슬퍼지면 힌머리가
eomma : uri ttari eomma mareul an deureoseo eommaga sogi sanghageona seulpeojimyeon hinmeoriga

    한 개씩 생기더라고.
    한 개씩 생기더라고.
    han gaessik saenggideorago.

    그러니까 앞으로 엄마가 하는 말 잘 들어야 돼.
    그러니까 아프로 엄마가 하는 말 잘 드러야 돼.
    geureonikka apeuro eommaga haneun mal jal deureoya dwae.

딸은 잠시 동안 생각을 하다가 엄마에게 다시 물었다.
따른 잠시 동안 생가글 하다가 엄마에게 다시 무럳따.
ttareun jamsi dongan saenggageul hadaga eommaege dasi mureotda.

딸 : 엄마, 외할머니 머리는 전부 하얀색인데?
딸 : 엄마, 외할머니 머리는 전부 하얀새긴데?
ttal : eomma, oehalmeoni meorineun jeonbu hayansaeginde?

● 어휘 (词汇) / 문법 (语法)

어느 날 설거지+를 하+고 <u>있</u>+는 엄마+에게 어리+ㄴ 딸+이 머리+를 갸우뚱거리+며 질문+을 하+였+다.

딸 : 엄마 머리 앞쪽+에 하얀색 머리카락+이 있+어.

엄마 : 이제 엄마+도 흰머리+가 점점 많이 생기+네.

딸 : 나+는 흰머리+가 없+는데 엄마+는 왜 흰머리+가 있+어?

흰머리+가 왜 생기+는지 궁금하+여.

엄마 : 우리 딸+이 엄마 말+을 안 들+어서 엄마+가 속+이 상하+거나 슬프(슬ㅍ)+어지+면

흰머리+가 한 개+씩 생기+더라고.

그러니까 앞+으로 엄마+가 하+는 말 잘 들+<u>어야 되</u>+어.

딸+은 잠시 동안 생각+을 하+다가 엄마+에게 다시 묻(물)+었+다.

딸 : 엄마, 외할머니 머리+는 전부 하얀색+이+ㄴ데?

어느 날 설거지+를 하+[고 있]+는 엄마+에게 <u>어리</u>+ㄴ 딸+이 머리+를 갸우뚱거리+며 질문+을 <u>하</u>+였+다.

　　　　　　　　　　　　　　　　　　　　어린　　　　　　　　　　　　　　　　　　　　　　　　　　했다

- **어느 (冠形词)** : 확실하지 않거나 분명하게 말할 필요가 없는 사물, 사람, 때, 곳 등을 가리키는 말.
  某
  指不明确或没必要说清楚的事物、人、时、地方的话。

- **날 (名词)** : 밤 열두 시에서 다음 밤 열두 시까지의 이십사 시간 동안.
  天 , 日
  晚上12点到第二天晚上12点之间的24小时。

- **설거지 (名词)** : 음식을 먹고 난 뒤에 그릇을 씻어서 정리하는 일.
  刷碗 , 洗碗
  用餐后刷洗并整理餐具。

- **를 (助词)** : 동작이 직접적으로 영향을 미치는 대상을 나타내는 조사.
  无对应词汇
  表示动作直接涉及的对象。

- **하다 (动词)** : 어떤 행동이나 동작, 활동 등을 행하다.
  做 , 干
  进行某种行动、动作或活动。

- **-고 있다 (表达)** : 앞의 말이 나타내는 행동이 계속 진행됨을 나타내는 표현.
  正 , 在 , 正在
  表示持续进行前一句所指的行为。

- **-는 (语尾)** : 앞의 말이 관형어의 기능을 하게 만들고 사건이나 동작이 현재 일어남을 나타내는 어미.
  无对应词汇
  使前面的词具有定语功能 , 表示事件或动作现在正在发生。

- **엄마 (名词)** : 격식을 갖추지 않아도 되는 상황에서 어머니를 이르거나 부르는 말.
  妈妈
  在非正式场合用于指称或称呼母亲。

- **에게 (助词)** : 어떤 행동이 미치는 대상임을 나타내는 조사.
  无对应词汇
  表示某个动作所涉及的对象。

- **어리다 (形容词)** : 나이가 적다.
  年轻
  年纪小。

- **-ㄴ (语尾)**: 앞의 말이 관형어의 기능을 하게 만들고 현재의 상태를 나타내는 어미.
  无对应词汇
  使前面的词具有定语功能，表示现在的状态。

- **딸 (名词)**: 부모가 낳은 아이 중 여자. 여자인 자식.
  女儿
  由父母所生的子女中的女性；女性孩子。

- **이 (助词)**: 어떤 상태나 상황의 대상이나 동작의 주체를 나타내는 조사.
  无对应词汇
  表示行为的主体或状态描述的对象。

- **머리 (名词)**: 사람이나 동물의 몸에서 얼굴과 머리털이 있는 부분을 모두 포함한 목 위의 부분.
  头
  在人或动物身体中，包括脸和头发的脖子以上的部分。

- **를 (助词)**: 동작이 직접적으로 영향을 미치는 대상을 나타내는 조사.
  无对应词汇
  表示动作直接涉及的对象。

- **갸우뚱거리다 (动词)**: 물체가 자꾸 이쪽저쪽으로 기울어지며 흔들리다. 또는 그렇게 하다.
  摇晃，摇摆，歪斜
  物体总是倒来倒去地晃动；或指使那样晃动。

- **-며 (语尾)**: 두 가지 이상의 동작이나 상태가 함께 일어남을 나타내는 연결 어미.
  无对应词汇
  表示同时发生两个以上的动作或状态。

- **질문 (名词)**: 모르는 것이나 알고 싶은 것을 물음.
  提问
  询问不懂或想知道的问题。

- **을 (助词)**: 동작이 직접적으로 영향을 미치는 대상을 나타내는 조사.
  无对应词汇
  表示动作直接涉及的对象。

- **하다 (动词)**: 어떤 행동이나 동작, 활동 등을 행하다.
  做，干
  进行某种行动、动作或活动。

- **-였- (语尾)**: 사건이 과거에 일어났음을 나타내는 어미.
  无对应词汇
  表示事件发生在过去。

- -다 (语尾) : 어떤 사건이나 사실, 상태를 서술함을 나타내는 종결 어미.
  无对应词汇
  表示陈述某个事件、事实或状态。

딸 : 엄마 머리 앞쪽+에 하얀색 머리카락+이 있+어.

- **엄마 (名词)** : 격식을 갖추지 않아도 되는 상황에서 어머니를 이르거나 부르는 말.
  妈妈
  在非正式场合用于指称或称呼母亲。

- **머리 (名词)** : 사람이나 동물의 몸에서 얼굴과 머리털이 있는 부분을 모두 포함한 목 위의 부분.
  头
  在人或动物身体中，包括脸和头发的脖子以上的部分。

- **앞쪽 (名词)** : 앞을 향한 방향.
  前面，前头，前部
  向着前面的方向。

- 에 (助词) : 앞말이 어떤 장소나 자리임을 나타내는 조사.
  无对应词汇
  表示某个处所或地点。

- **하얀색 (名词)** : 눈이나 우유의 빛깔과 같이 밝고 선명한 흰색.
  白色
  像雪或牛奶一样明亮而鲜明的颜色。

- **머리카락 (名词)** : 머리털 하나하나.
  发丝
  一根根头发。

- 이 (助词) : 어떤 상태나 상황의 대상이나 동작의 주체를 나타내는 조사.
  无对应词汇
  表示行为的主体或状态描述的对象。

- **있다 (形容词)** : 무엇이 어떤 곳에 자리나 공간을 차지하고 존재하는 상태이다.
  在
  某物占有某处位置或空间。

- -어 (语尾) : (두루낮춤으로) 어떤 사실을 서술하거나 물음, 명령, 권유를 나타내는 종결 어미.
  无对应词汇
  (普卑) 表示陈述某种事实、询问、命令或劝说。

엄마 : 이제 엄마+도 흰머리+가 점점 많이 생기+네.

• **이제 (副词)** : 지금의 시기가 되어.
  这就
  到此时。

• **엄마 (名词)** : 격식을 갖추지 않아도 되는 상황에서 어머니를 이르거나 부르는 말.
  妈妈
  在非正式场合用于指称或称呼母亲。

• **도 (助词)** : 이미 있는 어떤 것에 다른 것을 더하거나 포함함을 나타내는 조사.
  无对应词汇
  表示添加或包括。

• **흰머리 (名词)** : 하얗게 된 머리카락.
  白发，白头发
  变白的头发。

• **가 (助词)** : 어떤 상태나 상황에 놓인 대상이나 동작의 주체를 나타내는 조사.
  无对应词汇
  表示行为的主体或状态描述的对象。

• **점점 (副词)** : 시간이 지남에 따라 정도가 조금씩 더.
  越来越
  程度随着时间的推移而逐渐地。

• **많이 (副词)** : 수나 양, 정도 등이 일정한 기준보다 넘게.
  多
  数、量、程度等超过一定标准地。

• **생기다 (动词)** : 없던 것이 새로 있게 되다.
  有，出现
  新增了原本没有的东西。

• **-네 (语尾)** : (아주낮춤으로) 지금 깨달은 일에 대하여 말함을 나타내는 종결 어미.
  无对应词汇
  (高卑) 表示现在觉察到的事情。

딸 : 나+는 흰머리+가 없+는데 엄마+는 왜 흰머리+가 있+어?

• **나 (代词)** : 말하는 사람이 친구나 아랫사람에게 자기를 가리키는 말.

我

说话人在朋友或晚辈面前用来指称自己。

• **는 (助词)** : 어떤 대상이 다른 것과 대조됨을 나타내는 조사.

无对应词汇

表示某个对象与另一个形成对照。

• **흰머리 (名词)** : 하얗게 된 머리카락.

白发，白头发

变白的头发。

• **가 (助词)** : 어떤 상태나 상황에 놓인 대상이나 동작의 주체를 나타내는 조사.

无对应词汇

表示行为的主体或状态描述的对象。

• **없다 (形容词)** : 사람, 사물, 현상 등이 어떤 곳에 자리나 공간을 차지하고 존재하지 않는 상태이다.

不在

人、事物、现象等不占据某处或空间。

• **-는데 (语尾)** : 뒤의 말을 하기 위하여 그 대상과 관련이 있는 상황을 미리 말함을 나타내는 연결 어미.

无对应词汇

表示为了说后面的话而先说与其相关的状况。

• **엄마 (名词)** : 격식을 갖추지 않아도 되는 상황에서 어머니를 이르거나 부르는 말.

妈妈

在非正式场合用于指称或称呼母亲。

• **는 (助词)** : 어떤 대상이 다른 것과 대조됨을 나타내는 조사.

无对应词汇

表示某个对象与另一个形成对照。

• **왜 (副词)** : 무슨 이유로. 또는 어째서.

为什么

因什么原因；或指怎么。

• **흰머리 (名词)** : 하얗게 된 머리카락.

白发，白头发

变白的头发。

딸 : 나+는 흰머리+가 없+는데 엄마+는 왜 흰머리+가 있+어?

- 가 (助词) : 어떤 상태나 상황에 놓인 대상이나 동작의 주체를 나타내는 조사.
  无对应词汇
  表示行为的主体或状态描述的对象。

- 있다 (形容词) : 무엇이 어떤 곳에 자리나 공간을 차지하고 존재하는 상태이다.
  在
  某物占有某处位置或空间。

- -어 (语尾) : (두루낮춤으로) 어떤 사실을 서술하거나 물음, 명령, 권유를 나타내는 종결 어미.
  无对应词汇
  (普卑) 表示陈述某种事实、询问、命令或劝说。

딸 : 흰머리+가 왜 생기+는지 궁금하+여.
궁금해

- **흰머리 (名词)** : 하얗게 된 머리카락.
  白发 , 白头发
  变白的头发。

- **가 (助词)** : 어떤 상태나 상황에 놓인 대상이나 동작의 주체를 나타내는 조사.
  无对应词汇
  表示行为的主体或状态描述的对象。

- **왜 (副词)** : 무슨 이유로. 또는 어째서.
  为什么
  因什么原因；或指怎么。

- **생기다 (动词)** : 없던 것이 새로 있게 되다.
  有 , 出现
  新增了原本没有的东西。

- **-는지 (语尾)** : 뒤에 오는 말의 내용에 대한 막연한 이유나 판단을 나타내는 연결 어미.
  无对应词汇
  表示模糊的原因或判断。

- **궁금하다 (形容词)** : 무엇이 무척 알고 싶다.
  好奇 , 纳闷儿
  非常想知道。

- **-여 (语尾)** : (두루낮춤으로) 어떤 사실을 서술하거나 물음, 명령, 권유를 나타내는 종결 어미.
  无对应词汇
  (普卑) 表示陈述某种事实、询问、命令或劝说。

> 엄마 : 우리 딸+이 엄마 말+을 안 듣(들)+어서 엄마+가 속+이 상하+거나
> **들어서**
>
> 슬프(슬ㅍ)+어지+면 흰머리+가 한 개+씩 생기+더라고.
> **슬퍼지면**

- **우리 (代词)** : 말하는 사람이 자기보다 높지 않은 사람에게 자기와 관련된 것을 친근하게 나타낼 때 쓰는 말.

  我，我们

  说话人亲切地指代与自己有关的一些对象。一般对没有自己身份地位高的人使用。

- **딸 (名词)** : 부모가 낳은 아이 중 여자. 여자인 자식.

  女儿

  由父母所生的子女中的女性；女性孩子。

- **이 (助词)** : 어떤 상태나 상황의 대상이나 동작의 주체를 나타내는 조사.

  无对应词汇

  表示行为的主体或状态描述的对象。

- **엄마 (名词)** : 격식을 갖추지 않아도 되는 상황에서 어머니를 이르거나 부르는 말.

  妈妈

  在非正式场合用于指称或称呼母亲。

- **말 (名词)** : 생각이나 느낌을 표현하고 전달하는 사람의 소리.

  声，声音

  表达想法或感觉的人的声响。

- **을 (助词)** : 동작이 직접적으로 영향을 미치는 대상을 나타내는 조사.

  无对应词汇

  表示动作直接涉及的对象。

- **안 (副词)** : 부정이나 반대의 뜻을 나타내는 말.

  不

  表示否定或反对。

- **듣다 (动词)** : 다른 사람이 말하는 대로 따르다.

  听，听从

  顺从别人所说的话。

- **-어서 (语尾)** : 이유나 근거를 나타내는 연결 어미.

  无对应词汇

  表示理由或根据。

- **엄마 (名词)** : 격식을 갖추지 않아도 되는 상황에서 어머니를 이르거나 부르는 말.
  妈妈
  在非正式场合用于指称或称呼母亲。

- **가 (助词)** : 어떤 상태나 상황에 놓인 대상이나 동작의 주체를 나타내는 조사.
  无对应词汇
  表示行为的主体或状态描述的对象。

- **속 (名词)** : 품고 있는 마음이나 생각.
  心思，心眼
  怀有的心或想法。

- **이 (助词)** : 어떤 상태나 상황의 대상이나 동작의 주체를 나타내는 조사.
  无对应词汇
  表示行为的主体或状态描述的对象。

- **상하다 (动词)** : 싫은 일을 당하여 기분이 안 좋아지거나 마음이 불편해지다.
  伤害，破坏
  遭遇不情愿的事而变得心情不佳或心里不舒畅。

- **-거나 (语尾)** : 앞에 오는 말과 뒤에 오는 말 중에서 하나가 선택될 수 있음을 나타내는 연결 어미.
  无对应词汇
  表示前面的内容和后面的内容中可以任选一个。

- **슬프다 (形容词)** : 눈물이 날 만큼 마음이 아프고 괴롭다.
  悲伤的，伤心的
  心里痛苦难受得落泪。

- **-어지다 (表达)** : 앞에 오는 말이 나타내는 대로 행동하게 되거나 그 상태로 됨을 나타내는 표현.
  无对应词汇
  表示按照前面所指内容行动或成为那样的状态。

- **-면 (语尾)** : 뒤에 오는 말에 대한 근거나 조건이 됨을 나타내는 연결 어미.
  无对应词汇
  表示前句为后句的根据或条件。

- **흰머리 (名词)** : 하얗게 된 머리카락.
  白发，白头发
  变白的头发。

- **가 (助词)** : 어떤 상태나 상황에 놓인 대상이나 동작의 주체를 나타내는 조사.
  无对应词汇
  表示行为的主体或状态描述的对象。

• **한 (冠形词)** : 하나의.
　一
　一个的。

• **개 (名词)** : 낱으로 떨어진 물건을 세는 단위.
　个
　计算单个东西的计量单位。

• **씩 (词缀)** : '그 수량이나 크기로 나눔'의 뜻을 더하는 접미사.
　无对应词汇
　指"按其数量或大小进行分类"。

• **생기다 (动词)** : 없던 것이 새로 있게 되다.
　有 , 出现
　新增了原本没有的东西。

• **-더라고 (表达)** : (두루낮춤으로) 과거에 경험하여 새로 알게 된 사실에 대해 지금 상대방에게 옮겨 전할
　　　　　　　　　때 쓰는 표현.
　无对应词汇
　(普卑) 表示现在向对方转述过去经历所得知的新事实。

엄마 : 그러니까 앞+으로 엄마+가 하+는 말 잘 듣(들)+[어야 되]+어.
　　　　　　　　　　　　　　　　　　　들어야 돼

• **그러니까 (副词)** : 그런 이유로. 또는 그런 까닭에.
　因此 , 所以
　因为那个原因；或因为那样的缘故。

• **앞 (名词)** : 다가올 시간.
　以后 , 未来
　将来的时间。

• **으로 (助词)** : 시간을 나타내는 조사.
　无对应词汇
　表示时间。

• **엄마 (名词)** : 격식을 갖추지 않아도 되는 상황에서 어머니를 이르거나 부르는 말.
　妈妈
　在非正式场合用于指称或称呼母亲。

- 가 (助词) : 어떤 상태나 상황에 놓인 대상이나 동작의 주체를 나타내는 조사.
  无对应词汇
  表示行为的主体或状态描述的对象。

- 하다 (动词) : 어떤 행동이나 동작, 활동 등을 행하다.
  做, 干
  进行某种行动、动作或活动。

- -는 (语尾) : 앞의 말이 관형어의 기능을 하게 만들고 사건이나 동작이 현재 일어남을 나타내는 어미.
  无对应词汇
  使前面的词具有定语功能，表示事件或动作现在正在发生。

- 말 (名词) : 생각이나 느낌을 표현하고 전달하는 사람의 소리.
  声, 声音
  表达想法或感觉的人的声响。

- 잘 (副词) : 관심을 집중해서 주의 깊게.
  仔细地, 专注地
  集中注意力地。

- 듣다 (动词) : 다른 사람이 말하는 대로 따르다.
  听, 听从
  顺从别人所说的话。

- -어야 되다 (表达) : 반드시 그럴 필요나 의무가 있음을 나타내는 표현.
  无对应词汇
  表示有必要或义务一定要如此。

- -어 (语尾) : (두루낮춤으로) 어떤 사실을 서술하거나 물음, 명령, 권유를 나타내는 종결 어미.
  无对应词汇
  (普卑) 表示陈述某种事实、询问、命令或劝说。

딸+은 잠시 동안 생각+을 하+다가 엄마+에게 다시 묻(물)+었+다.
물었다

- 딸 (名词) : 부모가 낳은 아이 중 여자. 여자인 자식.
  女儿
  由父母所生的子女中的女性；女性孩子。

- 은 (助词) : 문장 속에서 어떤 대상이 화제임을 나타내는 조사.
  无对应词汇
  表示某个对象是句中的话题。

• **잠시 (名词)** : 잠깐 동안.

  片刻，暂时

  一小会儿。

• **동안 (名词)** : 한때에서 다른 때까지의 시간의 길이.

  期间

  从某一时期另一时期之间的时间长度。

• **생각 (名词)** : 사람이 머리를 써서 판단하거나 인식하는 것.

  想，思考

  人动脑子后做出判断或认知。

• **을 (助词)** : 동작이 직접적으로 영향을 미치는 대상을 나타내는 조사.

  无对应词汇

  表示动作直接涉及的对象。

• **하다 (动词)** : 어떤 행동이나 동작, 활동 등을 행하다.

  做，干

  进行某种行动、动作或活动。

• **-다가 (语尾)** : 어떤 행동이나 상태 등이 중단되고 다른 행동이나 상태로 바뀜을 나타내는 연결 어미.

  无对应词汇

  表示某个动作或状态等中断后转为另一动作或状态。

• **엄마 (名词)** : 격식을 갖추지 않아도 되는 상황에서 어머니를 이르거나 부르는 말.

  妈妈

  在非正式场合用于指称或称呼母亲。

• **에게 (助词)** : 어떤 행동이 미치는 대상임을 나타내는 조사.

  无对应词汇

  表示某个动作所涉及的对象。

• **다시 (副词)** : 같은 말이나 행동을 반복해서 또.

  再，再次

  反复相同的话或行动。

• **묻다 (动词)** : 대답이나 설명을 요구하며 말하다.

  问

  要求回答或说明。

• **-었- (语尾)** : 사건이 과거에 일어났음을 나타내는 어미.

  无对应词汇

  表示事件发生在过去。

- -다 (语尾) : 어떤 사건이나 사실, 상태를 서술함을 나타내는 종결 어미.

  无对应词汇

  表示陈述某个事件、事实或状态。

| 딸 : 엄마, 외할머니 머리+는 전부 <u>하얀색+이+ㄴ데</u>? |
| 하얀색인데 |

- **엄마 (名词)** : 격식을 갖추지 않아도 되는 상황에서 어머니를 이르거나 부르는 말.

  妈妈

  在非正式场合用于指称或称呼母亲。

- **외할머니 (名词)** : 어머니의 친어머니를 이르거나 부르는 말.

  外婆，姥姥，外祖母

  用于指称或称呼母亲的母亲。

- **머리 (名词)** : 머리에 난 털.

  头发

  生长在头上的毛发。

- 는 (助词) : 문장 속에서 어떤 대상이 화제임을 나타내는 조사.

  无对应词汇

  表示某个对象是句中的话题。

- **전부 (副词)** : 빠짐없이 다.

  全部

  一个不漏全都。

- **하얀색 (名词)** : 눈이나 우유의 빛깔과 같이 밝고 선명한 흰색.

  白色

  像雪或牛奶一样明亮而鲜明的颜色。

- 이다 (助词) : 주어가 지시하는 대상의 속성이나 부류를 지정하는 뜻을 나타내는 서술격 조사.

  无对应词汇

  表示指定主语所指示的属性或类型。

- -ㄴ데 (语尾) : (두루낮춤으로) 듣는 사람의 반응을 기대하며 어떤 일에 대해 감탄함을 나타내는 종결 어미.

  无对应词汇

  (普卑) 表示感叹，同时期待听话人的反应。

< 14 단원(単元) >

제목 : 혹시 그 여자가 이 아이였습니까?

● 본문 (原文)

한 택시 기사가 젊은 여자 손님을 태우게 되었다.

그 여자는 집으로 가는 내내 창백한 얼굴로 멍하니 창밖을 바라보고 있었다.

이윽고 택시는 여자의 집에 도착했다.

여자 : 기사님, 잠시만 기다려 주세요.

　　　집에 들어가서 택시비 금방 가지고 나올게요.

하지만 한참을 기다려도 여자가 돌아오지 않자 화가 난 택시 기사는 그 집 문을 두드렸고, 잠시 후 안에서 중년의 남자가 나왔다.

택시 기사가 자초지종을 얘기하자 남자는 깜짝 놀라며 안으로 들어갔다가 사진 한 장을 들고 나와 택시 기사한테 물었다.

남자 : 혹시 그 여자가 이 아이였습니까?

택시 기사 : 네, 맞아요.

남자 : 아이고, 오늘이 네 제삿날인 줄 알고 왔구나.

흐느끼는 남자의 모습을 본 택시 기사는 순간 무서웠는지 그냥 도망가 버렸다.

그때 여자가 나오며 하는 말.

여자 : 아빠, 나 잘했지?

남자 : 오냐, 다음부터는 모범택시를 타도록 해라.

● 발음 (发音)

한 택시 기사가 젊은 여자 손님을 태우게 되었다.
한 택씨 기사가 절믄 여자 손니믈 태우게 되얻따.
han taeksi gisaga jeolmeun yeoja sonnimeul taeuge doeeotda.

그 여자는 집으로 가는 내내 창백한 얼굴로 멍하니 창밖을 바라보고 있었다.
그 여자는 지브로 가는 내내 창배칸 얼굴로 멍하니 창바끌 바라보고 이썯따.
geu yeojaneun jibeuro ganeun naenae changbaekan eolgullo meonghani changbakkeul barabogo isseotda.

이윽고 택시는 여자의 집에 도착했다.
이윽꼬 택씨는 여자에 지베 도차캗따.
ieukgo taeksineun yeojaui(yeojae) jibe dochakaetda.

여자 : 기사님, 잠시만 기다려 주세요.
여자 : 기사님, 잠시만 기다려 주세요.
yeoja : gisanim, jamsiman gidaryeo juseyo.

집에 들어가서 택시비 금방 가지고 나올게요.
지베 드러가서 택씨비 금방 가지고 나올께요.
jibe deureogaseo taeksibi geumbang gajigo naolgeyo.

하지만 한참을 기다려도 여자가 돌아오지 않자 화가 난 택시 기사는 그 집 문을 두드렸고, 잠시 후
하지만 한차믈 기다려도 여자가 도라오지 안차 화가 난 택씨 기사는 그 집 무늘 두드렫꼬, 잠시 후
hajiman hanchameul gidaryeodo yeojaga doraoji ancha hwaga nan taeksi gisaneun geu jip muneul dudeuryeotgo, jamsi hu

안에서 중년의 남자가 나왔다.
아네서 중녀네 남자가 나왇따.
aneseo jungnyeonui(jungnyeone) namjaga nawatda.

택시 기사가 자초지종을 얘기하자 남자는 깜짝 놀라며 안으로 들어갔다가 사진 한 장을 들고 나와
택씨 기사가 자초지종을 얘기하자 남자는 깜짝 놀라며 아느로 드러갇따가 사진 한 장을 들고 나와
taeksi gisaga jachojijongeul yaegihaja namjaneun kkamjjak nollamyeo aneuro deureogatdaga sajin han jangeul deulgo nawa

택시 기사한테 물었다.
택씨 기사한테 무럳따.
taeksi gisahante mureotda.

남자 : 혹시 그 여자가 이 아이였습니까?
남자 : 혹씨 그 여자가 이 아이엳씀니까?
namja : hoksi geu yeojaga i aiyeotseumnikka?

택시 기사 : 네, 맞아요.
택씨 기사 : 네, 마자요.
taeksi gisa : ne, majayo.

남자 : 아이고, 오늘이 네 제삿날인 줄 알고 왔구나.
남자 : 아이고, 오느리 네 제산나린 줄 알고 왇꾸나.
namja : aigo, oneuri ne jesannarin jul algo watguna.

흐느끼는 남자의 모습을 본 택시 기사는 순간 무서웠는지 그냥 도망가 버렸다.
흐느끼는 남자에 모스블 본 택씨 기사는 순간 무서원는지 그냥 도망가 버렫따.
heuneukkineun namjaui(namjae) moseubeul bon taeksi gisaneun sungan museowonneunji geunyang domangga beoryeotda.

그때 여자가 나오며 하는 말.
그때 여자가 나오며 하는 말.
geuttae yeojaga naomyeo haneun mal.

여자 : 아빠, 나 잘했지?
여자 : 아빠, 나 잘핻찌?
yeoja : appa, na jalhaetji?

남자 : 오냐, 다음부터는 모범택시를 타도록 해라.
남자 : 오냐, 다음부터는 모범택씨를 타도록 해라.
namja : onya, daeumbuteoneun mobeomtaeksireul tadorok haera.

● 어휘 (词汇) / 문법 (语法)

한 택시 기사+가 젊+은 여자 손님+을 태우+<u>게 되</u>+었+다.

그 여자+는 집+으로 가+는 내내 창백하+ㄴ 얼굴+로 멍하니 창밖+을 바라보+<u>고 있</u>+었+다.

이윽고 택시+는 여자+의 집+에 도착하+였+다.

여자 : 기사+님, 잠시+만 기다리+<u>어 주</u>+세요.

　　　　집+에 들어가+(아)서 택시+비 금방 가지+고 나오+ㄹ게요.

하지만 한참+을 기다리+어도 여자+가 돌아오+<u>지 않</u>+자 화+가 나+ㄴ 택시 기사+는 그 집 문+을

두드리+었+고, 잠시 후 안+에서 중년+의 남자+가 나오+았+다.

택시 기사+가 자초지종+을 얘기하+자 남자+는 깜짝 놀라+며 안+으로 들어가+았+다가 사진 한 장+을

들+고 나오+아 택시 기사+한테 묻(물)+었+다.

남자 : 혹시 그 여자+가 이 아이+이+었+습니까?

택시 기사 : 네, 맞+아요.

남자 : 아이고, 오늘+이 너+의 제삿날+이+<u>ㄴ 줄</u> 알+고 오+았+구나.

흐느끼+는 남자+의 모습+을 보+ㄴ 택시 기사+는 순간 무섭(무서우)+었+는지 그냥 도망가+<u>(아) 버리</u>+었+다.

그때 여자+가 나오+며 하+는 말.

여자 : 아빠, 나 잘하+였+지?

남자 : 오냐, 다음+부터+는 모범택시+를 타+<u>도록 하</u>+여라.

한 택시 기사+가 젊+은 여자 손님+을 태우+[게 되]+었+다.

- **한 (冠形词)** : 여럿 중 하나인 어떤.
  一个
  多个中的一个。

- **택시 (名词)** : 돈을 받고 손님이 원하는 곳까지 태워 주는 일을 하는 승용차.
  出租车
  收费后，将客人送到其指定地点的汽车。

- **기사 (名词)** : 직업적으로 자동차나 기계 등을 운전하는 사람.
  司机，驾驶员，操作员
  职业驾驶汽车或操作机械设备等的人。

- **가 (助词)** : 어떤 상태나 상황에 놓인 대상이나 동작의 주체를 나타내는 조사.
  无对应词汇
  表示行为的主体或状态描述的对象。

- **젊다 (形容词)** : 나이가 한창때에 있다.
  年青，年轻
  正值壮年。

- **-은 (语尾)** : 앞의 말이 관형어의 기능을 하게 만들고 현재의 상태를 나타내는 어미.
  无对应词汇
  使前面的词具有定语功能，表示现在的状态。

- **여자 (名词)** : 여성으로 태어난 사람.
  女子，女人
  作为女性出生的人。

- **손님 (名词)** : 버스나 택시 등과 같은 교통수단을 이용하는 사람.
  乘客
  利用公共汽车或出租车等交通手段的人。

- **을 (助词)** : 동작이 직접적으로 영향을 미치는 대상을 나타내는 조사.
  无对应词汇
  表示动作直接涉及的对象。

- **태우다 (动词)** : 차나 배와 같은 탈것이나 짐승의 등에 타게 하다.
  承载，载
  让人坐到车或船等交通工具或马等动物的背上。

- -게 되다 (表达) : 앞의 말이 나타내는 상태나 상황이 됨을 나타내는 표현.
  无对应词汇
  表示成为前面内容所表达的状态或状况。

- -었- (语尾) : 어떤 사건이 과거에 완료되었거나 그 사건의 결과가 현재까지 지속되는 상황을 나타내는 어미.
  无对应词汇
  表示某一事件已结束或其结果保持到现在。

- -다 (语尾) : 어떤 사건이나 사실, 상태를 서술함을 나타내는 종결 어미.
  无对应词汇
  表示陈述某个事件、事实或状态。

그 여자+는 집+으로 가+는 내내 창백하+ㄴ 얼굴+로 멍하니 창밖+을 바라보+[고 있]+었+다.
창백한

- 그 (冠形词) : 앞에서 이미 이야기한 대상을 가리킬 때 쓰는 말.
  那个
  指代前面已经讲过的对象。

- 여자 (名词) : 여성으로 태어난 사람.
  女子 , 女人
  作为女性出生的人。

- 는 (助词) : 문장 속에서 어떤 대상이 화제임을 나타내는 조사.
  无对应词汇
  表示文中某个对象成为话题。

- 집 (名词) : 사람이나 동물이 추위나 더위 등을 막고 그 속에 들어 살기 위해 지은 건물.
  房子 , 窝 , 巢
  人或动物为了遮寒挡暑等 , 进里面生活而盖的建筑物。

- 으로 (助词) : 움직임의 방향을 나타내는 조사.
  无对应词汇
  表示移动的方向。

- 가다 (动词) : 한 곳에서 다른 곳으로 장소를 이동하다.
  去
  从一个地方移动到另一个地方。

- -는 (语尾) : 앞의 말이 관형어의 기능을 하게 만들고 사건이나 동작이 현재 일어남을 나타내는 어미.
  无对应词汇
  使前面的词具有定语功能 , 表示事件或动作现在正在发生。

- **내내 (副词)** : 처음부터 끝까지 계속해서.

  始终，一直

  从开始到最后持续着。

- **창백하다 (形容词)** : 얼굴이나 피부가 푸른빛이 돌 만큼 핏기 없이 하얗다.

  苍白，煞白，惨白

  脸部或皮肤颜色有些泛青，发白没有血色。

- **-ㄴ (语尾)** : 앞의 말이 관형어의 기능을 하게 만들고 현재의 상태를 나타내는 어미.

  无对应词汇

  使前面的词具有定语功能，表示现在的状态。

- **얼굴 (名词)** : 어떠한 심리 상태가 겉으로 드러난 표정.

  脸色

  某种心理状态表露于外的表情。

- **로 (助词)** : 어떤 일의 방법이나 방식을 나타내는 조사.

  无对应词汇

  表示某事的方法或方式。

- **멍하니 (副词)** : 정신이 나간 것처럼 가만히.

  呆滞地，愣愣地

  精神恍惚，呆呆地。

- **창밖 (名词)** : 창문의 밖.

  窗外

  窗户外面。

- **을 (助词)** : 동작이 직접적으로 영향을 미치는 대상을 나타내는 조사.

  无对应词汇

  表示动作直接涉及的对象。

- **바라보다 (动词)** : 바로 향해 보다.

  望，看

  正对着看。

- **-고 있다 (表达)** : 앞의 말이 나타내는 행동이 계속 진행됨을 나타내는 표현.

  正，在，正在

  表示持续进行前一句所指的行为。

- **-었- (语尾)** : 어떤 사건이 과거에 완료되었거나 그 사건의 결과가 현재까지 지속되는 상황을 나타내는 어미.

  无对应词汇

  表示某一事件已结束或其结果保持到现在。

• -다 (语尾) : 어떤 사건이나 사실, 상태를 서술함을 나타내는 종결 어미.

　无对应词汇

　表示陈述某个事件、事实或状态。

이윽고 택시+는 여자+의 집+에 도착하+였+다.

도착했다

• **이윽고 (副词)** : 시간이 얼마쯤 흐른 뒤에 드디어.

　不一会儿 , 不大会儿

　时间过了一些之后终于。

• **택시 (名词)** : 돈을 받고 손님이 원하는 곳까지 태워 주는 일을 하는 승용차.

　出租车

　收费后 , 将客人送到其指定地点的汽车。

• **는 (助词)** : 문장 속에서 어떤 대상이 화제임을 나타내는 조사.

　无对应词汇

　表示文中某个对象成为话题。

• **여자 (名词)** : 여성으로 태어난 사람.

　女子 , 女人

　作为女性出生的人。

• **의 (助词)** : 앞의 말이 뒤의 말에 대하여 소유, 소속, 소재, 관계, 기원, 주체의 관계를 가짐을 나타내는
　　　　　　　조사.

　的

　表示所有、所属、所在、关系、来源、主体等关系。

• **집 (名词)** : 사람이나 동물이 추위나 더위 등을 막고 그 속에 들어 살기 위해 지은 건물.

　房子 , 窝 , 巢

　人或动物为了遮寒挡暑等 , 进里面生活而盖的建筑物。

• **에 (助词)** : 앞말이 목적지이거나 어떤 행위의 진행 방향임을 나타내는 조사.

　无对应词汇

　表示目的地或某行为进行的方向。

• **도착하다 (动词)** : 목적지에 다다르다.

　到达

　抵达目的地。

- -였- (语尾) : 어떤 사건이 과거에 완료되었거나 그 사건의 결과가 현재까지 지속되는 상황을 나타내는 어미.

  无对应词汇

  表示某一事件已结束或其结果保持到现在。

- -다 (语尾) : 어떤 사건이나 사실, 상태를 서술함을 나타내는 종결 어미.

  无对应词汇

  表示陈述某个事件、事实或状态。

여자 : 기사+님, 잠시+만 기다리+[어 주]+세요.
기다려 주세요

- **기사 (名词)** : 직업적으로 자동차나 기계 등을 운전하는 사람.

  司机，驾驶员，操作员

  职业驾驶汽车或操作机械设备等的人。

- **님 (词缀)** : '높임'의 뜻을 더하는 접미사.

  无对应词汇

  指"敬称"。

- **잠시 (副词)** : 잠깐 동안에.

  暂时，一会儿

  在很短的时间之内。

- **만 (助词)** : 무엇을 강조하는 뜻을 나타내는 조사.

  无对应词汇

  表示强调。

- **기다리다 (动词)** : 사람, 때가 오거나 어떤 일이 이루어질 때까지 시간을 보내다.

  等，等待

  直到人、时机到来或某事完成为止，一直打发时间。

- **-어 주다 (表达)** : 남을 위해 앞의 말이 나타내는 행동을 함을 나타내는 표현.

  给

  表示为别人做前面表达的行动。

- **-세요 (语尾)** : (두루높임으로) 설명, 의문, 명령, 요청의 뜻을 나타내는 종결 어미.

  无对应词汇

  (普尊) 表示说明、疑问、命令、请求。

여자 : 집+에 <u>들어가</u>+(아)서 택시+비 금방 가지+고 <u>나오</u>+르게요.
　　　　　　　들어가서　　　　　　　　　　　**나올게요**

- **집 (名词)** : 사람이나 동물이 추위나 더위 등을 막고 그 속에 들어 살기 위해 지은 건물.
  房子 , 窝 , 巢
  人或动物为了遮寒挡暑等 , 进里面生活而盖的建筑物。

- **에 (助词)** : 앞말이 목적지이거나 어떤 행위의 진행 방향임을 나타내는 조사.
  无对应词汇
  表示目的地或某行为进行的方向。

- **들어가다 (动词)** : 밖에서 안으로 향하여 가다.
  进 , 进去
  由外往里去。

- **-아서 (语尾)** : 앞의 말과 뒤의 말이 순차적으로 일어남을 나타내는 연결 어미.
  无对应词汇
  表示前后内容依次发生。

- **택시 (名词)** : 돈을 받고 손님이 원하는 곳까지 태워 주는 일을 하는 승용차.
  出租车
  收费后 , 将客人送到其指定地点的汽车。

- **비 (词缀)** : '비용', '돈'의 뜻을 더하는 접미사.
  无对应词汇
  指"费用、钱款"。

- **금방 (副词)** : 시간이 얼마 지나지 않아 곧바로.
  马上 , 立刻 , 立马
  时间过去不久 , 很快。

- **가지다 (动词)** : 무엇을 손에 쥐거나 몸에 지니다.
  持 , 带 , 戴
  手里握着或身上携带着某物。

- **-고 (语尾)** : 앞의 말과 뒤의 말이 차례대로 일어남을 나타내는 연결 어미.
  无对应词汇
  表示前后两件事依次发生。

- **나오다 (动词)** : 안에서 밖으로 오다.
  出 , 出来
  从里面到外面。

- -ㄹ게요 (表达) : (두루높임으로) 말하는 사람이 어떤 행동을 할 것을 듣는 사람에게 약속하거나 의지를 나타내는 표현.

  无对应词汇

  (普尊) 表示说话人向听话人约定做某个行为或表达做某个行为的意志。

하지만 한참+을 기다리+어도 여자+가 돌아오+[지 않]+자 화+가 나+ㄴ 택시 기사+는 그 집 문+을
             기다려도   난

두드리+었+고, 잠시 후 안+에서 중년+의 남자+가 나오+았+다.
  두드렸고   나왔다

- 하지만 (副词) : 내용이 서로 반대인 두 개의 문장을 이어 줄 때 쓰는 말.

  可是 , 但是

  用于连接两个内容相反的分句。

- 한참 (名词) : 시간이 꽤 지나는 동안.

  一阵 , 好一阵 , 好一会 , 老半天 , 大半天

  时间过了很久。

- 을 (助词) : 동작 대상의 수량이나 동작의 순서를 나타내는 조사.

  无对应词汇

  表示动作对象的数量或动作的顺序。

- 기다리다 (动词) : 사람, 때가 오거나 어떤 일이 이루어질 때까지 시간을 보내다.

  等 , 等待

  直到人、时机到来或某事完成为止 , 一直打发时间。

- -어도 (语尾) : 앞에 오는 말을 가정하거나 인정하지만 뒤에 오는 말에는 관계가 없거나 영향을 끼치지 않음을 나타내는 연결 어미.

  无对应词汇

  表示虽然假设或承认前句某种状况 , 但和后句内容没有关系或不会对此造成影响。

- 여자 (名词) : 여성으로 태어난 사람.

  女子 , 女人

  作为女性出生的人。

- 가 (助词) : 어떤 상태나 상황에 놓인 대상이나 동작의 주체를 나타내는 조사.

  无对应词汇

  表示行为的主体或状态描述的对象。

- 돌아오다 (动词) : 원래 있던 곳으로 다시 오거나 다시 그 상태가 되다.

  回 , 回来 , 归来

  返回原地或恢复原状。

- **-지 않다 (表达)** : 앞의 말이 나타내는 행위나 상태를 부정하는 뜻을 나타내는 표현.
  无对应词汇
  表示否定前面所指的行为或状态。

- **-자 (语尾)** : 앞에 오는 말이 뒤에 오는 말의 원인이나 동기가 됨을 나타내는 연결 어미.
  无对应词汇
  表示前句是后句的原因或动因。

- **화 (名词)** : 몹시 못마땅하거나 노여워하는 감정.
  火，气
  十分不满意或恼怒的情绪。

- **가 (助词)** : 어떤 상태나 상황에 놓인 대상이나 동작의 주체를 나타내는 조사.
  无对应词汇
  表示行为的主体或状态描述的对象。

- **나다 (动词)** : 어떤 감정이나 느낌이 생기다.
  生，产生
  出现某种情感或感觉。

- **-ㄴ (语尾)** : 앞의 말이 관형어의 기능을 하게 만들고 사건이나 동작이 완료되어 그 상태가 유지되고 있음을 나타내는 어미.
  无对应词汇
  使前面的词具有定语功能，表示事件或动作完成后其状态一直持续。

- **택시 (名词)** : 돈을 받고 손님이 원하는 곳까지 태워 주는 일을 하는 승용차.
  出租车
  收费后，将客人送到其指定地点的汽车。

- **기사 (名词)** : 직업적으로 자동차나 기계 등을 운전하는 사람.
  司机，驾驶员，操作员
  职业驾驶汽车或操作机械设备等的人。

- **는 (助词)** : 문장 속에서 어떤 대상이 화제임을 나타내는 조사.
  无对应词汇
  表示文中某个对象成为话题。

- **그 (冠形词)** : 앞에서 이미 이야기한 대상을 가리킬 때 쓰는 말.
  那个
  指代前面已经讲过的对象。

- **집 (名词)** : 사람이나 동물이 추위나 더위 등을 막고 그 속에 들어 살기 위해 지은 건물.
  房子，窝，巢
  人或动物为了遮寒挡暑等，进里面生活而盖的建筑物。

· **문 (名词)** : 사람이 안과 밖을 드나들거나 물건을 넣고 꺼낼 수 있게 하기 위해 열고 닫을 수 있도록 만
든 시설.

门

为了能让人出入或能拿放东西而制作的可以开关的设施。

· **을 (助词)** : 동작이 직접적으로 영향을 미치는 대상을 나타내는 조사.

无对应词汇

表示动作直接涉及的对象。

· **두드리다 (动词)** : 소리가 나도록 잇따라 치거나 때리다.

敲，拍打

连续敲击或打击使其发出声音。

· **-었- (语尾)** : 어떤 사건이 과거에 완료되었거나 그 사건의 결과가 현재까지 지속되는 상황을 나타내는
어미.

无对应词汇

表示某一事件已结束或其结果保持到现在。

· **-고 (语尾)** : 앞의 말과 뒤의 말이 차례대로 일어남을 나타내는 연결 어미.

无对应词汇

表示前后两件事依次发生。

· **잠시 (名词)** : 잠깐 동안.

片刻，暂时

一小会儿。

· **후 (名词)** : 얼마만큼 시간이 지나간 다음.

后，以后，之后

一定时间过去以后。

· **안 (名词)** : 어떤 물체나 공간의 둘레에서 가운데로 향한 쪽. 또는 그러한 부분.

里，里面

从某物体或空间的周围向着中间的方向；或指那样的部分。

· **에서 (助词)** : 앞말이 출발점의 뜻을 나타내는 조사.

无对应词汇

表示前面的内容为出发点。

· **중년 (名词)** : 마흔 살 전후의 나이. 또는 그 나이의 사람.

中年

指四十前后的年龄；或指该年龄段的人。

· **의 (助词)** : 앞의 말이 뒤의 말에 대하여 속성이나 수량을 한정하거나 같은 자격임을 나타내는 조사.

无对应词汇

表示限定属性或数量，或相同资格。

- **남자 (名词)** : 남성으로 태어난 사람.

  男子 , 男人

  作为男性出生的人。

- **가 (助词)** : 어떤 상태나 상황에 놓인 대상이나 동작의 주체를 나타내는 조사.

  无对应词汇

  表示行为的主体或状态描述的对象。

- **나오다 (动词)** : 안에서 밖으로 오다.

  出 , 出来

  从里面到外面。

- **-았- (语尾)** : 어떤 사건이 과거에 완료되었거나 그 사건의 결과가 현재까지 지속되는 상황을 나타내는 어미.

  无对应词汇

  表示某一事件已结束或其结果保持到现在。

- **-다 (语尾)** : 어떤 사건이나 사실, 상태를 서술함을 나타내는 종결 어미.

  无对应词汇

  表示陈述某个事件、事实或状态。

택시 기사+가 자초지종+을 얘기하+자 남자+는 깜짝 놀라+며 안+으로 들어가+았+다가 사진 한 장+을
들어갔다가

들+고 나오+아 택시 기사+한테 묻(물)+었+다.
　　　　나와　　　　　　　　　　　물었다

- **택시 (名词)** : 돈을 받고 손님이 원하는 곳까지 태워 주는 일을 하는 승용차.

  出租车

  收费后 , 将客人送到其指定地点的汽车。

- **기사 (名词)** : 직업적으로 자동차나 기계 등을 운전하는 사람.

  司机 , 驾驶员 , 操作员

  职业驾驶汽车或操作机械设备等的人。

- **가 (助词)** : 어떤 상태나 상황에 놓인 대상이나 동작의 주체를 나타내는 조사.

  无对应词汇

  表示行为的主体或状态描述的对象。

- **자초지종 (名词)** : 처음부터 끝까지의 모든 과정.

  从头到尾 , 自始至终

  从一开始到结束的全过程。

- 을 (助词) : 동작이 직접적으로 영향을 미치는 대상을 나타내는 조사.
  无对应词汇
  表示动作直接涉及的对象。

- 얘기하다 (动词) : 어떠한 사실이나 상태, 현상, 경험, 생각 등에 관해 누군가에게 말을 하다.
  说，讲
  就某个事实、状态、现象、经验或想法等向某人说话。

- -자 (语尾) : 앞에 오는 말이 뒤에 오는 말의 원인이나 동기가 됨을 나타내는 연결 어미.
  无对应词汇
  表示前句是后句的原因或动因。

- 남자 (名词) : 남성으로 태어난 사람.
  男子，男人
  作为男性出生的人。

- 는 (助词) : 문장 속에서 어떤 대상이 화제임을 나타내는 조사.
  无对应词汇
  表示文中某个对象成为话题。

- 깜짝 (副词) : 갑자기 놀라는 모양.
  一惊
  突然间受惊的样子。

- 놀라다 (动词) : 뜻밖의 일을 당하거나 무서워서 순간적으로 긴장하거나 가슴이 뛰다.
  惊吓，吃惊
  因遭到意外或害怕而在刹那间感到紧张或心跳加速。

- -며 (语尾) : 두 가지 이상의 동작이나 상태가 함께 일어남을 나타내는 연결 어미.
  无对应词汇
  表示同时发生两个以上的动作或状态。

- 안 (名词) : 어떤 물체나 공간의 둘레에서 가운데로 향한 쪽. 또는 그러한 부분.
  里，里面
  从某物体或空间的周围向着中间的方向；或指那样的部分。

- 으로 (助词) : 움직임의 방향을 나타내는 조사.
  无对应词汇
  表示移动的方向。

- 들어가다 (动词) : 밖에서 안으로 향하여 가다.
  进，进去
  由外往里去。

· -았- (语尾) : 어떤 사건이 과거에 완료되었거나 그 사건의 결과가 현재까지 지속되는 상황을 나타내는 어미.

无对应词汇

表示某一事件已结束或其结果保持到现在。

· -다가 (语尾) : 어떤 행동이나 상태 등이 중단되고 다른 행동이나 상태로 바뀜을 나타내는 연결 어미.

无对应词汇

表示某个动作或状态等中断后转为另一动作或状态。

· 사진 (名词) : 사물의 모습을 오래 보존할 수 있도록 사진기로 찍어 종이나 컴퓨터 등에 나타낸 영상.

照片，相片

为将事物的样子长久保存下来而用照相机拍下后在纸或电脑等上显现出的影像。

· 한 (冠形词) : 하나의.

一

一个的。

· 장 (名词) : 종이나 유리와 같이 얇고 넓적한 물건을 세는 단위.

张，枚，纸

计算纸张、照片等薄而宽的东西的数量单位。

· 을 (助词) : 동작이 직접적으로 영향을 미치는 대상을 나타내는 조사.

无对应词汇

表示动作直接涉及的对象。

· 들다 (动词) : 손에 가지다.

带，提，拎

手里拿着。

· -고 (语尾) : 앞의 말이 나타내는 행동이나 그 결과가 뒤에 오는 행동이 일어나는 동안에 그대로 지속됨을 나타내는 연결 어미.

无对应词汇

表示前面的动作或其结果在后面动作进行的过程中一直持续。

· 나오다 (动词) : 안에서 밖으로 오다.

出，出来

从里面到外面。

· -아 (语尾) : 앞의 말이 뒤의 말보다 먼저 일어났거나 뒤의 말에 대한 방법이나 수단이 됨을 나타내는 연결 어미.

无对应词汇

表示前句先于后句发生，或表示前句是后句的方法或手段。

· **택시 (名词)** : 돈을 받고 손님이 원하는 곳까지 태워 주는 일을 하는 승용차.
　出租车
　收费后，将客人送到其指定地点的汽车。

· **기사 (名词)** : 직업적으로 자동차나 기계 등을 운전하는 사람.
　司机，驾驶员，操作员
　职业驾驶汽车或操作机械设备等的人。

· **한테 (助词)** : 어떤 행동이 미치는 대상임을 나타내는 조사.
　无对应词汇
　表示某个动作所涉及的对象。

· **묻다 (动词)** : 대답이나 설명을 요구하며 말하다.
　问
　要求回答或说明。

· **-었- (语尾)** : 어떤 사건이 과거에 완료되었거나 그 사건의 결과가 현재까지 지속되는 상황을 나타내는 어미.
　无对应词汇
　表示某一事件已结束或其结果保持到现在。

· **-다 (语尾)** : 어떤 사건이나 사실, 상태를 서술함을 나타내는 종결 어미.
　无对应词汇
　表示陈述某个事件、事实或状态。

남자 : 혹시 그 여자+가 이 <u>아이+이+었+습니까</u>?
아이였습니까

· **혹시 (副词)** : 그러리라 생각하지만 분명하지 않아 말하기를 망설일 때 쓰는 말.
　是不是，是否
　用于对不确定的事情提出疑问，表示虽认为如此，但因不确定而犹豫要不要说。

· **그 (冠形词)** : 앞에서 이미 이야기한 대상을 가리킬 때 쓰는 말.
　那个
　指代前面已经讲过的对象。

· **여자 (名词)** : 여성으로 태어난 사람.
　女子，女人
　作为女性出生的人。

· 가 (助词) : 어떤 상태나 상황에 놓인 대상이나 동작의 주체를 나타내는 조사.
　无对应词汇
　表示行为的主体或状态描述的对象。

· 이 (冠形词) : 말하는 사람에게 가까이 있거나 말하는 사람이 생각하고 있는 대상을 가리킬 때 쓰는 말.
　这，这个
　用于指示与话者离得近的物品，或用于指示话者所想的对象。

· 아이 (名词) : (낮추는 말로) 자기의 자식.
　孩子
　(谦词) 自己的子女。

· 이다 (助词) : 주어가 지시하는 대상의 속성이나 부류를 지정하는 뜻을 나타내는 서술격 조사.
　无对应词汇
　表示指定主语所指示的属性或类型。

· -었- (语尾) : 어떤 사건이 과거에 완료되었거나 그 사건의 결과가 현재까지 지속되는 상황을 나타내는
　　　　　　어미.
　无对应词汇
　表示某一事件已结束或其结果保持到现在。

· -습니까 (语尾) : (아주높임으로) 말하는 사람이 듣는 사람에게 정중하게 물음을 나타내는 종결 어미.
　无对应词汇
　(高尊) 表示说话人向听话人以郑重的语气询问。

택시 기사 : 네, 맞+아요.

· 네 (叹词) : 윗사람의 물음이나 명령 등에 긍정하여 대답할 때 쓰는 말.
　是，行
　用于肯定回答长辈所提出的问题或命令等。

· 맞다 (动词) : 그렇거나 옳다.
　对
　正是或没错。

· -아요 (语尾) : (두루높임으로) 어떤 사실을 서술하거나 질문, 명령, 권유함을 나타내는 종결 어미.
　无对应词汇
　(普尊) 表示叙述某个事实，或提问、命令、劝说。

남자 : 아이고, 오늘+이 너+의 제삿날+이+[ㄴ 줄] 알+고 오+았+구나!
　　　　　　 네　　　　 제삿날인 줄　　　　　　 왔구나

- 아이고 (叹词) : 절망하거나 매우 속상하여 한숨을 쉬면서 내는 소리.
  咳 , 唉
  感到绝望或伤心而叹气的声音。

- 오늘 (名词) : 지금 지나가고 있는 이날.
  今天 , 今日
  现在正在度过的这一天。

- 이 (助词) : 어떤 상태나 상황에 놓인 대상이나 동작의 주체를 나타내는 조사.
  无对应词汇
  表示行为的主体或状态描述的对象。

- 너 (代词) : 듣는 사람이 친구나 아랫사람일 때, 그 사람을 가리키는 말.
  你
  指代听者 , 用于朋友或晚辈。

- 의 (助词) : 앞의 말이 뒤의 말에 대하여 소유, 소속, 소재, 관계, 기원, 주체의 관계를 가짐을 나타내는
  　　　　　 조사.
  的
  表示所有、所属、所在、关系、来源、主体等关系。

- 제삿날 (名词) : 제사를 지내는 날.
  祭祀日
  举行祭祀的日子。

- 이다 (助词) : 주어가 지시하는 대상의 속성이나 부류를 지정하는 뜻을 나타내는 서술격 조사.
  无对应词汇
  表示指定主语所指示的属性或类型。

- -ㄴ 줄 (表达) : 어떤 사실이나 상태에 대해 알고 있거나 모르고 있음을 나타내는 표현.
  无对应词汇
  表示知道或不知道某个事实或状态。

- 알다 (动词) : 교육이나 경험, 생각 등을 통해 사물이나 상황에 대한 정보 또는 지식을 갖추다.
  知道 , 明白
  通过教育、经验、思考等来 , 具备与事物或情况相关的信息或知识。

- -고 (语尾) : 앞의 말이 나타내는 행동이나 그 결과가 뒤에 오는 행동이 일어나는 동안에 그대로 지속됨
  　　　　　 을 나타내는 연결 어미.
  无对应词汇
  表示前面的动作或其结果在后面动作进行的过程中一直持续。

- 오다 (动词) : 무엇이 다른 곳에서 이곳으로 움직이다.
  来 , 来到
  从别的地方移动到这个地方。

- -았- (语尾) : 어떤 사건이 과거에 완료되었거나 그 사건의 결과가 현재까지 지속되는 상황을 나타내는 어미.
  无对应词汇
  表示某一事件已结束或其结果保持到现在。

- -구나 (语尾) : (아주낮춤으로) 새롭게 알게 된 사실에 어떤 느낌을 실어 말함을 나타내는 종결 어미.
  无对应词汇
  (高卑) 表示对刚知道的事实有感而发。

흐느끼+는 남자+의 모습+을 보+ㄴ 택시 기사+는 순간 무섭(무서우)+었+는지 그냥
　　　　　　　　　　　　　　본　　　　　　　　　　　무서웠는지

도망가+[(아) 버리]+었+다.
　도망가 버렸다

- 흐느끼다 (动词) : 몹시 슬프거나 감격에 겨워 흑흑 소리를 내며 울다.
  抽泣 , 抽搭
  因非常悲伤或激动而勉强能发出声音哭泣。

- -는 (语尾) : 앞의 말이 관형어의 기능을 하게 만들고 사건이나 동작이 현재 일어남을 나타내는 어미.
  无对应词汇
  使前面的词具有定语功能 , 表示事件或动作现在正在发生。

- 남자 (名词) : 남성으로 태어난 사람.
  男子 , 男人
  作为男性出生的人。

- 의 (助词) : 앞의 말이 뒤의 말에 대하여 소유, 소속, 소재, 관계, 기원, 주체의 관계를 가짐을 나타내는 조사.
  的
  表示所有、所属、所在、关系、来源、主体等关系。

- 모습 (名词) : 겉으로 드러난 상태나 모양.
  样子 , 景象 , 状况
  表露于外的状态或形貌。

- 을 (助词) : 동작이 직접적으로 영향을 미치는 대상을 나타내는 조사.
  无对应词汇
  表示动作直接涉及的对象。

· **보다 (动词)** : 눈으로 대상의 존재나 겉모습을 알다.
　看
　用眼睛识辨对象的存在或外观。

· **-ㄴ (语尾)** : 앞의 말이 관형어의 기능을 하게 만들고 사건이나 동작이 완료되어 그 상태가 유지되고 있음을 나타내는 어미.
　无对应词汇
　使前面的词具有定语功能，表示事件或动作完成后其状态一直持续。

· **택시 (名词)** : 돈을 받고 손님이 원하는 곳까지 태워 주는 일을 하는 승용차.
　出租车
　收费后，将客人送到其指定地点的汽车。

· **기사 (名词)** : 직업적으로 자동차나 기계 등을 운전하는 사람.
　司机，驾驶员，操作员
　职业驾驶汽车或操作机械设备等的人。

· **는 (助词)** : 문장 속에서 어떤 대상이 화제임을 나타내는 조사.
　无对应词汇
　表示文中某个对象成为话题。

· **순간 (名词)** : 어떤 일이 일어나거나 어떤 행동이 이루어지는 바로 그때.
　顿时
　某事发生或某行动实现的当时。

· **무섭다 (形容词)** : 어떤 사람이나 상황이 대하기 어렵거나 피하고 싶다.
　可怕，恐怖，畏惧
　难以面对或想逃避某个人或某种状况。

· **-었- (语尾)** : 어떤 사건이 과거에 완료되었거나 그 사건의 결과가 현재까지 지속되는 상황을 나타내는 어미.
　无对应词汇
　表示某一事件已结束或其结果保持到现在。

· **-는지 (语尾)** : 뒤에 오는 말의 내용에 대한 막연한 이유나 판단을 나타내는 연결 어미.
　无对应词汇
　表示模糊的原因或判断。

· **그냥 (副词)** : 아무 것도 하지 않고 있는 그대로.
　就那样
　什么都不做而原封不动地。

· **도망가다 (动词)** : 피하거나 쫓기어 달아나다.
　逃亡，逃跑
　为躲避或被追赶而逃走。

- -아 버리다 (表达) : 앞의 말이 나타내는 행동이 완전히 끝났음을 나타내는 표현.
  无对应词汇
  表示前面所指的行动完全结束。

- -었- (语尾) : 어떤 사건이 과거에 완료되었거나 그 사건의 결과가 현재까지 지속되는 상황을 나타내는 어미.
  无对应词汇
  表示某一事件已结束或其结果保持到现在。

- -다 (语尾) : 어떤 사건이나 사실, 상태를 서술함을 나타내는 종결 어미.
  无对应词汇
  表示陈述某个事件、事实或状态。

그때 여자+가 나오+며 하+는 말.

- **그때 (名词)** : 앞에서 이야기한 어떤 때.
  那时 , 那时候
  前面所说的某一时间。

- **여자 (名词)** : 여성으로 태어난 사람.
  女子 , 女人
  作为女性出生的人。

- **가 (助词)** : 어떤 상태나 상황에 놓인 대상이나 동작의 주체를 나타내는 조사.
  无对应词汇
  表示行为的主体或状态描述的对象。

- **나오다 (动词)** : 안에서 밖으로 오다.
  出 , 出来
  从里面到外面。

- **-며 (语尾)** : 두 가지 이상의 동작이나 상태가 함께 일어남을 나타내는 연결 어미.
  无对应词汇
  表示同时发生两个以上的动作或状态。

- **하다 (动词)** : 다른 사람의 말이나 생각 등을 나타내는 문장을 받아 뒤에 오는 단어를 꾸미는 말.
  无对应词汇
  承接他人的话或想法等的句子 , 并修饰后面的单词。

- **-는 (语尾)** : 앞의 말이 관형어의 기능을 하게 만들고 사건이나 동작이 현재 일어남을 나타내는 어미.
  无对应词汇
  使前面的词具有定语功能 , 表示事件或动作现在正在发生。

• **말 (名词)** : 생각이나 느낌을 표현하고 전달하는 사람의 소리.
　声 , 声音
　表达想法或感觉的人的声响。

여자 : 아빠, 나 <u>잘하</u>+<u>였</u>+<u>지</u>?
　　　　　　잘했지

• **아빠 (名词)** : 격식을 갖추지 않아도 되는 상황에서 아버지를 이르거나 부르는 말.
　爸爸
　在非正式场合用于指称或称呼父亲。

• **나 (代词)** : 말하는 사람이 친구나 아랫사람에게 자기를 가리키는 말.
　我
　说话人在朋友或晚辈面前用来指称自己。

• **잘하다 (动词)** : 좋고 훌륭하게 하다.
　棒
　做得好、优秀。

• **-였- (语尾)** : 어떤 사건이 과거에 완료되었거나 그 사건의 결과가 현재까지 지속되는 상황을 나타내는 어미.
　无对应词汇
　表示某一事件已结束或其结果保持到现在。

• **-지 (语尾)** : (두루낮춤으로) 말하는 사람이 듣는 사람에게 친근함을 나타내며 물을 때 쓰는 종결 어미.
　无对应词汇
　(普卑) 表示说话人亲切询问听话人。

남자 : 오냐, 다음+부터+는 모범택시+를 <u>타</u>+[<u>도록 하</u>]+<u>여라</u>.
　　　　　　　타도록 해라

• **오냐 (叹词)** : 아랫사람의 물음이나 부탁에 긍정하여 대답할 때 하는 말.
　是 , 行
　用于肯定回答晚辈的提问或命令等。

• **다음 (名词)** : 이번 차례의 바로 뒤.
　下面 , 下一个
　这个次序的后一个。

· 부터 (助词) : 어떤 일의 시작이나 처음을 나타내는 조사.

  从

  表示某事的开始或起始。

· 는 (助词) : 문장 속에서 어떤 대상이 화제임을 나타내는 조사.

  无对应词汇

  表示文中某个对象成为话题。

· 모범택시 (名词) : 일반 택시보다 시설이 좋고 더 나은 서비스를 제공하며 요금이 비싼 택시.

  模范出租车

  (韩国出租车的一种) 设施和服务优于普通出租车，收费标准也高于同行的出租车。

· 를 (助词) : 동작이 직접적으로 영향을 미치는 대상을 나타내는 조사.

  无对应词汇

  表示动作直接涉及的对象。

· 타다 (动词) : 탈것이나 탈것으로 이용하는 짐승의 몸 위에 오르다

  乘，乘坐

  坐到交通工具或当作交通工具的动物背上。

· -도록 하다 (表达) : 듣는 사람에게 어떤 행동을 명령하거나 권유할 때 쓰는 표현.

  无对应词汇

  表示命令或劝告听话人做某种行为。

· -여라 (语尾) : (아주낮춤으로) 명령을 나타내는 종결 어미.

  无对应词汇

  (高卑) 表示命令。

< 15 단원(単元) >

제목 : 왜 아무런 응답이 없으신가요?

● 본문 (原文)

한 남자가 퇴근한 후에 매일 교회에 가서 눈물을 흘리며 기도를 했다.

남자 : 하나님, 복권에 당첨되게 해 주세요.

　　　하나님, 제발 복권에 한 번만 당첨되게 해 주세요.

그렇게 기도한 지 육 개월이 되었지만 남자의 소원은 이뤄지지 않았다.

남자는 너무나 지쳐서 하나님이 원망스러워지기 시작했다.

남자 : 이렇게까지 기도하는데 못 들은 척하시는 무심한 하나님, 정말 너무하세요.

　　　제가 매일 밤 애원하며 기도했는데 왜 아무런 응답이 없으신가요?

그러자 보다 못해 답답한 하나님께서 남자에게 이렇게 말씀하셨다.

하나님 : 일단 복권을 사란 말이야.

● 발음 (发音)

한 남자가 퇴근한 후에 매일 교회에 가서 눈물을 흘리며 기도를 했다.
한 남자가 퇴근한 후에 매일 교회에 가서 눈무를 흘리며 기도를 핻따.
han namjaga toegeunhan hue maeil gyohoee gaseo nunmureul heullimyeo gidoreul haetda.

남자 : 하나님, 복권에 당첨되게 해 주세요.
남자 : 하나님, 복꿘네 당첨되게 해 주세요.
namja : hananim, bokgwone dangcheomdoege hae juseyo.

하나님, 제발 복권에 한 번만 당첨되게 해 주세요.
하나님, 제발 복꿘네 한 번만 당첨되게 해 주세요.
hananim, jebal bokgwone han beonman dangcheomdoege hae juseyo.

그렇게 기도한 지 육 개월이 되었지만 남자의 소원은 이뤄지지 않았다.
그러케 기도한 지 육 개워리 되얻찌만 남자에 소눠는 이뤄지지 아낟따.
geureoke gidohan ji yuk gaewori doeeotjiman namjaui(namjauie) sowoneun irwojiji anatda.

남자는 너무나 지쳐서 하나님이 원망스러워지기 시작했다.
남자는 너무나 지쳐서 하나니미 원망스러워지기 시자캗따.
namjaneun neomuna jicheoseo hananimi wonmangseureowojigi sijakaetda.

남자 : 이렇게까지 기도하는데 못 들은 척하시는 무심한 하나님, 정말 너무하세요.
남자 : 이러케까지 기도하는데 몯 드른 처카시는 무심한 하나님, 정말 너무하세요.
namja : ireokekkaji gidohaneunde mot deureun cheokasineun musimhan hananim, jeongmal neomuhaseyo.

제가 매일 밤 애원하며 기도했는데 왜 아무런 응답이 없으신가요?
제가 매일 밤 애원하며 기도핸는데 왜 아무런 응다비 업쓰신가요?
jega maeil bam aewonhamyeo gidohaenneunde wae amureon eungdabi eopseusingayo?

그러자 보다 못해 답답한 하나님께서 남자에게 이렇게 말씀하셨다.
그러자 보다 모태 답따판 하나님께서 남자에게 이러케 말씀하셛따.
geureoja boda motae dapdapan hananimkkeseo namjaege ireoke malsseumhasyeotda.

하나님 : 일단 복권을 사란 말이야.

하나님 : 일딴 복꿔늘 사란 마리야.

hananim : ildan bokgwoneul saran mariya.

● 어휘 (词汇) / 문법 (语法)

한 남자+가 퇴근하+<u>ㄴ 후에</u> 매일 교회+에 가+(아)서 눈물+을 흘리+며 기도+를 하+였+다.

남자 : 하나님, 복권+에 당첨되+<u>게 하</u>+<u>여 주</u>+세요.

   하나님, 제발 복권+에 한 번+만 당첨되+<u>게 하</u>+<u>여 주</u>+세요.

그렇+게 기도하+<u>ㄴ 지</u> 육 개월+이 되+었+지만 남자+의 소원+은 이루어지+<u>지 않</u>+았+다.

남자+는 너무나 지치+어서 하나님+이 원망스럽(원망스러우)+어지+기 시작하+였+다.

남자 : 이렇+게+까지 기도하+는데 못 듣(들)+<u>은 척하</u>+시+는 무심하+ㄴ 하나님,

   정말 너무하+세요.

   제+가 매일 밤 애원하+며 기도하+였+는데 왜 아무런 응답+이 없+으시+ㄴ가요?

그리하+자 보+<u>다 못하</u>+여 답답하+ㄴ 하나님+께서 남자+에게 이렇+게 말씀하+시+었+다.

하나님 : 일단 복권+을 사+라는 말+이+야.

한 남자+가 <u>퇴근하</u>+[ㄴ 후에] 매일 교회+에 <u>가</u>+<u>(아)서</u> 눈물+을 흘리+며 기도+를 <u>하</u>+<u>였</u>+<u>다</u>.
　　　　　　퇴근한 후에　　　　　　　　**가서**　　　　　　　　　　　**했다**

- **한 (冠形词)** : 여럿 중 하나인 어떤.
  一个
  多个中的一个。

- **남자 (名词)** : 남성으로 태어난 사람.
  男子，男人
  作为男性出生的人。

- **가 (助词)** : 어떤 상태나 상황에 놓인 대상이나 동작의 주체를 나타내는 조사.
  无对应词汇
  表示行为的主体或状态描述的对象。

- **퇴근하다 (动词)** : 일터에서 일을 끝내고 집으로 돌아가거나 돌아오다.
  下班
  做完岗位上的工作，返回家里。

- **-ㄴ 후에 (表达)** : 앞에 오는 말이 나타내는 행동을 하고 시간적으로 뒤에 다른 행동을 함을 나타내는
  　　　　　　　　　표현.
  无对应词汇
  表示前面表达的行动结束之后进行时间上较为靠后的行动。

- **매일 (副词)** : 하루하루마다 빠짐없이.
  天天，每日
  每天都，无遗漏地。

- **교회 (名词)** : 예수 그리스도를 구세주로 믿고 따르는 사람들의 공동체. 또는 그런 사람들이 모여 종교
  　　　　　활동을 하는 장소.
  教会
  把耶稣基督视为救世主而信仰并追随的人们的共同体；或指那种人聚集在一起举行宗教活动的场所。

- **에 (助词)** : 앞말이 목적지이거나 어떤 행위의 진행 방향임을 나타내는 조사.
  无对应词汇
  表示目的地或某行为进行的方向。

- **가다 (动词)** : 한 곳에서 다른 곳으로 장소를 이동하다.
  去
  从一个地方移动到另一个地方。

- **-아서 (语尾)** : 앞의 말과 뒤의 말이 순차적으로 일어남을 나타내는 연결 어미.
  无对应词汇
  表示前后内容依次发生。

- **눈물 (名词)** : 사람이나 동물의 눈에서 흘러나오는 맑은 액체.
  眼泪 , 泪水
  从人或动物的眼里流出来的清澈液体。

- **을 (助词)** : 동작이 직접적으로 영향을 미치는 대상을 나타내는 조사.
  无对应词汇
  表示动作直接涉及的对象。

- **흘리다 (动词)** : 몸에서 땀, 눈물, 콧물, 피, 침 등의 액체를 밖으로 내다.
  流出来 , 流淌 , 淌出来
  汗液、眼泪、鼻涕、血、口水等液体从体内排出。

- **-며 (语尾)** : 두 가지 이상의 동작이나 상태가 함께 일어남을 나타내는 연결 어미.
  无对应词汇
  表示同时发生两个以上的动作或状态。

- **기도 (名词)** : 바라는 바가 이루어지도록 절대적 존재 혹은 신앙의 대상에게 비는 것.
  祈祷 , 祷告
  为了实现梦想而向绝对的存在或信仰的对象祈愿。

- **를 (助词)** : 동작이 직접적으로 영향을 미치는 대상을 나타내는 조사.
  无对应词汇
  表示动作直接涉及的对象。

- **하다 (动词)** : 어떤 행동이나 동작, 활동 등을 행하다.
  做 , 干
  进行某种行动、动作或活动。

- **-였- (语尾)** : 어떤 사건이 과거에 완료되었거나 그 사건의 결과가 현재까지 지속되는 상황을 나타내는 어미.
  无对应词汇
  表示某一事件已结束或其结果保持到现在。

- **-다 (语尾)** : 어떤 사건이나 사실, 상태를 서술함을 나타내는 종결 어미.
  无对应词汇
  表示陈述某个事件、事实或状态。

남자 : 하나님, 복권+에 당첨되+[게 하]+[여 주]+세요.
　　　　　　　　당첨되게 해 주세요

- **하나님 (名词)** : 기독교에서 믿는 신을 개신교에서 부르는 이름.
  上帝
  在基督新教中对信奉的神的称呼。

· **복권 (名词)** : 적혀 있는 숫자나 기호가 추첨한 것과 일치하면 상금이나 상품을 받을 수 있게 만든 표.
奖券 , 彩票
印有的数字或记号与抽签的一致即可获得奖金或奖品的票。

· **에 (助词)** : 앞말이 어떤 행위나 작용이 미치는 대상임을 나타내는 조사.
无对应词汇
表示某行为或作用所涉及的对象。

· **당첨되다 (动词)** : 여럿 가운데 어느 하나를 골라잡는 추첨에서 뽑히다.
中奖 , 被抽中
在多选一的抽签中被选中。

· **-게 하다 (表达)** : 다른 사람의 어떤 행동을 허용하거나 허락함을 나타내는 표현.
无对应词汇
表示允许或同意别人的某种行为。

· **-여 주다 (表达)** : 남을 위해 앞의 말이 나타내는 행동을 함을 나타내는 표현.
给
表示为别人做前面表达的行动。

· **-세요 (语尾)** : (두루높임으로) 설명, 의문, 명령, 요청의 뜻을 나타내는 종결 어미.
无对应词汇
(普尊) 表示说明、疑问、命令、请求。

남자 : 하나님, 제발 복권+에 한 번+만 <u>당첨되+[게 하]+[여 주]+세요</u>.

당첨되게 해 주세요

· **하나님 (名词)** : 기독교에서 믿는 신을 개신교에서 부르는 이름.
上帝
在基督新教中对信奉的神的称呼。

· **제발 (副词)** : 간절히 부탁하는데.
千万 , 切切
恳切请求。

· **복권 (名词)** : 적혀 있는 숫자나 기호가 추첨한 것과 일치하면 상금이나 상품을 받을 수 있게 만든 표.
奖券 , 彩票
印有的数字或记号与抽签的一致即可获得奖金或奖品的票。

· **에 (助词)** : 앞말이 어떤 행위나 작용이 미치는 대상임을 나타내는 조사.
无对应词汇
表示某行为或作用所涉及的对象。

- **한 (冠形词)** : 하나의.
  一
  一个的。

- **번 (名词)** : 일의 횟수를 세는 단위.
  次，遍
  计算事情次数的数量单位。

- **만 (助词)** : 다른 것은 제외하고 어느 것을 한정함을 나타내는 조사.
  无对应词汇
  表示排出其他，限定某一个。

- **당첨되다 (动词)** : 여럿 가운데 어느 하나를 골라잡는 추첨에서 뽑히다.
  中奖，被抽中
  在多选一的抽签中被选中。

- **-게 하다 (表达)** : 다른 사람의 어떤 행동을 허용하거나 허락함을 나타내는 표현.
  无对应词汇
  表示允许或同意别人的某种行为。

- **-여 주다 (表达)** : 남을 위해 앞의 말이 나타내는 행동을 함을 나타내는 표현.
  给
  表示为别人做前面表达的行动。

- **-세요 (语尾)** : (두루높임으로) 설명, 의문, 명령, 요청의 뜻을 나타내는 종결 어미.
  无对应词汇
  (普尊) 表示说明、疑问、命令、请求。

그렇+게 <u>기도하+[ㄴ 지]</u> 육 개월+이 되+었+지만 남자+의 소원+은 <u>이루어지+[지 않]+았+다.</u>
기도한 지   **이뤄지지 않았다**

- **그렇다 (形容词)** : 상태, 모양, 성질 등이 그와 같다.
  如此，这样
  状态、形状、性质等与此相同。

- **-게 (语尾)** : 앞의 말이 뒤에서 가리키는 일의 목적이나 결과, 방식, 정도 등이 됨을 나타내는 연결 어미.
  无对应词汇
  表示前面的内容为后面所指事情的目的、结果、方式或程度等。

- **기도하다 (动词)** : 바라는 바가 이루어지도록 절대적 존재 혹은 신앙의 대상에게 빌다.
  祈祷，祷告
  为实现心愿，祈求于上帝或自己信仰的对象。

- **-ㄴ 지 (表达)** : 앞의 말이 나타내는 행동을 한 후 시간이 얼마나 지났는지를 나타내는 표현.
  无对应词汇
  表示前面表达的行动结束之后过了多长时间。

- **육 (冠形词)** : 여섯의.
  六
  六个的。

- **개월 (名词)** : 달을 세는 단위.
  个月
  数月份的数量单位。

- **이 (助词)** : 바뀌게 되는 대상이나 부정하는 대상임을 나타내는 조사.
  无对应词汇
  表示变化或否定的对象。

- **되다 (动词)** : 어떤 때나 시기, 상태에 이르다.
  到
  到达某个时间、时期或状态。

- **-었- (语尾)** : 어떤 사건이 과거에 완료되었거나 그 사건의 결과가 현재까지 지속되는 상황을 나타내는 어미.
  无对应词汇
  表示某一事件已结束或其结果保持到现在。

- **-지만 (语尾)** : 앞에 오는 말을 인정하면서 그와 반대되거나 다른 사실을 덧붙일 때 쓰는 연결 어미.
  无对应词汇
  表示承认前面的话，同时添加与此相反或不同的事实。

- **남자 (名词)** : 남성으로 태어난 사람.
  男子，男人
  作为男性出生的人。

- **의 (助词)** : 앞의 말이 뒤의 말에 대하여 소유, 소속, 소재, 관계, 기원, 주체의 관계를 가짐을 나타내는 조사.
  的
  表示所有、所属、所在、关系、来源、主体等关系。

- **소원 (名词)** : 어떤 일이 이루어지기를 바람. 또는 바라는 그 일.
  心愿，愿望
  希望某事得以实现；或指希望的那件事。

- **은 (助词)** : 문장 속에서 어떤 대상이 화제임을 나타내는 조사.
  无对应词汇
  表示某个对象是句中的话题。

· **이루어지다 (动词)** : 원하거나 뜻하는 대로 되다.
  实现 , 完成
  变成如所愿或所想的。

· **-지 않다 (表达)** : 앞의 말이 나타내는 행위나 상태를 부정하는 뜻을 나타내는 표현.
  无对应词汇
  表示否定前面所指的行为或状态。

· **-았- (语尾)** : 어떤 사건이 과거에 완료되었거나 그 사건의 결과가 현재까지 지속되는 상황을 나타내는 어미.
  无对应词汇
  表示某一事件已结束或其结果保持到现在。

· **-다 (语尾)** : 어떤 사건이나 사실, 상태를 서술함을 나타내는 종결 어미.
  无对应词汇
  表示陈述某个事件、事实或状态。

남자+는 너무나 <u>지치</u>+어서 하나님+이 <u>원망스럽(원망스러우)</u>+어지+기 <u>시작하</u>+였+다.
지쳐서 　　　　　 원망스러워지기 　　　　 시작했다

· **남자 (名词)** : 남성으로 태어난 사람.
  男子 , 男人
  作为男性出生的人。

· **는 (助词)** : 문장 속에서 어떤 대상이 화제임을 나타내는 조사.
  无对应词汇
  表示某个对象是句中的话题。

· **너무나 (副词)** : (강조하는 말로) 너무.
  太 , 简直
  (强调)非常。

· **지치다 (动词)** : 힘든 일을 하거나 어떤 일에 시달려서 힘이 없다.
  疲惫 , 疲乏 , 疲劳
  做吃力的工作或受困于某事而没有力气。

· **-어서 (语尾)** : 이유나 근거를 나타내는 연결 어미.
  无对应词汇
  表示理由或根据。

· **하나님 (名词)** : 기독교에서 믿는 신을 개신교에서 부르는 이름.
  上帝
  在基督新教中对信奉的神的称呼。

- 이 (助词) : 어떤 상태나 상황의 대상이나 동작의 주체를 나타내는 조사.
  无对应词汇
  表示行为的主体或状态描述的对象。

- **원망스럽다 (形容词)** : 마음에 들지 않아서 탓하거나 미워하는 마음이 있다.
  可恨
  因心中不满而有怪罪、怨恨之意。

- −어지다 (表达) : 앞에 오는 말이 나타내는 상태로 점점 되어 감을 나타내는 표현.
  无对应词汇
  表示逐渐变成前面所指的状态。

- −기 (语尾) : 앞의 말이 명사의 기능을 하게 하는 어미.
  无对应词汇
  使前面的词语具有名词功能。

- **시작하다 (动词)** : 어떤 일이나 행동의 처음 단계를 이루거나 이루게 하다.
  开始
  完成某件事或行为的第一阶段。

- −였− (语尾) : 어떤 사건이 과거에 완료되었거나 그 사건의 결과가 현재까지 지속되는 상황을 나타내는 어미.
  无对应词汇
  表示某一事件已结束或其结果保持到现在。

- −다 (语尾) : 어떤 사건이나 사실, 상태를 서술함을 나타내는 종결 어미.
  无对应词汇
  表示陈述某个事件、事实或状态。

남자 : 이렇+게+까지 기도하+는데 못 듣(들)+[은 척하]+시+는 무심하+ㄴ
　　　　　　　　　　　　　　　　들은 척하시는　　　무심한

　　　　하나님, 정말 너무하+세요.

- **이렇다 (形容词)** : 상태, 모양, 성질 등이 이와 같다.
  如此 , 这样
  状态、形状、性质等与此相同。

- −게 (语尾) : 앞의 말이 뒤에서 가리키는 일의 목적이나 결과, 방식, 정도 등이 됨을 나타내는 연결 어미.
  无对应词汇
  表示前面的内容为后面所指事情的目的、结果、方式或程度等。

- 까지 (助词) : 정상적인 정도를 지나침을 나타내는 조사.
  无对应词汇
  表示超过正常程度。

- 기도하다 (动词) : 바라는 바가 이루어지도록 절대적 존재 혹은 신앙의 대상에게 빌다.
  祈祷，祷告
  为实现心愿，祈求于上帝或自己信仰的对象。

- -는데 (语尾) : 뒤의 말을 하기 위하여 그 대상과 관련이 있는 상황을 미리 말함을 나타내는 연결 어미.
  无对应词汇
  表示为了说后面的话而先说与其相关的状况。

- 못 (副词) : 동사가 나타내는 동작을 할 수 없게.
  无对应词汇
  不会做动词所指的动作。

- 듣다 (动词) : 다른 사람의 말이나 소리 등에 귀를 기울이다.
  听
  聆听他人的话或声音等。

- -은 척하다 (表达) : 실제로 그렇지 않은데도 어떤 행동이나 상태를 거짓으로 꾸밈을 나타내는 표현.
  装作
  表示假装作出与实际不同的某种行为或状态。

- -시- (语尾) : 어떤 동작이나 상태의 주체를 높이는 뜻을 나타내는 어미.
  无对应词汇
  表示对某个动作或状态主体的尊敬。

- -는 (语尾) : 앞의 말이 관형어의 기능을 하게 만들고 사건이나 동작이 현재 일어남을 나타내는 어미.
  无对应词汇
  使前面的词具有定语功能，表示事件或动作现在正在发生。

- 무심하다 (形容词) : 어떤 일이나 사람에 대하여 걱정하는 마음이나 관심이 없다.
  漠不关心，无情，冷漠，无动于衷
  对某事或某人不担心或不关心。

- -ㄴ (语尾) : 앞의 말이 관형어의 기능을 하게 만들고 현재의 상태를 나타내는 어미.
  无对应词汇
  使前面的词具有定语功能，表示现在的状态。

- 하나님 (名词) : 기독교에서 믿는 신을 개신교에서 부르는 이름.
  上帝
  在基督新教中对信奉的神的称呼。

- **정말 (副词)** : 거짓이 없이 진짜로.

  真的

  没有虚假而真正地。

- **너무하다 (形容词)** : 일정한 정도나 한계를 넘어서 지나치다.

  太过分

  超过一定的程度或限度，有些过度。

- **-세요 (语尾)** : (두루높임으로) 설명, 의문, 명령, 요청의 뜻을 나타내는 종결 어미.

  无对应词汇

  (普尊) 表示说明、疑问、命令、请求。

남자 : 제+가 매일 밤 애원하+며 <u>기도하+였+는데</u> 왜 아무런 응답+이
기도했는데

<u>없+으시+ㄴ가요</u>?
없으신가요

- **제 (代词)** : 말하는 사람이 자신을 낮추어 가리키는 말인 '저'에 조사 '가'가 붙을 때의 형태.

  我

  说话人对自己的谦称"저"后加助词"가"的形态。

- **가 (助词)** : 어떤 상태나 상황에 놓인 대상이나 동작의 주체를 나타내는 조사.

  无对应词汇

  表示行为的主体或状态描述的对象。

- **매일 (副词)** : 하루하루마다 빠짐없이.

  天天，每日

  每天都，无遗漏地。

- **밤 (名词)** : 해가 진 후부터 다음 날 해가 뜨기 전까지의 어두운 동안.

  夜，夜间

  日落到第二天日出前的黑暗时段。

- **애원하다 (动词)** : 요청이나 소원을 들어 달라고 애처롭게 사정하여 간절히 부탁하다.

  哀求，恳求

  哀切地求或恳切地拜托对方接受自己的请求或愿望。

- **-며 (语尾)** : 두 가지 이상의 동작이나 상태가 함께 일어남을 나타내는 연결 어미.

  无对应词汇

  表示同时发生两个以上的动作或状态。

· **기도하다 (动词)** : 바라는 바가 이루어지도록 절대적 존재 혹은 신앙의 대상에게 빌다.
　祈祷，祷告
　为实现心愿，祈求于上帝或自己信仰的对象。

· **-였- (语尾)** : 어떤 사건이 과거에 완료되었거나 그 사건의 결과가 현재까지 지속되는 상황을 나타내는
　　　　　　　어미.
　无对应词汇
　表示某一事件已结束或其结果保持到现在。

· **-는데 (语尾)** : 뒤의 말을 하기 위하여 그 대상과 관련이 있는 상황을 미리 말함을 나타내는 연결 어미.
　无对应词汇
　表示为了说后面的话而先说与其相关的状况。

· **왜 (副词)** : 무슨 이유로. 또는 어째서.
　为什么
　因什么原因；或指怎么。

· **아무런 (冠形词)** : 전혀 어떠한.
　什么
　没有任何。

· **응답 (名词)** : 부름이나 물음에 답함.
　应答，回答
　回答呼叫或提问。

· **이 (助词)** : 어떤 상태나 상황의 대상이나 동작의 주체를 나타내는 조사.
　无对应词汇
　表示行为的主体或状态描述的对象。

· **없다 (形容词)** : 어떤 사실이나 현상이 현실로 존재하지 않는 상태이다.
　没有
　某个事实或现象在现实里不存在。

· **-으시- (语尾)** : 높이고자 하는 인물과 관계된 소유물이나 신체의 일부가 문장의 주어일 때 그 인물을
　　　　　　　높이는 뜻을 나타내는 어미.
　无对应词汇
　当所有物或身体部分为句子主语时，表示对其所有者的尊敬。

· **-ㄴ가요 (语尾)** : (두루높임으로) 현재의 사실에 대한 물음을 나타내는 종결 어미.
　无对应词汇
　(普尊) 表示询问当前的事情。

그리하+자 보+[다 못하]+여 답답하+ㄴ 하나님+께서 남자+에게 이렇+게 말씀하+시+었+다.
그러자   보다 못해   답답한   말씀하셨다

· **그리하다 (动词)** : 앞에서 일어난 일이나 말한 것과 같이 그렇게 하다.
   那样
   就如前面所做或所说的那么做。

· **-자 (语尾)** : 앞의 말이 나타내는 동작이 끝난 뒤 곧 뒤의 말이 나타내는 동작이 잇따라 일어남을 나타
           내는 연결 어미.
   无对应词汇
   表示前句的言行结束后，后句的言行跟着发生。

· **보다 (动词)** : 눈으로 대상의 존재나 겉모습을 알다.
   看
   用眼睛识辨对象的存在或外观。

· **-다 못하다 (表达)** : 앞의 말이 나타내는 행동을 더 이상 계속할 수 없음을 나타내는 표현.
   无对应词汇
   表示再也无法持续前指行为。

· **-여 (语尾)** : 앞에 오는 말이 뒤에 오는 말에 대한 원인이나 이유임을 나타내는 연결 어미.
   无对应词汇
   表示前句是后句的原因或理由。

· **답답하다 (形容词)** : 다른 사람의 태도나 상황이 마음에 차지 않아 안타깝다.
   心塞
   不满意他人的态度或状况，非常难过。

· **-ㄴ (语尾)** : 앞의 말이 관형어의 기능을 하게 만들고 현재의 상태를 나타내는 어미.
   无对应词汇
   使前面的词具有定语功能，表示现在的状态。

· **하나님 (名词)** : 기독교에서 믿는 신을 개신교에서 부르는 이름.
   上帝
   在基督新教中对信奉的神的称呼。

· **께서 (助词)** : (높임말로) 가. 이. 어떤 동작의 주체가 높여야 할 대상임을 나타내는 조사.
   无对应词汇
   (尊称) 表示动作主体。

· **남자 (名词)** : 남성으로 태어난 사람.
   男子，男人
   作为男性出生的人。

- 에게 (助词) : 어떤 행동이 미치는 대상임을 나타내는 조사.
  无对应词汇
  表示某个动作所涉及的对象。

- 이렇다 (形容词) : 상태, 모양, 성질 등이 이와 같다.
  如此，这样
  状态、形状、性质等与此相同。

- -게 (语尾) : 앞의 말이 뒤에서 가리키는 일의 목적이나 결과, 방식, 정도 등이 됨을 나타내는 연결 어미.
  无对应词汇
  表示前面的内容为后面所指事情的目的、结果、方式或程度等。

- 말씀하다 (动词) : (높임말로) 말하다.
  说，说话
  (尊称) 讲话。

- -시- (语尾) : 어떤 동작이나 상태의 주체를 높이는 뜻을 나타내는 어미.
  无对应词汇
  表示对某个动作或状态主体的尊敬。

- -었- (语尾) : 어떤 사건이 과거에 완료되었거나 그 사건의 결과가 현재까지 지속되는 상황을 나타내는 어미.
  无对应词汇
  表示某一事件已结束或其结果保持到现在。

- -다 (语尾) : 어떤 사건이나 사실, 상태를 서술함을 나타내는 종결 어미.
  无对应词汇
  表示陈述某个事件、事实或状态。

하나님 : 일단 복권+을 사+라는 말+이+야.
사란

- 일단 (副词) : 우선 먼저.
  首先
  最先。

- 복권 (名词) : 적혀 있는 숫자나 기호가 추첨한 것과 일치하면 상금이나 상품을 받을 수 있게 만든 표.
  奖券，彩票
  印有的数字或记号与抽签的一致即可获得奖金或奖品的票。

• 을 (助词) : 동작이 직접적으로 영향을 미치는 대상을 나타내는 조사.
　无对应词汇
　表示动作直接涉及的对象。

• **사다 (动词)** : 돈을 주고 어떤 물건이나 권리 등을 자기 것으로 만들다.
　买，购买
　用钱使某种东西或权利为己所有。

• **-라는 (表达)** : 명령이나 요청 등의 말을 인용하여 전달하면서 그 뒤에 오는 명사를 꾸며 줄 때 쓰는 표현.
　无对应词汇
　通过引用转达命令或请求等，以此修饰后面的名词。

• **말 (名词)** : 다시 강조하거나 확인하는 뜻을 나타내는 말.
　意思
　表示再次强调或确认。

• 이다 (助词) : 주어가 지시하는 대상의 속성이나 부류를 지정하는 뜻을 나타내는 서술격 조사.
　无对应词汇
　表示指定主语所指示的属性或类型。

• -야 (语尾) : (두루낮춤으로) 어떤 사실에 대하여 서술하거나 물음을 나타내는 종결 어미.
　无对应词汇
　(普卑) 表示叙述或询问某个事实。

< 16 단원(单元) >

제목 : 왜 먹지 못하지요?

● 본문 (原文)

요즘 국내에 반려동물을 키우는 사람들이 많아지면서 건강에 좋은 사료를 개발하는 회사들도 점점

늘어나고 있다.

올해 한 사료 회사에서 유기농 원료를 사용한 신제품 개발에 성공하여 투자자를 위한 모임을 개최하게

되었다.

직원 : 이것으로 신제품 사료에 대한 설명을 마치도록 하겠습니다.

　　　지금부터는 투자자분들의 질문을 받도록 하겠습니다.

투자자 : 자세한 설명 잘 들었습니다.

　　　　그런데 혹시 그거 사람도 먹을 수 있습니까?

직원 : 사람은 못 먹습니다.

투자자 : 아니, 유기농 원료에 영양가 높고 위생적으로 만든 개 사료라면서

　　　　왜 먹지 못하지요?

직원 : 비싸서 절대 못 먹습니다.

● 발음 (发音)

요즘 국내에 반려동물을 키우는 사람들이 많아지면서 건강에 좋은 사료를 개발하는 회사들도 점점
요즘 궁내에 발려동무를 키우는 사람드리 마나지면서 건강에 조은 사료를 개발하는 회사들도 점점
yojeum gungnaee ballyeodongmureul kiuneun saramdeuri manajimyeonseo geongange joeun
saryoreul gaebalhaneun hoesadeuldo jeomjeom

늘어나고 있다.
느러나고 읻따.
neureonago itda.

올해 한 사료 회사에서 유기농 원료를 사용한 신제품 개발에 성공하여 투자자를 위한 모임을 개최하게
올해 한 사료 회사에서 유기농 월료를 사용한 신제품 개바레 성공하여 투자자를 위한 모이믈 개최하게
olhae han saryo hoesaeseo yuginong wollyoreul sayonghan sinjepum gaebare seonggonghayeo
tujajareul wihan moimeul gaechoehage

되었다.
되얻따.
doeeotda.

직원 : 이것으로 신제품 사료에 대한 설명을 마치도록 하겠습니다.
지권 : 이거스로 신제품 사료에 대한 설명을 마치도록 하겐씀니다.
jigwon : igeoseuro sinjepum saryoe daehan seolmyeongeul machidorok
       hagetseumnida.

지금부터는 투자자분들의 질문을 받도록 하겠습니다.
지금부터는 투자자분드릐 질무늘 받또록 하겐씀니다.
jigeumbuteoneun tujajabundeurui(bundeure) jilmuneul batdorok
hagetseumnida.

투자자 : 자세한 설명 잘 들었습니다.
투자자 : 자세한 설명 잘 드럳씀니다.
tujaja : jasehan seolmyeong jal deureotseumnida.

그런데 혹시 그거 사람도 먹을 수 있습니까?
그런데 혹씨 그거 사람도 머글 쑤 읻씀니까?
geureonde hoksi geugeo saramdo meogeul su itseumnikka?

직원 : 사람은 못 먹습니다.
지권 : 사라믄 몯 먹씀니다.
jigwon : sarameun mot meokseumnida.

투자자 : 아니, 유기농 원료에 영양가 높고 위생적으로 만든 개 사료라면서
투자자 : 아니, 유기농 월료에 영양까 놉꼬 위생저그로 만든 개 사료라면서
tujaja : ani, yuginong wollyoe yeongyangga nopgo wisaengjeogeuro mandeun
gae saryoramyeonseo

왜 먹지 못하지요?
왜 먹찌 모타지요?
wae meokji motajiyo?

직원 : 비싸서 절대 못 먹습니다.
지권 : 비싸서 절때 몯 먹씀니다.
jigwon : bissaseo jeoldae mot meokseumnida.

● 어휘 (词汇) / 문법 (语法)

요즘 국내+에 반려동물+을 키우+는 사람+들+이 많아지+면서 건강+에 좋+은 사료+를 개발하+는

회사+들+도 점점 늘어나+<u>고 있</u>+다.

올해 한 사료 회사+에서 유기농 원료+를 사용하+ㄴ 신제품 개발+에 성공하+여 투자자+를 위하+ㄴ

모임+을 개최하+<u>게 되</u>+었+다.

직원 : 이것+으로 신제품 사료+<u>에 대한</u> 설명+을 마치+<u>도록 하</u>+겠+습니다.

지금+부터+는 투자자+분+들+의 질문+을 받+<u>도록 하</u>+겠+습니다.

투자자 : 자세하+ㄴ 설명 잘 듣(들)+었+습니다.

그런데 혹시 그거 사람+도 먹+<u>을 수 있</u>+습니까?

직원 : 사람+은 못 먹+습니다.

투자자 : 아니, 유기농 원료+에 영양가 높+고 위생적+으로 만들(만드)+ㄴ

개 사료+(이)+라면서 왜 먹+<u>지 못하</u>+지요?

직원 : 비싸+(아)서 절대 못 먹+습니다.

요즘 국내+에 반려동물+을 키우+는 사람+들+이 많아지+면서 건강+에 좋+은 사료+를 개발하+는

회사+들+도 점점 늘어나+[고 있]+다.

- **요즘 (名词)** : 아주 가까운 과거부터 지금까지의 사이.
  最近，近来，这阵子
  从非常近的过去到现在之间。

- **국내 (名词)** : 나라의 안.
  国内
  国家内部。

- **에 (助词)** : 앞말이 어떤 장소나 자리임을 나타내는 조사.
  无对应词汇
  表示某个处所或地点。

- **반려동물 (名词)**
  반려 (名词) : 짝이 되는 사람이나 동물.
  伴侣，同伴
  成为另一半的人或动物。
  동물 (名词) : 사람을 제외한 길짐승, 날짐승, 물짐승 등의 움직이는 생물.
  动物
  除人类以外的飞禽走兽、游鱼爬虫等可以行动的生物。

- **을 (助词)** : 동작이 직접적으로 영향을 미치는 대상을 나타내는 조사.
  无对应词汇
  表示动作直接涉及的对象。

- **키우다 (动词)** : 동식물을 보살펴 자라게 하다.
  养
  照料动植物而使其成长。

- **-는 (语尾)** : 앞의 말이 관형어의 기능을 하게 만들고 사건이나 동작이 현재 일어남을 나타내는 어미.
  无对应词汇
  使前面的词具有定语功能，表示事件或动作现在正在发生。

- **사람 (名词)** : 생각할 수 있으며 언어와 도구를 만들어 사용하고 사회를 이루어 사는 존재.
  人
  可以思考，会制造并使用语言和工具、构成社会而生活的存在。

- **들 (词缀)** : '복수'의 뜻을 더하는 접미사.
  无对应词汇
  指"复数"。

- 이 (助词) : 어떤 상태나 상황의 대상이나 동작의 주체를 나타내는 조사.
  无对应词汇
  表示行为的主体或状态描述的对象。

- 많아지다 (动词) : 수나 양 등이 적지 아니하고 일정한 기준을 넘게 되다.
  增多
  数或量等不少，超过了一定水准。

- -면서 (语尾) : 두 가지 이상의 동작이나 상태가 함께 일어남을 나타내는 연결 어미.
  无对应词汇
  表示同时发生两个以上的动作或状态。

- 건강 (名词) : 몸이나 정신이 이상이 없이 튼튼한 상태.
  健康
  指身体或精神没有异常、很结实的状态。

- 에 (助词) : 앞말이 무엇의 목적이나 목표임을 나타내는 조사.
  无对应词汇
  表示某事的目的或目标。

- 좋다 (形容词) : 어떤 것이 몸이나 건강을 더 나아지게 하는 성질이 있다.
  好，有益，有效
  具有使身体或健康变得更好的性质。

- -은 (语尾) : 앞의 말이 관형어의 기능을 하게 만들고 현재의 상태를 나타내는 어미.
  无对应词汇
  使前面的词具有定语功能，表示现在的状态。

- 사료 (名词) : 집이나 농장 등에서 기르는 동물에게 주는 먹이.
  饲料
  给家中或农场里饲养的动物喂的食料。

- 를 (助词) : 동작이 직접적으로 영향을 미치는 대상을 나타내는 조사.
  无对应词汇
  表示动作直接涉及的对象。

- 개발하다 (动词) : 새로운 물건을 만들거나 새로운 생각을 내놓다.
  开发，研发
  做出新的东西或提出新的想法。

- -는 (语尾) : 앞의 말이 관형어의 기능을 하게 만들고 사건이나 동작이 현재 일어남을 나타내는 어미.
  无对应词汇
  使前面的词具有定语功能，表示事件或动作现在正在发生。

• **회사 (名词)** : 사업을 통해 이익을 얻기 위해 여러 사람이 모여 만든 법인 단체.
　公司 , 企业 , 会社
　想要通过事业获得利益的许多人一起建立的法人团体。

• **들 (词缀)** : '복수'의 뜻을 더하는 접미사.
　无对应词汇
　指"复数"。

• **도 (助词)** : 이미 있는 어떤 것에 다른 것을 더하거나 포함함을 나타내는 조사.
　无对应词汇
　表示添加或包括。

• **점점 (副词)** : 시간이 지남에 따라 정도가 조금씩 더.
　越来越
　程度随着时间的推移而逐渐地。

• **늘어나다 (动词)** : 부피나 수량이나 정도가 원래보다 점점 커지거나 많아지다.
　增 , 涨 , 扩大
　体积、数量或程度比原来渐渐变大或变多。

• **-고 있다 (表达)** : 앞의 말이 나타내는 행동이 계속 진행됨을 나타내는 표현.
　正 , 在 , 正在
　表示持续进行前一句所指的行为。

• **-다 (语尾)** : 어떤 사건이나 사실, 상태를 서술함을 나타내는 종결 어미.
　无对应词汇
　表示陈述某个事件、事实或状态。

올해 한 사료 회사+에서 유기농 원료+를 <u>사용하</u>+ㄴ 신제품 개발+에 성공하+여 투자자+를 <u>위하</u>+ㄴ
　　　　　　　　　　　사용한　　　　　　　　　　　　　　　　　　　　**위한**

모임+을 개최하+[게 되]+었+다.

• **올해 (名词)** : 지금 지나가고 있는 이 해.
　今年
　现在正在度过的这一年。

• **한 (冠形词)** : 여럿 중 하나인 어떤.
　一个
　多个中的一个。

· **사료 (名词)** : 집이나 농장 등에서 기르는 동물에게 주는 먹이.
  饲料
  给家中或农场里饲养的动物喂的食料。

· **회사 (名词)** : 사업을 통해 이익을 얻기 위해 여러 사람이 모여 만든 법인 단체.
  公司 , 企业 , 会社
  想要通过事业获得利益的许多人一起建立的法人团体。

· **에서 (助词)** : 앞말이 주어임을 나타내는 조사.
  无对应词汇
  表示前面的内容为主语。

· **유기농 (名词)** : 화학 비료나 농약을 쓰지 않고 생물의 작용으로 만들어진 것만을 사용하는 방식의 농업.
  有机农业
  不使用化学肥料或农药 , 只使用生物作用产物的农业。

· **원료 (名词)** : 어떤 것을 만드는 데 들어가는 재료.
  原料
  制造某个东西时所用的材料。

· **를 (助词)** : 동작이 직접적으로 영향을 미치는 대상을 나타내는 조사.
  无对应词汇
  表示动作直接涉及的对象。

· **사용하다 (动词)** : 무엇을 필요한 일이나 기능에 맞게 쓰다.
  使用 , 用 , 应用
  按照情况或功能上的需要而利用。

· **-ㄴ (语尾)** : 앞의 말이 관형어의 기능을 하게 만들고 사건이나 동작이 완료되어 그 상태가 유지되고 있
               음을 나타내는 어미.
  无对应词汇
  使前面的词具有定语功能 , 表示事件或动作完成后其状态一直持续。

· **신제품 (名词)** : 새로 만든 제품.
  新产品
  新制造的产品。

· **개발 (名词)** : 새로운 물건을 만들거나 새로운 생각을 내놓음.
  开发 , 研发
  做出新的东西或提出新的想法。

· **에 (助词)** : 앞말이 어떤 행위나 감정 등의 대상임을 나타내는 조사.
  无对应词汇
  表示某行为或感情等的对象。

· **성공하다 (动词)** : 원하거나 목적하는 것을 이루다.
　成功
　实现愿望或目标。

· **-여 (语尾)** : 앞에 오는 말이 뒤에 오는 말에 대한 원인이나 이유임을 나타내는 연결 어미.
　无对应词汇
　表示前句是后句的原因或理由。

· **투자자 (名词)** : 이익을 얻기 위해 어떤 일이나 사업에 돈을 대거나 시간이나 정성을 쏟는 사람.
　投资者，投资人
　为获取利益而向某事或生意投入资金或倾注时间及心血的人。

· **를 (助词)** : 동작이 직접적으로 영향을 미치는 대상을 나타내는 조사.
　无对应词汇
　表示动作直接涉及的对象。

· **위하다 (动词)** : 무엇을 이롭게 하거나 도우려 하다.
　为了
　想要让什么有利或帮助什么。

· **-ㄴ (语尾)** : 앞의 말이 관형어의 기능을 하게 만들고 사건이나 동작이 완료되어 그 상태가 유지되고 있
　　　　　　　음을 나타내는 어미.
　无对应词汇
　使前面的词具有定语功能，表示事件或动作完成后其状态一直持续。

· **모임 (名词)** : 어떤 일을 하기 위하여 여러 사람이 모이는 일.
　聚会
　多人为做某事而聚在一起的行为。

· **을 (助词)** : 동작이 직접적으로 영향을 미치는 대상을 나타내는 조사.
　无对应词汇
　表示动作直接涉及的对象。

· **개최하다 (动词)** : 모임, 행사, 경기 등을 조직적으로 계획하여 열다.
　召开，举办
　有组织地计划和开办聚会、活动、比赛等。

· **-게 되다 (表达)** : 앞의 말이 나타내는 상태나 상황이 됨을 나타내는 표현.
　无对应词汇
　表示成为前面内容所表达的状态或状况。

· **-었- (语尾)** : 어떤 사건이 과거에 완료되었거나 그 사건의 결과가 현재까지 지속되는 상황을 나타내는
　　　　　　　어미.
　无对应词汇
　表示某一事件已结束或其结果保持到现在。

- -다 (语尾) : 어떤 사건이나 사실, 상태를 서술함을 나타내는 종결 어미.

  无对应词汇

  表示陈述某个事件、事实或状态。

직원 : 이것+으로 신제품 사료+[에 대한] 설명+을 마치+[도록 하]+겠+습니다.

- 이것 (代词) : 바로 앞에서 이야기한 대상을 가리키는 말.

  这个

  指代前面刚刚提到的对象。

- 으로 (助词) : 어떤 일의 방법이나 방식을 나타내는 조사.

  无对应词汇

  表示某事的方法或方式。

- 신제품 (名词) : 새로 만든 제품.

  新产品

  新制造的产品。

- 사료 (名词) : 집이나 농장 등에서 기르는 동물에게 주는 먹이.

  饲料

  给家中或农场里饲养的动物喂的食料。

- 에 대한 (表达) : 뒤에 오는 명사를 수식하며 앞에 오는 명사를 뒤에 오는 명사의 대상으로 함을 나타내는 표현.

  跟……有关的 , 关于……的

  用来修饰后面名词 , 将前面名词当作后面名词的对象。

- 설명 (名词) : 어떤 것을 남에게 알기 쉽게 풀어 말함. 또는 그런 말.

  说明

  向他人简单易懂地解释 ; 或指那样的言语。

- 을 (助词) : 동작이 직접적으로 영향을 미치는 대상을 나타내는 조사.

  无对应词汇

  表示动作直接涉及的对象。

- 마치다 (动词) : 하던 일이나 과정이 끝나다. 또는 그렇게 하다.

  结束 , 完成

  做的事或过程完结 ; 或指使其完结。

- -도록 하다 (表达) : 말하는 사람이 어떤 행위를 할 것이라는 의지나 다짐을 나타내는 표현.

  无对应词汇

  表示说话人要做某种行为的意志或决心。

• -겠- (语尾) : 완곡하게 말하는 태도를 나타내는 어미.
  无对应词汇
  表示婉转的态度。

• -습니다 (语尾) : (아주높임으로) 현재의 동작이나 상태, 사실을 정중하게 설명함을 나타내는 종결 어미.
  无对应词汇
  (高尊) 表示以郑重的语气说明现在的动作、状态或事实。

> **직원** : 지금+부터+는 투자자+분+들+의 질문+을 받+[도록 하]+겠+습니다.

• **지금 (名词)** : 말을 하고 있는 바로 이때.
  现在
  指正在说话的此时。

• **부터 (助词)** : 어떤 일의 시작이나 처음을 나타내는 조사.
  从
  表示某事的开始或起始。

• **는 (助词)** : 문장 속에서 어떤 대상이 화제임을 나타내는 조사.
  无对应词汇
  表示文中某个对象成为话题。

• **투자자 (名词)** : 이익을 얻기 위해 어떤 일이나 사업에 돈을 대거나 시간이나 정성을 쏟는 사람.
  投资者 , 投资人
  为获取利益而向某事或生意投入资金或倾注时间及心血的人。

• **분 (词缀)** : '높임'의 뜻을 더하는 접미사.
  无对应词汇
  指"尊敬"。

• **들 (词缀)** : '복수'의 뜻을 더하는 접미사.
  无对应词汇
  指"复数"。

• **의 (助词)** : 앞의 말이 뒤의 말에 대하여 소유, 소속, 소재, 관계, 기원, 주체의 관계를 가짐을 나타내는 조사.
  的
  表示所有、所属、所在、关系、来源、主体等关系。

• **질문 (名词)** : 모르는 것이나 알고 싶은 것을 물음.
  提问
  询问不懂或想知道的问题。

• 을 (助词) : 동작이 직접적으로 영향을 미치는 대상을 나타내는 조사.
　无对应词汇
　表示动作直接涉及的对象。

• 받다 (动词) : 요구나 신청, 질문, 공격, 신호 등과 같은 작용을 당하거나 그에 응하다.
　接，接受
　受到要求、申请、提问、攻击或信号等的作用，或指对这些做出反应。

• -도록 하다 (表达) : 말하는 사람이 어떤 행위를 할 것이라는 의지나 다짐을 나타내는 표현.
　无对应词汇
　表示说话人要做某种行为的意志或决心。

• -겠- (语尾) : 완곡하게 말하는 태도를 나타내는 어미.
　无对应词汇
　表示婉转的态度。

• -습니다 (语尾) : (아주높임으로) 현재의 동작이나 상태, 사실을 정중하게 설명함을 나타내는 종결 어미.
　无对应词汇
　(高尊) 表示以郑重的语气说明现在的动作、状态或事实。

투자자 : <u>자세하+ㄴ</u> 설명 잘 <u>듣(들)+었+습니다</u>.
자세한 　　　　　　 들었습니다

• 자세하다 (形容词) : 아주 사소한 부분까지 구체적이고 분명하다.
　仔细，详细
　连很细微的部分都非常具体明确。

• -ㄴ (语尾) : 앞의 말이 관형어의 기능을 하게 만들고 현재의 상태를 나타내는 어미.
　无对应词汇
　使前面的词具有定语功能，表示现在的状态。

• 설명 (名词) : 어떤 것을 남에게 알기 쉽게 풀어 말함. 또는 그런 말.
　说明
　向他人简单易懂地解释；或指那样的言语。

• 잘 (副词) : 관심을 집중해서 주의 깊게.
　仔细地，专注地
　集中注意力地。

• 듣다 (动词) : 다른 사람의 말이나 소리 등에 귀를 기울이다.
　听
　聆听他人的话或声音等。

• -었- (语尾) : 어떤 사건이 과거에 완료되었거나 그 사건의 결과가 현재까지 지속되는 상황을 나타내는
　　　　　　　어미.

　　无对应词汇

　　表示某一事件已结束或其结果保持到现在。

• -습니다 (语尾) : (아주높임으로) 현재의 동작이나 상태, 사실을 정중하게 설명함을 나타내는 종결 어미.

　　无对应词汇

　　(高尊) 表示以郑重的语气说明现在的动作、状态或事实。

투자자 : 그런데 혹시 그거 사람+도 먹+[을 수 있]+습니까?

• **그런데 (副词)** : 이야기를 앞의 내용과 관련시키면서 다른 방향으로 바꿀 때 쓰는 말.

　　可是，可

　　用于将话题与前面内容相连接的同时，又将话头转向其他方向。

• **혹시 (副词)** : 그러리라 생각하지만 분명하지 않아 말하기를 망설일 때 쓰는 말.

　　是不是，是否

　　用于对不确定的事情提出疑问，表示虽认为如此，但因不确定而犹豫要不要说。

• **그거 (代词)** : 앞에서 이미 이야기한 대상을 가리키는 말.

　　那个

　　指代前面已提到过的对象。

• **사람 (名词)** : 생각할 수 있으며 언어와 도구를 만들어 사용하고 사회를 이루어 사는 존재.

　　人

　　可以思考，会制造并使用语言和工具、构成社会而生活的存在。

• **도 (助词)** : 이미 있는 어떤 것에 다른 것을 더하거나 포함함을 나타내는 조사.

　　无对应词汇

　　表示添加或包括。

• **먹다 (动词)** : 음식 등을 입을 통하여 배 속에 들여보내다.

　　吃

　　将食物送进口中并咽下。

• **-을 수 있다 (表达)** : 어떤 행동이나 상태가 가능함을 나타내는 표현.

　　无对应词汇

　　表示某种行为或状态有可能发生。

• **-습니까 (语尾)** : (아주높임으로) 말하는 사람이 듣는 사람에게 정중하게 물음을 나타내는 종결 어미.

　　无对应词汇

　　(高尊) 表示说话人向听话人以郑重的语气询问。

> **직원 : 사람+은 못 먹+습니다.**

- **사람 (名词)** : 생각할 수 있으며 언어와 도구를 만들어 사용하고 사회를 이루어 사는 존재.
  人
  可以思考，会制造并使用语言和工具、构成社会而生活的存在。

- **은 (助词)** : 문장 속에서 어떤 대상이 화제임을 나타내는 조사.
  无对应词汇
  表示某个对象是句中的话题。

- **못 (副词)** : 동사가 나타내는 동작을 할 수 없게.
  无对应词汇
  不会做动词所指的动作。

- **먹다 (动词)** : 음식 등을 입을 통하여 배 속에 들여보내다.
  吃
  将食物送进口中并咽下。

- **-습니다 (语尾)** : (아주높임으로) 현재의 동작이나 상태, 사실을 정중하게 설명함을 나타내는 종결 어미.
  无对应词汇
  (高尊) 表示以郑重的语气说明现在的动作、状态或事实。

> **투자자 : 아니, 유기농 원료+에 영양가 높+고 위생적+으로 만들(만드)+ㄴ**
> 　　　　　　　　　　　　　　　　　　　　　　　　　　　만든
>
> 　　　**개 사료+(이)+라면서 왜 먹+[지 못하]+지요?**
> 　　　　**개 사료라면서**

- **아니 (叹词)** : 놀라거나 감탄스러울 때, 또는 의심스럽고 이상할 때 하는 말.
  啊，唷，呀
  用于表示感到惊讶、赞叹，或感到怀疑、奇怪。

- **유기농 (名词)** : 화학 비료나 농약을 쓰지 않고 생물의 작용으로 만들어진 것만을 사용하는 방식의 농업.
  有机农业
  不使用化学肥料或农药，只使用生物作用产物的农业。

- **원료 (名词)** : 어떤 것을 만드는 데 들어가는 재료.
  原料
  制造某个东西时所用的材料。

·에 (助词) : 앞말에 무엇이 더해짐을 나타내는 조사.
无对应词汇
表示添加某物。

·영양가 (名词) : 식품이 가진 영양의 가치.
营养价值
食品具有的营养的价值。

·높다 (形容词) : 품질이나 수준 또는 능력이나 가치가 보통보다 위에 있다.
高，优秀
质量、水平或能力、价值等在平均程度之上。

·-고 (语尾) : 두 가지 이상의 대등한 사실을 나열할 때 쓰는 연결 어미.
无对应词汇
表示罗列两个以上的对等的事实。

·위생적 (名词) : 건강에 이롭거나 도움이 되도록 조건을 갖춘 것.
卫生的
具备有益于健康或有助于健康的条件的。

·으로 (助词) : 어떤 일의 방법이나 방식을 나타내는 조사.
无对应词汇
表示某事的方法或方式。

·만들다 (动词) : 힘과 기술을 써서 없던 것을 생기게 하다.
制作，做，制造
使用气力或技术而使没有的东西生成。

·-ㄴ (语尾) : 앞의 말이 관형어의 기능을 하게 만들고 사건이나 동작이 완료되어 그 상태가 유지되고 있음을 나타내는 어미.
无对应词汇
使前面的词具有定语功能，表示事件或动作完成后其状态一直持续。

·개 (名词) : 냄새를 잘 맡고 귀가 매우 밝으며 영리하고 사람을 잘 따라 사냥이나 애완 등의 목적으로 기르는 동물.
狗，犬
一种以打猎或玩赏等为目的饲养的动物，嗅觉和听觉都很灵敏，头脑聪明，顺从听话。

·사료 (名词) : 집이나 농장 등에서 기르는 동물에게 주는 먹이.
饲料
给家中或农场里饲养的动物喂的食料。

·이다 (助词) : 주어가 지시하는 대상의 속성이나 부류를 지정하는 뜻을 나타내는 서술격 조사.
无对应词汇
表示指定主语所指示的属性或类型。

- **-라면서 (表达)** : 듣는 사람이나 다른 사람이 이전에 했던 말이 예상이나 지금의 상황과 다름을 따져 물을 때 쓰는 표현.

  无对应词汇

  用于听话人或他人以前说过的话和预想或现况有所不同而进行追问时。

- **왜 (副词)** : 무슨 이유로. 또는 어째서.

  为什么

  因什么原因；或指怎么。

- **먹다 (动词)** : 음식 등을 입을 통하여 배 속에 들여보내다.

  吃

  将食物送进口中并咽下。

- **-지 못하다 (表达)** : 앞의 말이 나타내는 행동을 할 능력이 없거나 주어의 의지대로 되지 않음을 나타내는 표현.

  无对应词汇

  表示没有能力做前面所指的行为，或不如主语所愿。

- **-지요 (语尾)** : (두루높임으로) 말하는 사람이 듣는 사람에게 친근함을 나타내며 물을 때 쓰는 종결 어미.

  无对应词汇

  (普尊) 表示说话人亲切询问听话人。

> **직원** : <u>비싸+(아)서</u> 절대 못 먹+습니다.
> **비싸서**

- **비싸다 (形容词)** : 물건값이나 어떤 일을 하는 데 드는 비용이 보통보다 높다.

  贵

  物品的价格或做某事所花的费用高于一般水平。

- **-아서 (语尾)** : 이유나 근거를 나타내는 연결 어미.

  无对应词汇

  表示理由或根据。

- **절대 (副词)** : 어떤 경우라도 반드시.

  绝对，绝

  不管在什么情况下都必须。

- **못 (副词)** : 동사가 나타내는 동작을 할 수 없게.

  无对应词汇

  不会做动词所指的动作。

- **먹다 (动词)** : 음식 등을 입을 통하여 배 속에 들여보내다.

  吃

  将食物送进口中并咽下。

- **-습니다 (语尾)** : (아주높임으로) 현재의 동작이나 상태, 사실을 정중하게 설명함을 나타내는 종결 어미.

  无对应词汇

  (高尊) 表示以郑重的语气说明现在的动作、状态或事实。

● 숫자 (数字)

- 0 (영, 공) : 零
- 1 (일, 하나) : 一
- 2 (이, 둘) : 二
- 3 (삼, 셋) : 三
- 4 (사, 넷) : 四
- 5 (오, 다섯) : 五
- 6 (육, 여섯) : 六
- 7 (칠, 일곱) : 七
- 8 (팔, 여덟) : 八
- 9 (구, 아홉) : 九
- 10 (십, 열) : 十
- 20 (이십, 스물) : 二十
- 30 (삼십, 서른) : 三十
- 40 (사십, 마흔) : 四十
- 50 (오십, 쉰) : 五十
- 60 (육십, 예순) : 六十
- 70 (칠십, 일흔) : 七十
- 80 (팔십, 여든) : 八十
- 90 (구십, 아흔) : 九十
- 100 (백) : 百
- 1,000 (천) : 千
- 10,000 (만) : 万
- 100,000 (십만) : 十万
- 1,000,000 (백만) : 百万
- 10,000,000 (천만) : 千万
- 100,000,000 (억) : 亿
- 1,000,000,000,000 (조) : 兆

● 시간 (时间)

- **시 (名词)** : 하루를 스물넷으로 나누었을 때 그 하나를 나타내는 시간의 단위.

  点 , 点钟

  计时单位 , 表示一天二十四小时中的某一个。

- **분 (名词)** : 한 시간의 60분의 1을 나타내는 시간의 단위.

  分 , 分钟

  计时单位 , 表示一个小时的六十分之一。

- **초 (名词)** : 일 분의 60분의 1을 나타내는 시간의 단위.

  秒

  计时单位 , 表示一分钟的六十分之一。

- **새벽 (名词)**

  1) 해가 뜰 즈음.

     清晨 , 拂晓

     日出时分。

  2) 아주 이른 오전 시간을 가리키는 말.

     凌晨 , 早晨

     很早的上午时间。

- **아침 (名词)** : 날이 밝아올 때부터 해가 떠올라 하루의 일이 시작될 때쯤까지의 시간.

  早上 , 早晨

  从天渐渐变亮到太阳出来 , 一天的事情开始的时间。

- **점심 (名词)** : 하루 중에 해가 가장 높이 떠 있는, 아침과 저녁의 중간이 되는 시간.

  中午

  一天中太阳在最高位置的 , 早上和晚上中间的时间。

- **저녁 (名词)** : 해가 지기 시작할 때부터 밤이 될 때까지의 동안.

  傍晚

  从太阳落山开始到晚上的时间。

- **낮 (名词)**

  1) 해가 뜰 때부터 질 때까지의 동안.

     白天 , 白日 , 日间

     从天亮到天黑的一段时间。

  2) 오후 열두 시가 지나고 저녁이 되기 전까지의 동안.

     下午

     从正午十二点到日落的一段时间。

- **밤 (名词)** : 해가 진 후부터 다음 날 해가 뜨기 전까지의 어두운 동안.
  夜 , 夜间
  日落到第二天日出前的黑暗时段。

- **오전 (名词)**
  1) 아침부터 낮 열두 시까지의 동안.
     上午
     从早晨到中午十二点期间。
  2) 밤 열두 시부터 낮 열두 시까지의 동안.
     午前
     晚上12点到中午12点期间。

- **오후 (名词)**
  1) 정오부터 해가 질 때까지의 동안.
     下午 , 午后
     从中午到太阳落山的期间。
  2) 정오부터 밤 열두 시까지의 시간.
     后半天 , 后半响
     从中午到晚上12点之间的时间。

- **정오 (名词)** : 낮 열두 시.
  正午
  中午十二点。

- **자정 (名词)** : 밤 열두 시.
  子夜 , 午夜
  晚上十二点。

- **그저께 (名词)** : 어제의 전날. 즉 오늘로부터 이틀 전.
  前天
  昨天的前一天 , 两天前。

- **어제 (名词)** : 오늘의 하루 전날.
  昨天 , 昨日
  今天的前一天。

- **오늘 (名词)** : 지금 지나가고 있는 이날.
  今天 , 今日
  现在正在度过的这一天。

- **내일 (名词)** : 오늘의 다음 날.
  明天 , 明日
  今天的下一天。

· **모레** (名词) : 내일의 다음 날.
후天
明天的下一天。

· **하루** (名词) : 밤 열두 시부터 다음 날 밤 열두 시까지의 스물네 시간.
一天
从晚上12点到第二天晚上12点的24个小时。

· **이틀** (名词) : 두 날.
两天
两日。

· **사흘** (名词) : 세 날.
三天
三个日子。

· **나흘** (名词) : 네 날.
四天
四日。

· **닷새** (名词) : 다섯 날.
五天
五个日子。

· **엿새** (名词) : 여섯 날.
六天
六天。

· **이레** (名词) : 일곱 날.
七天
七日。

· **여드레** (名词) : 여덟 날.
八天
八个日子。

· **아흐레** (名词) : 아홉 날.
九天
九个日子。

· **열흘** (名词) : 열 날.
十天
十日。

· **월요일** (名词) : 한 주가 시작되는 첫 날.
　星期一，周一，礼拜一
　一个星期开始的第一天。

· **화요일** (名词) : 월요일을 기준으로 한 주의 둘째 날.
　星期二，周二，礼拜二
　以星期一为基准，指一个星期中的第二天。

· **수요일** (名词) : 월요일을 기준으로 한 주의 셋째 날.
　星期三，周三，礼拜三
　以星期一为基准，指一个星期中的第三天。

· **목요일** (名词) : 월요일을 기준으로 한 주의 넷째 날.
　星期四，周四，礼拜四
　以星期一为基准，指一个星期中的第四天。

· **금요일** (名词) : 월요일을 기준으로 한 주의 다섯째 날.
　星期五，周五，礼拜五
　以星期一为基准，指一个星期中的第五天。

· **토요일** (名词) : 월요일을 기준으로 한 주의 여섯째 날.
　星期六，周六，礼拜六
　以星期一为基准，指一个星期中的第六天。

· **일요일** (名词) : 월요일을 기준으로 한 주의 마지막 날.
　星期日， 星期天，周日，礼拜天
　以星期一为基准，指一个星期中的最后一天。

· **일주일** (名词) : 월요일부터 일요일까지 칠 일. 또는 한 주일.
　一周，一星期
　从周一开始到周日的七天；或指一周。

· **일월** (名词) : 일 년 열두 달 가운데 첫째 달.
　一月
　一年十二个月中的第一个月。

· **이월** (名词) : 일 년 열두 달 가운데 둘째 달.
　二月
　一年十二个月中的第二个月。

· **삼월** (名词) : 일 년 열두 달 가운데 셋째 달.
　三月
　一年十二个月中的第三个月。

• **사월 (名词)** : 일 년 열두 달 가운데 넷째 달.
　四月
　一年十二个月中的第四个月。

• **오월 (名词)** : 일 년 열두 달 가운데 다섯째 달.
　五月
　一年十二个月中第五个月。

• **유월 (名词)** : 일 년 열두 달 가운데 여섯째 달.
　六月
　一年十二个月中的第六个月。

• **칠월 (名词)** : 일 년 열두 달 가운데 일곱째 달.
　七月
　一年十二个月中第七个月。

• **팔월 (名词)** : 일 년 열두 달 가운데 여덟째 달.
　八月
　一年十二个月中的第八个月。

• **구월 (名词)** : 일 년 열두 달 가운데 아홉째 달.
　九月
　一年十二个月中第九个月。

• **시월 (名词)** : 일 년 열두 달 중 열 번째 달.
　十月
　一年十二个月中的第十个月。

• **십일월 (名词)** : 일 년 열두 달 가운데 열한째 달.
　十一月
　一年十二个月中的第十一个月。

• **십이월 (名词)** : 일 년 열두 달 가운데 마지막 달.
　十二月
　一年十二个月中的最后一个月。

• **봄 (名词)** : 네 계절 중의 하나로 겨울과 여름 사이의 계절.
　春 , 春天 , 春季
　四季之一 , 在冬天与夏天之间。

• **여름 (名词)** : 네 계절 중의 하나로 봄과 가을 사이의 더운 계절.
　夏 , 夏天 , 夏季
　四季之一 , 介于春秋之间的季节。

- **가을 (名词)** : 네 계절 중의 하나로 여름과 겨울 사이의 계절.
  秋天 , 秋季
  四季中的一个 , 介于夏天和冬天之间的季节。

- **겨울 (名词)** : 네 계절 중의 하나로 가을과 봄 사이의 추운 계절.
  冬天 , 冬季
  四季中的一个 , 介于秋天和春天之间的寒冷的季节。

- **작년 (名词)** : 지금 지나가고 있는 해의 바로 전 해.
  去年
  正经历的年份的前面一年。

- **올해 (名词)** : 지금 지나가고 있는 이 해.
  今年
  现在正在度过的这一年。

- **내년 (名词)** : 올해의 바로 다음 해.
  明年 , 来年
  今年的下一年。

- **과거 (名词)** : 지나간 때.
  过去 , 从前
  逝去的时光。

- **현재 (名词)** : 지금 이때.
  现在 , 目前 , 此时
  现在这个时候。

- **미래 (名词)** : 앞으로 올 때.
  未来 , 将来
  即将到来的时候。

< 참고(参考) 문헌(文献) >

고려대학교 한국어대사전, 고려대학교 민족문화연구원, 2009
우리말샘, 국립국어원, 2016
표준국어대사전, 국립국어원, 1999
한국어교육 문법 자료편, 한글파크, 2016
한국어 교육학 사전, 하우, 2014
한국어기초사전, 국립국어원, 2016
한국어 문법 총론 Ⅰ, 집문당, 2015

HANPUK

유머로 배우는 한국어 中国语(중국어) 翻译(번역)

발 행 | 2024년 7월 16일
저 자 | 주식회사 한글2119연구소
펴낸이 | 한건희
펴낸곳 | 주식회사 부크크
출판사등록 | 2014.07.15.(제2014-16호)
주 소 | 서울특별시 금천구 가산디지털1로 119 SK트윈타워 A동 305호
전 화 | 1670-8316
이메일 | info@bookk.co.kr

ISBN | 979-11-410-9540-6

www.bookk.co.kr
ⓒ 주식회사 한글2119연구소 2024